智慧树经管书系
汉译企业知识产权战略丛书

无形资产的有形战略

管理公司六大无形资产的制胜法宝

[美] 约翰·贝利 著
陈江华 译

知识产权出版社

图书在版编目(CIP)数据

无形资产的有形战略：管理公司六大无形资产的制胜法宝／(美) 贝利著；
陈江华译. 北京：知识产权出版社，2006.7
(汉译企业知识产权战略丛书)
书名原文：Tangible Strategies for Intangible Assets
ISBN 7-80198-583-4
Ⅰ. 无… Ⅱ. ①贝…②陈… Ⅲ. 无形资产－企业管理 Ⅳ. F273.4

中国版本图书馆 CIP 数据核字（2006）第 068423 号

无形资产的有形战略

——管理公司六大无形资产的制胜法宝

[美] 约翰·贝利 著
陈江华 译

责任编辑 刘 忠 李 潇　　责任校对 董志英
装帧设计 鞠洪深 徐 芸 龙 文 鞠小英　　责任出版 杨宝林

出版发行：知识产权出版社
社 址：北京市海淀区马甸桥马甸南村 1 号　　邮 编：100088
网 址：http://www.cnipr.com　　邮 箱：bjb@cnipr.com
电 话：(010)82000893 82000860-8101　　传 真：(010)82000893
编辑电话：(010)82000860-8133　　编辑邮箱：lixiao@cnipr.com
印 刷：北京市兴怀印刷厂　　经 销：新华书店及其相关销售网点
版 次：2006 年 12 月第一版　　印 次：2006 年 12 月第一次印刷
开 本：720mm × 960mm 1/16　　印 张：17.5
字 数：253 千字　　京权图字：01-2006-0883
ISBN 7-80198-583-4/F·073(1637)　　定 价：36.00 元
如有印装质量问题，本社负责调换

译者序

当今的经济越来越以思想为基础，信息技术、知识产权/知识资产、知识、客户、雇员、品牌等无形资产的所有权在一家公司的市值中可以占到90%，甚至更多。但是，由于它们作为资产仍然没有相对完美的定义，普遍接受的测量和管理体制仍未出现，人们往往是不协调地管理着无形资产，或者甚至对无形资产根本就没有进行管理，因而未能实现它们的价值创造潜力。作为一位世界知名的管理顾问，本书作者约翰·贝利以其丰富的实践经验为基础，同时对拥有成功的无形资产管理实践的组织进行了大量调研，用诙谐、幽默、通俗易懂的语言介绍了该领域最前沿的理论与最新的实践。本书适合各种组织的管理人员、管理专业的学生以及研究人员阅读。

本书导论部分与第一章及第二章统领全书，对无形资产的概念及分类等基本问题进行了理论探讨。作者没有试图给无形资产作出一个明确的定义和分类，但读者通过这一部分的论述，会对无形资产的本质有更清晰的认识。虽然很多组织越来越认识到无形资产是组织财富的重要源泉，但"不能测量的，就不能管理"，而且根据现行的财务报告标准，无形资产的价值并没有在财务报表中充分地反映出来。第三章介绍了有关企业在无形资产价值报告方面所作的尝试，同时分析了

FASB关于商誉处理的政策变化及其对组织的影响。第四章至第十一章分别就信息技术、知识产权/知识资产、知识、客户、雇员等五类无形资产的测量与管理进行了前瞻性、创新性的积极探索(关于品牌,由于缺少有意义的新方法,所以没有为该类资产专设章节,只是在最后一章中进行了简单的论述)。对于上述每种无形资产,作者都提出了最新的管理方法,并对这些方法在现实生活中的实际运用进行了深入的分析。其中有些管理方法已经为很多管理界人士所熟知,如平衡记分卡;而有的管理方法,如用于知识管理的知识目标理论则是一种全新的理论,目前还鲜有在现实生活中的实践。本书最后一章对各种无形资产的管理进行了回顾,并提出组织安排本身就是一种能为组织提供特殊竞争力的无形资产。在每章的最后,都设有该章要点,专门就组织在进行该章所涉及领域的活动时应当注意的问题提出建议。

本书充满了创新的思想。最具特色之处在于其研究方法,对于很多问题的探讨具有探索性,一方面提出了改善无形资产管理从而最大化萃取无形资产价值的方法;另一方面由于有些管理方法并不是在任何企业都可以获得成功,因此,通过提出前瞻性的问题,提供解决问题的思路,读者可以结合自己所在组织及行业的特点,根据该书提供的启示,寻找适合自己的管理方法。书中列举了大量案例,既有已经通过多次成功证明的实践，又有一些开拓性尝试；既包括全球知名的大企业，也有名不见经传的小公司。它们所在的行业各不相同，组织形式、管理方式以及组织文化也不尽相同，但都有一个共同的特点，这就是它们都突破了既有的管理理论与实践方法，另辟蹊径，针对自身独特的情况，成功地从无形资产中萃取了最大化的价值，其中很多管理方法如果没有创新性精神，是无法想到的。这对我国企业的管理人员具有重要的意义，可以帮助他们重新审视自己企业所拥有的无形资产，对于那些被忽视的或是未能有效利用的无形资产，既可以把这些已经实践过的具体管理方法拿来即学即用，更可以学习这种创新的思路，在日常的管理工作中探索出适合于自己企业的无形资产管理方法，也许可以得到超乎自己想像的结果。

尽管我在翻译的过程中作了很大努力，但仍难免有不妥之处，希望读者指正。本书原版中的案例多以美国为背景，因此我对个别地方作了注释，以期对读者的理解有所帮助。我自己研究的领域是经济法，虽然对知识产权有所研究，但对管理学却知之不多，为此查阅了许多管理书籍，对于许多管理理念与管理方法，上网搜索了相关的背景资料。但在翻译过程中仍时时感到举步维艰。幸好该书的语言简洁、诙谐幽默，这使我的翻译工作轻松了很多，而且在翻译的过程中经常会因为读到极具创新性的思想而有耳目一新的感觉，在此对本书的作者致以最诚挚的敬意。

最后，我还要衷心感谢本书的编辑刘忠、李潇对我的关心与帮助，以及我的家人对我在精神上的支持。在他们的帮助下，我才得以利用业余时间将这本专著翻译完成。

陈江华

2006年5月

致 谢

虽然致谢部分一般都放在一本书的第一页，但肯定都是在最后才写的。因此，对作者来说有着特殊的意义，原因有以下几个。致谢暗示全书终于写完了，作者如释重负。更重要的是，致谢是公开感谢专家的功劳，没有他们的指导和帮助，本书不可能完成。众所周知，在知识经济中，最稀缺的资源之一就是时间。一些人为了解释本书所阐述的众多概念和主题而对本书投入了时间。还有些人已经同意要提供信息，但在会见的最后一分钟退出，没有任何解释（他们知道自己是谁）。与之相比，那些贡献出自己的专业知识和智慧的人就显得更加慷慨了。为此，应在此向他们表示感谢。

衷心感谢QED公司与yet2.com的Tim Bernstein，他花了无数的时间为我解释公司的商业模式，它是如何适应今天的创新市场化（OMI）实践，以及特定公司是怎样将OMI的规则用于自己的知识产权/资产管理的。还要感谢QED公司的Phil Stern，他审读了本书有关OMI的内容；感谢Bain公司的Darrell Rigby，他详细阐述了自己有关这一主题的见解，相关内容最初发表于《哈佛商业评论》（Harvard Business Review）。此外，还要特别感谢CBIZ评估集团的评估专家Gregory Watts，他在解释有关商誉和无形资产评估方面的错综复杂的会计学时，显示出教师的天分，在写这部分内容的时候非常需要他的幽默和耐心。而同是来自CBIZ公司的David Bowerman则为我与Watts的讨论确定了方向。

Mercer公司的Jay Doherty在人力资本管理方面为本书提供了特别的帮助。人力资本即雇员，可以说是组织资产库中最宝贵、最重要的无形资产，但并没有得到应有的有效管理。Mercer公司在这方面的工作极富创新性，加入他们的思想为本书锦上添花。Ernst & Young公司的人力资源部经理Jeremy Gump，也为组织如何更好地管理其人力资本费用提供了宝贵的建议。非常感谢Gump对人力资本ROI的解释。还应该感谢E&Y公司的合伙人Bill Leisy，他向我提供了重要的人力资本背景信息，使我后来与Jeremy的讨论成为可能。

有关知识的一章得到了以下几个人的帮助，包括Delphi Group公司的首席分析家Nathaniel Palmer，这些年来我与他就各种不同的管理主题进行过几次谈话，大有收获。Palmer解释了流行的知识管理实践中的问题，他既冷静又极其幽默，使我们的谈话既愉快又发人深思。Hill & Knowlton公司的Ted Graham积极倡导知识管理及其在H&K公司这样的组织中的用处（H&K公司的成功主要依赖思想）。Graham近期的知识管理战略相当具有创新性，这在本书中有所论述，为此我非常感激。此外，还要感谢知识目标理论的提出者Michael Cahill，感谢他为解释这个方法及其理论所花费的时间。

最后，也是最重要的，我要向McGrawHill出版公司的编辑Kelli Christiansen致以诚挚的感谢，感谢她等待最后交稿时的耐心。尽管一本书的写作相当困难，但编辑使得这一工作不那么痛苦，对于本书的进展，编辑知道何时过问，何时不问。谨慎是无畏精神的重要组成部分，对于Kelli的无畏表现，我非常敬佩。

目录

译者序 1

致谢 5

第一章　导论:关于无形资产本质的基本问题 1

问题1:内部测量和评估 3
问题2:外部测量与评估 5
问题3:评估与管理 7
对无形资产不仅要评估,还要管理 9
结论 11
本书叙述的逻辑 12

第二章　定义的清晰化 13

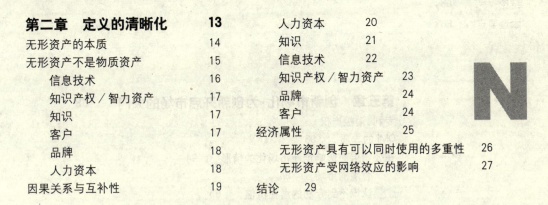

无形资产的本质 14
无形资产不是物质资产 15
　信息技术 16
　知识产权/智力资产 17
　知识 17
　客户 17
　品牌 18
　人力资本 18
因果关系与互补性 19
　人力资本 20
　知识 21
　信息技术 22
　知识产权/智力资产 23
　品牌 24
　客户 24
经济属性 25
　无形资产具有可以同时使用的多重性 26
　无形资产受网络效应的影响 27
结论 29

第三章　有关财务报告的公认会计准则(GAAP) 31

为什么无形资产如此重要 33
正确地记录价值 36
财务报告:信用危机? 39
经未来的提示 40
在价值报告方面所作的尝试:斯堪的亚公司的实践 40
知识资本记分卡 44
鸡和蛋:改变的力量 46
　商誉 49
妈妈的生活 51
这个故事的寓意 53
　对无形资产不自动减值 53
　要求更精确地辨认无形资产 54
　并不是所有的无形资产都是可辨认的 54
结论 57

第四章　信息技术是一种无形的技术　　59

IT 的无形性因素　　62
分离模糊　　65
权重模糊　　66
迎接无形性的挑战　　70
　　测量活动金字塔　　70
无形性难题的案例　　74
　　案例 1:寻找组织灵活性中的确定因素　　74
　　案例 2:去除少量收益的魔咒　　78
　　案例 3:从战术中寻找确定性因素　　80
审核带来的无形性　　82
结论　　85
本章要点　　86

第五章　创新市场化:为创新开启市场的大门　　89

专利:消极产权　　91
OMI 的本质　　93
在公司层面影响创新市场化的情形　　94
　　有限的市场　　94
　　认识不到专利的潜在价值　　95
　　非此地发明症候群　　95
市场时机　　97
研发成本　　98
研发经费的节制　　99
专利等于创新吗?　　100
在行业层面影响市场创新化的情形　　102
　　创新的强度　　102
　　创新的规模经济　　103
　　市场状况　　104
　　累积性创新　　104
　　破坏性创新　　104
　　创新的应用范围　　105
　　创新可量化的价值　　105
　　不再缺少的元素　　106
　　网络使 OMI 成为可能　　107
本章要点　　108

第六章　可靠的经纪人——一个重要的OMI元素　109
卖方机会　109
　步骤1：筛选、分割和组织　110
　步骤2：评估价值萃取潜力　113
　步骤3：评估技术的价值（技术鉴定）　114
买方机会　117
多好的一个选择！　118
文化变迁　120
为什么非要为OMI而烦恼？　121
结论　123
本章要点　126

第七章　缺乏知识管理是危险的　129
定义上的难题　129
机械的方法　131
要节约成本　135
有效的KM　136
目标推动KM战略和战术　139
还是分享知识好　139
数豆豆　140
建立市场　143
本章要点　146

第八章　全新的知识管理方法　149
知识目标理论概况　149
意图是关键　151
将理论付诸实践：研发科学家的方案　151
将理论付诸实践：营销方案　156
以通用的语言为目标　159
其他特点和需要考虑的因素　160
　发现你所不知道的　160
建立知识的有效性　161
　知识目标机制作为其他类型知识的补充　163
　KOM提供新的检索能力　164
知识目标理论用于企业的潜力　164
结论　166
本章要点　167

第九章　无论如何也要获得客户？　169
嗨！客户——你今天为我做什么了？　172
评估获利能力可以降低客户支持成本　176
获利能力得分及其与维系和忠诚的相互作用　179
通过对客户获利能力评分促进客户的发展　184
B2C与B2B　187
本章要点　188

第十章　盈利客户和忠诚的需要　189
为客户的价值评分　190
资源重组　193
适宜性　194
执行中的难题　196
把忠诚作为资产管理　197
忠诚的类型　198
满意不等于忠诚　199
了解忠诚与终生价值之间的关系　200
客户与人力资本　200
有关雇员－客户关系的荒诞说法　201
促成以客户为导向的战略成果　202
位于首位的联系　204
结论　205
本章要点　206

第十一章　把人当作资产管理是个绝妙的主意　209
人力资本增加值与人力资本的投资回报　211
案例一：社区医院　212
案例二：县医院　213
两个案例之间的比较　214
平衡记分卡　215
美世采用的方法　219
　适当人力资本管理的三个支柱　219
　原则一：系统思维　221
　原则二：收集适当的情报　222
　原则三：聚焦价值　227
结论　228
本章要点　230

第十二章　为了创造价值统筹管理　233
信息技术　234
知识产权／智力资产　235
知识　237
客户　240
人力资本　243
品牌　245
组织安排自身就是资产　251
结论　253
结语　255

第一章

导论：关于无形资产本质的基本问题

什么是无形资产(intangible asset)？首先对其组成部分分别定义也许能让我们更好地理解这个词的含义。“无形”一词在字典中的定义是“触摸不到”或“难以确定”。“资产”则是指一种价值或财富的来源。因此，无形资产是一种触摸不到或难以确定的价值或财富的来源。

鉴于无形资产与商业有关，Brookings研究所专门动用了一个工作小组就这一主题进行了深入的研究。在“看不见的财富：Brookings特别工作组关于无形资产的报告”一文中，Brookings工作小组这样解释无形资产：“无形资产是作用于或使用于商品的生产或服务的供应，或预期会对控制其使用的个人或公司带来远期生产利益的非物质因素。”[1] 理解这一定义的关键在于：第一，这种资产的本质是以非实物形态存在，更确切地说是以概念和知识形态存在的；第二，由于组织可以从其中汲取价值，无形资产能为组织提供即期和远期的经济价值。因此，一个组织可以通过从无形资产中提取价值或让与他人来对这些资产进行管理。

Brookings为无形资产所下的定义是近来少数几个对这一主题所做的正式尝试之一，看来可以作为深入研究的良好基础。本书在使用“价值”、“无形资产”时，都使用这一定义。

Brookings尝试根据这一定义对无形资产进行了分类，即根据某一特定资产能否被测量，[2] 可

---

[1] Margaret M. Blair Steven M. H. Wallman, *Unseen Wealth: Report of the Brookings Task Force on Intangibles* (Washington, D.C.: Brookings Institution Press, 2001), p. 10.

[2] Margaret M. Blair Steven M. H. Wallman, *Unseen Wealth: Report of the Brookings Task Force on Intangibles* (Washington, D.C.: Brookings Institution Press, 2001), p. 51.

以将无形资产分为以下三类：

1. 可以被拥有并销售的资产。这类资产有相关的财产权，包括专利、品牌、商标和著作权。"财产权"是指我们的法律体系明文规定不得盗窃或者挪用这类资产。这类资产有明确的范围，可以对其进行买卖，而且经常出现在诸如兼并和收购这些不同形式的商业活动中。但是，对这类资产可以买卖，并不是说对它们可以准确地定价。公司在购买这类资产时，经常会出价过高。

2. 可以被控制但不能买卖的资产。这类资产不能独立存在，因而不能作为一项资产出售或赠与，例如正在进行中的研发（research and development，简称R&D）、独特的商业流程或管理方法。研发是一些有着明确界定的重要元素的集合，例如，劳动力、研究人员、为雇员的工作提供支持的信息技术（information technology，简称IT）。不过，由于某一世界级的研发能力的所有组成部分对于建立它们的组织来说可能都是独一无二的，因此即使受让人愿意支付高价，也无法单独作为一个独立的统一体转让。

3. 不能完全由公司控制的资产。这类资产主要是指人。雇员是许多由同一公司控制的其他无形资产——品牌、专利、商业秘密、技术诀窍（know-how）——的来源。然而组织并不能拥有雇员（虽然一些管理者认为可以），他们可以离开公司，并将技术一起带走，因而属于流动资产。

在相当抽象的意义上，围绕以下三个更广的范围进行研究，可以加深我们对无形资产及其对价值创造的作用的理解。第一，内部价值问题，即我们能否使用经过检验的评估工具来理解某一无形资产起作用的过程？第二，商业社会在财务报表中如何描述无形资产的经济价值？第三，也是最重要的一个问题，即随着围绕前两个问题出现了新的思想，是否可以找到这样的管理方法，可以使管理者明确为了创造价值如何才能最好地管理这些资产？

本书主要讨论最后一个问题。以下就从Brookings提出的三组问题入手，对无形资产进行深入研究。

问题1：内部测量和评估

Brookings对无形资产的特性进行了测量，这一思想引起了我们的注意，原因在于我们相信优秀的资产管理始于评估。这里所说的评估是指用货币测量资产，从而使管理者可以确定该资产将来的收益或损失。很多年以前，初级财会学中就有这种评估工具。这一问题就像下面这个基本公式一样简单。

$$\frac{利润}{投资} = 投资回报$$

这是一个古典的基本测量工具，管理者可以用来评估分配给诸如新X光机、钻压机、金属车床、人力资源和工资表软件、货车队等资本的可行性。如果投资100美元购买一项资产，通过节约成本或者收取利润获得了20美元的收益，那么这项投资的回报(ROI)就是20%。现在再来看下面这个公式：

$$\frac{利润}{无形资产} = 投资回报$$

假设同一管理者希望投资100美元购买一项无形资产，比如购买一项专利或者获得其授权。如果其所在的公司根据这项专利中的秘密技术生产出一种新的产品，从而获得了20%的利润，就要恭喜这名管理者了，因为他得到了20%的无形资产ROI。由于评估方法的存在，可以对第一类无形资产进行合理的远期经济利益评估。

然而，无形资产附属于其他资产的本质，使得这些资产必须与其他资产结合才能带来经济利益，因而这种计算是很复杂的。在这种情况下，投资就不仅包括购买专利的货币成本，还包括产品的开发成本，以及营销策略成本，用以使公众相信产品是值得购买的创新。这些都是帮助从专利中汲取价值的重要附属动力。

我们可以将所有这些构成ROI计算公式中的分母的投入成本相加。专利、产品开发能力和营销技能都属于ROI公式中的资产因素。管理者如何将新产品产生的收益或净收入在最终变成产品/服务的所有投入之间分配？每种资产应得多少份额？与营销相比，专利究竟有多重要？在推动财务影响方面，对产品开发的执行是否与专利同样重要？除非管理者能够紧紧把握市场对创新的潜在接受力，并能有效地将其实现，否则专利的用处并不大。

对第二类无形资产的价值评估更难处理，原因相同，即它们的互补性。如果管理者将100美元投入能够创造有竞争力、与众不同的商业流程，他/她或许可以计算出该投资的ROI。不过计算并非如此简单。假设某制造商希望通过改善它的服务配件管理，来减少送货的时间。它要安装专门的物流软件，对数据进行清理、分类，对服务部门的人员进行重组，以改善服务网络的计划编制。所有这些努力都需要对资源投资，主要是对人力资源和资金的投资。那么管理者用于评估这项计划可行性的投资依据是什么呢？

用于重组配件销售组织的劳动力和技术资源计算起来并不困难，于是就知道了投资或者说是ROI公式中的分母。计算结果也还容易量化，如流动资本效率的改善。

这一投资的结果形成了新的无形资产（即技术、流程和人力的结合），极大地提高了组织提供配件服务的效率。鉴于多数制造商的售后服务和配件可以占到总收入的20%～30%，以及利润的40%，这不能不算是个重要的成就。[1] 如果公司想控制或测量这项"资产"今后的作用，都需要测量些什么？与由技术支持并共同构成这种资产的组织设计和流程安排相比，信息技术的作用有多大？假设这种资产可以通过某种方式提高供应链运送的效率，其价值应该如何评估？对于为提高附加经济价值的初始无形收益所需增加的投资，管理者应该如何计算它的投资回报？

对第三类无形资产的测量非常困难。目前，人至少在名义上是组织中最重要的资产。公司花费大量资金用于劳动力培训，那么用于某位中层管理人员取得高级学位的投资回报是多少？资金回收的周期是多少？在计算ROI时，是否应将中级管理人员得到学位证书后辞职，尤其是带走潜在投资回报的风险因素

[1] "Service Parts Managem-ent — Unlocking Value and Profits in the Service Chain," Aberdeen research report (September 2003). p. 8.

计算在内？如果我们不使用ROI这种经过验证的经济评估方法，可以拿什么来取代？

这些假设表明，由于商业社会恰当地认为这些无形财产是真正的资产，为了对它们进行合理管理，在使用用于建筑和机械这类资产的评估工具将其量化时，就出现了问题，即无形资产引起的内部测量问题。像ROI这类的传统财会评估工具对无形资产很难适用，这是因为无形资产并非传统资产，与我们传统上理解的资产概念不符。但是如果无形资产的确是资产的话，就必须发展价值萃取的实证检验方法，否则这些资产最终要么是被闲置，要么就是由于资金未被投入其他能够创造价值的资产，而产生巨大的机会成本。如果能完全实现这些资产的价值，就必须对其进行管理。本书即旨在研究这些评估方法。

问题2：外部测量与评估

正是在这一问题上，研究变得混乱起来。不仅上述用于内部的经济评估工具不太适合完成这项工作，而且股东从关于组织财务状况的报告中，完全看不出所有这些无形资产实际上能带来多大的发展和利润绩效。这让会计业的同行大为恐慌。就会计学对无形资产的处理来说，它们只在管理者这么认为的意义上才是资产，尽管它们为组织带来价值的能力已经得到证实。这些"资产"在财务报表中根本不属于资产。这种背离最明显的例子就是会计学对研发的处理。

研发是一种重要的资源，被许多人认为是一种具有较高价值的无形资产，其价值在一个组织中可能排在前三位。组织自身、人力资源和技术诀窍构成了研发的功能，这里不包括知识产权，因为它只是研发的最终成果。公司投资于研发能力，管理者也完全相信该能力是一种能以其他无形资产形式（如商业秘密和专利，这些都是收入和资金流的直接来源）带来远期经济回报的资产。然而研发在公司资产负债表中并没有像用于新建筑或机器的投资一样作为现有价值计算，而是在投资之时被列为费用。

不仅财务报表不把研发投资作为资产，而且由于投入研发的这部分资金实际上在其消耗之日起即成为支出，因而损失是双重的。

举这个例子，与其是要暴露出会计学的缺陷，不如说是要证明：美国经济界的管理者所认为的资产与财务报告准则对围绕培育这些资产所进行的商业活动的处理之间存在着背离。这被称为外部测量和评估问题。对无形资产的投资和培育与财务负债表和收入报表中对无形资产的处理之间的背离，在某些行业超过了其他行业。这取决于某个行业中无形资产对客户价值的实现及最终的利润增长的影响大小。娱乐业、制药业、技术公司和一些消费产品制造商拥有大量的无形资产，其成功也仰仗大量的无形资产。零售业对无形资产的依赖就要小一些。然而，甚至在那些无形资产所有权及其影响的总量和强度表面看来较低的行业，无形资产对商业成功的重要性可能也是极高的。

例如，泰国当地餐馆依靠厨师的技术和菜谱作出风味独特的食品。餐馆管理者和所有者完全明白，美味能够吸引足够的顾客，带来极高的营业利润，因而食物的品质是其成功的基础。即使管理者并没有把独特的烹饪菜谱当作资产，餐馆也拥有了宝贵的无形资产。

外部的评估压力，即会计准则与管理者的想像和直觉在处理无形资产问题上的背离，是无形资产现象吸引了越来越多的商业人士关注的关键原因。如果管理者不站出来宣布公司的某项能力或实体是一项值得测量其价值的资产，对这一主题的讨论就会少得多。不过管理者已经宣布，人、组织能力、品牌等确实是值得进行价值管理的资产，虽然对它们的内部和外部测量方法并不完善。

这里有一点需要说明一下。专家指出，会计学只关注财务报告。的确，资产负债表上显示的应是用于经营的各种价值的货币金额。不过，财务报告与评估的紧密关联，使得管理者想要报告某些无形资产的贡献。但是目前的借贷对照表并不允许这样做，因此也就不能充分地反映出它们的潜在财务价值。实际上，财务报告要求首先要分配货币价值，因此，虽然评估不等于报告，但这两者是互相依赖的。

问题3：评估与管理

管理学上有句古老格言：“不能测量，就不能管理。”这句话在理论上可能是对的。然而，管理者虽然没有对所有无形资产进行科学量化的完善测量系统，但在这一问题上取得的进展却超过了会计学。他们管理着无形资产，为财务绩效作出了贡献，尽管有时某种无形资产与实际的财务绩效之间充其量只可以说是存在微妙的直接因果关系。同样，对某些无形资产的评估也是没有意义的。例如，知道某个知识的货币价值是多少可能会很有意思，但对增进我们对无形资产的概念及其管理的理解却没什么用处。

为了支持“评估并非管理”的这个观点，我们现在来做一个计算品牌价值的练习。下面这个简单的例证（表1–1）引自《哈佛商业评论》中的一篇文章。[1]

表1–1　品牌价值的计算

×公司××××年度的营业收入（以10亿为单位）	$1.000
扣除一个相当的非品牌产品的营业收入	0.055
××××年调整后的公司营业收入	0.945
前一年度调整后的公司营业收入	0.892
两年营业收入的加权平均数(××××年的权重是上年的两倍)	0.927
扣除34%的美国税率	0.315
×公司两年税后营业净收入的加权数	0.612
公司品牌实力乘数	19.04
×公司两年税后营业净收入的加权数	0.612
乘以公司的品牌实力乘数	11.6
×公司××××年的品牌估价	11.6

这种品牌价值的计算方法来自以下两个数值：税后净利润扣除同等非品牌产品的收益，以及品牌实力乘数（the brand strength multiple）。该乘数从以下几个方面评估一个公司的品牌价值。

[1] Adapted from Alvin J. Silk, “Brand Valuation Methodology: A Simple Example,” *Harvard Business Review* (January 26, 1996), p. 3.

■ 影响市场的能力；

■ 维护客户关系的能力；

■ 市场需求受消费口味与技术变化的影响程度；

■ 建立国际市场的能力；

■ 长期的影响力；

■ 沟通的效率；

■ 所有者的财产权对品牌的控制力。

乘数越大，公司品牌的实力就越强。根据这一评估方法计算出来的乘数范围为6～20。[1]

在上面的例子中，这个品牌在X年度的价值稍高于116亿美元。为了便于讨论，我们假定X公司在下一年度的品牌价值是117亿美元，增加了1亿美元。知道了品牌的价值，管理者是否就能确切地知道创造这些价值的策略和战术是什么了呢？随着品牌在海外的声誉提高，沟通效率可以使其在国内的价值增值，管理者能否分离出这种沟通效率的相关重要性并进行评估？提高六西格玛管理（Six Sigma）的努力对品牌增值的影响是多少？新的产品或公司网站的重建对品牌增值的影响又是多少呢？在未能深刻理解所有影响品牌增值的因素的情况下，要想保持品牌价值的持续增长，管理者下一步应采取什么行动？

除非管理者能够将提高品牌价值的互补因素分解，就算知道品牌在某一既定时间的价值，其价值也是有限的。

或者可以这么说，如果高级管理层为下一季度设立了品牌价值增长10%的目标，品牌管理者是否有把握以自己对推动品牌价值增长的因素——不只是广告和公共关系——的理解，能够管理品牌，以寻求这10%的增长呢？

[1] Adapted from Alvin J. Silk, "Brand Valuation Methodology: A Simple Example," *Harvard Business Review* (January 26, 1996), p.2.

对无形资产不仅要评估，还要管理

本书不只是讨论评估问题，还关注于捕捉有关管理者如何管理独立的无形资产以获取价值的最新思想和创新，尽管尚不存在完美的测量体系。本书通过探讨这些测量方法，得出了这个结论：新的管理和测量体系是存在的，而且并非只是传统用于评估有形资产的ROI工具的翻版。令人高兴的是，这些方法完全能被从事实际管理工作的人员所理解。

本书计划考察以下几种无形资产：

- 信息技术
- 知识产权
- 知识
- 客户
- 品牌
- 雇员

除品牌之外，以上每种资产专列一章。有关品牌的讨论放在本书最后关于有效无形资产管理的组织问题中。在决定研究哪类无形资产的价值创造方法时，我们采用财务会计标准委员会（The Financial Accounting Standards Board，简称FASB）对人们通常理解的无形资产所作列表为基础，[1]见表1-2。

可以看出，本书对FASB列表中的大部分无形资产都没有直接讨论。原因在于，第一，虽然该表中的所有无形资产都是重要的价值来源，但并不一定都与管理者的日常工作有关。第二，其中有些是由更重要的无形资产衍生而来。这个问题值得在这里讨论一下。

---

[1] *Statement of Financial Accounting Standards* No. 141, Financial Accounting Series (Norwalk, CT: Financial Accounting Standards Board, June 2001).

表 1-2　FASB 无形资产

无形资产的类型	包　　括
与市场相关的无形资产	商标、商号、服务标记、外观设计、报纸刊头(newspaper mastheads)、域名、非竞争性合同
与客户相关的无形资产	客户名单、订货单(order backlogs)、消费合同、非契约性的客户关系
与艺术相关的无形资产	戏剧、歌剧、芭蕾、图书、杂志、报纸、音乐作品（如乐曲、歌曲、广告词）
基于合同的无形资产	许可、使用权合同(royalty agreements)，服务合同，租赁与特许合同，建筑许可，使用权（例如：公用事业用地权、电话通线用地权、水和空气的使用权、砍伐权），劳动合同
基于技术的无形资产	专利、软件、非专利技术、数据库、商业秘密（如食谱、配方）

以客户名单为例。这种资产对于管理者非常重要，但它只是对另一更重要的无形资产——客户本身——进行管理所得的一种剩余收益，是为获取利润成功地平衡客户关系的结果。管理一个名单与管理名单中所列的资产，哪个更重要呢？

现在再来看看表 1－2 中所列基于合同取得的用地权(rights-of-way)。对于这种无形资产，许多读者可能都不太熟悉。由于对农村地区提供电信服务比城市的电信服务昂贵得多，资本投资的回报因而很不确定，所以电信运营商缺少在农村地区投资的经济动力。于是，农村地区的政府热衷于营造特有的经济和法律环境，以鼓励电信运营商对当地基础设施的升级。由于电信运营商不愿在这些地区对先进的电信设施投资，使得农村通信落后，对当地经济不利，因此当地政府寻求至少能通过改善投资环境以吸引所需投资的策略和战术。

农村政府通过签订合同授予运营商在所辖地区街道和其他公共用地下挖沟的权利，是运营商向当地提供电信服务的必要条件。在地方当局要求运营商为提供服务许可进行补偿的情况下，用地权是一种非常重要的资产，而且与之相关的成本极其精确。由于当地社区发现向用地权收费可以带来税收，从而产生了这一成本。对这种无形资产在经济上有着确定的范围。除非合同另有约定，运营商可以任意将这种提供服务的权利出售给其他运营商。用地权的价值完全可以根据其他运营商为取得权利所支付的价格来加以确定。

然而，从管理者的角度看，用地权是否像其他无形资产一样，可以对其价值进行测量？用地权一旦取得，就根本不需要管理，其本身也不能增加经济效益。真正的收益源于，可以通过提供优质的声音和数据的服务赢得客户。用地权本身并不是价值增长的持续来源，而是一种能够通过提供优质服务为运营商带来市场价值的稳定权利。对这种重要的无形资产的管理取决于合同条款的遵守问题。与其他无形资产不同，得到授权之后，用地权并不适于通过先进的管理方法从中持续获取价值。

问题是，某些种类的无形资产尽管被认为是资产，但并不需要强化管理，而其他一些无形资产却很明显地需要高强度的管理。本书只讨论这些需要重点强化管理的无形资产。如果组织能够成功地管理本书界定的这些资产，其他无形资产也就无需管理了。

读者可能已经注意到，本书讨论的资产中有两种并没有出现在FASB的列表中，即雇员与客户。这是因为，这个标准委员会是以财务报告为定位和关注对象的，而在制作报告时，雇员和客户并不被认为是需要计算现有价值的资产。（当然也可以说，客户没必要出现在资产负债表当中，因为损益表已经充分地反映了客户对财务绩效的贡献。）

客户在一个关键方面与所有其他无形资产都不相同，即公司难以甚至不能控制客户。尽管如此，本书基于以下原因仍将其作为一种无形资产。首先，与其他所有出现在中介和商业宣传中的无形资产一起，“客户”这个概念也被饰以华丽的辞藻。经常能听到一些公司的主管说，客户是一个公司最重要的“资产”之一。其次，客户资料在某些方面仍具有无形性，是因为企业并没有用心去量化它，这就是客户对于公司的获利能力。对很多企业来说，客户的获利能力是完全可以测量的，并且能对以客户导向的策略产生重要影响。因此，尽管Brookings和FASB都没有将“客户”纳入无形资产的范畴，本书仍将它看作是一类存在管理技巧的无形资产。

结论

如果为了获取价值而对无形资产进行管理，就必须对它们进行明确的界定，以便与传统上认为的资产相区别。Brookings 对无形资产的本质这一基本问题所作的分析，尽管都是些可笑的常识性设想，但也是人们期待已久的。除非首先解决简单问题，否则即使使用复杂的管理方法也会毫无效果。管理学与管理艺术的历史会恰当地看待这个工作组的工作。

本书叙述的逻辑

在开始介绍改进后的具体无形资产管理方法之前，本书首先用一章的篇幅概括叙述专家在定义无形资产时的困惑，并将这一定义清晰化。Brookings 认为，对所有无形资产作出清晰的定义和普遍接受的分类，对于人们的普遍理解和优化管理是至关重要的。有人把无形资产称为“智力资本”（“intellectual capital”），还有人将其称为“知识资本”（“knowledge capital”）或“组织资本”（“structural capital”），这些叫法看起来没什么差别。但在商业社会试图对无形资产建立一种通用语言和普遍认识时，差别就大了。

本书另一章为会计界同仁所面临的挑战介绍了有关的历史背景。这里再一次指出，关于无形资产的评估和财务量化问题与管理完全不同。然而，如果会计学可以发明出新的方法，能够描述无形资产对财务的影响，管理者就不得不将它们纳入资产管理的策略之中。此时，评估和财务量化问题与管理之间必然就会发生联系。损益表（P&L）仍是显示管理绩效的主要工具。要深刻理解无形资产的本质，就要对整个美国面临的财务报告问题有个基本的认识。

最后，在决定是否应将某一类无形资产收入本书时，有个关键的问题，即是否存在从无形资产中萃取价值的新方法，至少能对组织产生一些战略性的影响。但愿通过提出这个问题，管理者能够证明哪些管理行为是合理的，而哪些是不合理的，同时获得相关背景知识，从而在日常工作中做出更有见地的决定。

第二章

定义的清晰化

20世纪哲学家Ludwig Wittgenstein曾经说过，语言的界限即现实的界限，如果我们不能用一个能被普遍理解和接受的词语来描述一个现象，我们就无法理解这一现象——不能使它成为普遍接受的现实。无形资产这个概念具有不真实的、理想的特性，这么说应该不会引起多少争议。在公司内部关于财富来源越来越趋于无形性的争论很多，但是从语言的角度对这些资产的处理却是杂乱随意的，因而难以对其进行明确的分类。

对于无形资产的定义，可以从管理者观念改变的角度来理解。随着美国经济的发展，价值创造的源泉也随之完全发生了变化。在工业化大生产的经济时代，产品都是压膜制造（cookie-cutter），劳动力支撑着资本密集型生产。工人具有可替代性，从属于资本或机器，生产并不需要他们的智力贡献。在这种情况下，公司不可能将雇员当作资产。相比之下，今天的商业经营对脑力劳动有着高度的要求。任何形式的智力贡献——思想、策略、计划、蓝图、技术说明书、专利、品牌等等——都是公司成功的核心因素。雇员具有了资本的特性，因为他们与机器相比，基本上成为更重要的价值创造源泉。相关无形资产——知识，体现了人力资本贡献于商业成功的智力成果，也被视为一种资产。这种成果的体现本身也需要管理以创造价值。

信息技术也经历了类似的变革。到了20世纪六七十年代，随着业务规模的扩大，一个公司如果不用电脑来组织经营信息，就无法生存。然而一旦每个人都能对重要的商业流程进行自动化处理，信息技术就没有什么战略上的价值了。这就是当时的绿屏（green screen）和哑终端（dumb terminals）时代。

随着客户/服务器架构(client/server architecture)的出现，信息技术发展为利用计算机安排销售，与软件一起出现的程序包经销商，使得公司不仅可以通过自动化削减成本，而且还能通过商业流程的重组获得比较优势(不管时间有多短)。与此同时，对内置软件 (internally built software) 的态度也发生了同样的变化。然而具有讽刺意味的是，管理者承认信息技术在策略上的潜在价值这种态度上的改变，无疑还没有对雇员的态度变化那么极端，原因很简单，即信息技术在公司账簿上已经被处理为资产，只是现在人们更为确信而已。

一些学者认为，客户在今天也是一种无形资产——是公司“关系资本”(relational capital)的一部分。虽然客户几乎不符合任何一个有关资产的定义，但这不影响它成为一种资产。视客户为资产，主要不是因为他们突然间就变成了一种价值来源—他们从来就是价值来源之一，是公司财务绩效 (financial performance)的最终决断者。客户在今天是稀缺的。人们不停地争夺着金钱、争夺着时间、争夺着回头客，竞争是如此激烈，以至于管理者把客户归类为无形资产，因为他们急于赢得并留住客户。在许多行业中，公司不仅仅是需要客户，而是对客户极度渴望。就连那些认为把客户称为资产有些牵强的人，也发现为了创造价值，客户确实值得管理。

无形资产的本质

正如我们在第一章中所看到的，Brookings给无形资产下了一个容易理解的定义。财务会计标准委员会从财务报告的角度，为人们通常拥有的无形资产都有哪些提供了指引。任何围绕有关优化管理无形资产的新方法、手段或习惯做法进行的调查研究，不仅需要知道什么是无形资产，还必须对其本质进行考察。本章的目的就是探究无形资产的本质、辨别其行为模式，也许这样能帮助我们进行分类，从而深化对无形资产的理解。

要对无形资产进行分类，可以将无形资产的特性与有形资产的特性相比较，根据因果关系（causality）和互补性（complementarity）（即无形资产之间在产生、价值和管理方面的相互影响）对无形资产下定义，并分析无形资产独特的经济属性。每种分类方法都揭示了无形资产在某方面的独特性，但目前还没有一种方法能提供一个普遍适用的定义，使每种无形资产都能完全符合。

无形资产不是物质资产

正如Brookings已经指出的，广义的无形资产被定义为触摸不到、没有独立市场价值的资产（与建筑物或拖拉机等具有确定价值的物质资产相对），在财务报表上完全不作为资产处理（信息技术是个例外）。大多数被认为是无形的资产，在公司损益表中被列为费用，而不是作为资本放在资产负债表中（在以后的几章中对此有更多论述）。我们知道，这些资产包括但并不限于公司文化（company culture）、创新（innovation）、品牌（brand）、市场地位（market position）、知识产权（intellectual property）、领导能力（leadership）、知识资本（knowledge capital）、人力资本（human capital）、组织灵活性（organizational agility）和忠诚的顾客（loyal customers）。由于无形资产已经成为可以感知的或真实的价值创造源泉，而不再是会计账目上记录的资产含义（根据记账逻辑），因此造成了混乱。

另一个定义无形资产的方法是了解无形资产不是什么。FASB是一个关于财务报告和会计标准的组织。该组织从制作报表的角度，建立了关于资产是什么的清晰规则，包括：[1]

- 必须有明确的界定，与其他资产完全不同；
- 必须能被组织有效地控制；
- 通过测量开发和利用它们所获得的远期经济利益必须是可测量的；

---

[1] Margaret M. Blair Steven M. H. Wallman, *Unseen Wealth: Report of the Brookings Task Force on Intangibles* (Washington, D.C.: Brookings Institution Press, 2001), p. 52.

■ 必须有可能确定经济损害（economic impairment），即因废弃或耗损而贬值。

根据这组定义参数，资产传统上是指设备、厂房和其他物质资产，以及股票、债券、现金等金融资本（financial capital）。本书所描述的无形资产如何与这一概念（construct）相符合呢？表2-1显示，某些类别的无形资产部分满足了这种资产定义的标准，这取决于无形资产属于哪种类型。

表2-1　无形资产是否是形式意义上的资产

	信息技术	知识产权/资产	知识	客户	品牌	人力资本
明确的界定与独立性	大概符合	符合	大概符合	符合	符合	符合
组织的控制与所有权	符合	符合	大概符合	不符合	符合	不符合
可预见的经济影响	符合	符合	间接符合	符合	符合	符合
废弃因素——经济损害、价值损失的确定	符合	符合	大概符合	符合	符合	不符合

表2-1表明，根据传统的资产定义，并不存在绝对的无形资产。下面逐一研究每一类无形资产。

信息技术

信息技术符合FASB确定的每一个标准，但只是在有的时候是这样。技术的定义明确，并且常常是独立存在的，如IT硬件——服务器、主机等。但就软件来说，为了实现某种应用程序的全部价值，把几种软件组合起来之时，即失去了独立性。一个新的客户关系管理软件可能会与公司旧的收费系统相结合。新的供应链软件包可能会与下游的供货商或经销商相连。在这两种情况下，公司都会把新软件作为资产记录在账簿上，但是每种应用程序的最大价值都取决于它们与其他系统的互用性。这时，就总体价值而言，如果把一种软件投资定义为独立、范围明确的资产，其定义边界将会模糊不清，因为它与其他软件是长期互补的。

前面提到，信息技术与传统资产有一个共同的特性，那就是硬件和软件在财务报告上都被计为资产，并且信息技术的价值在将来会因废弃（出现了改进后的新版本）而减少。信息技术的远期经济价值可以预测，也可以由公司所控制（除非公司将其职能外包——在这种情况下，公司并不拥有资产）。

知识产权／智力资产

知识产权（intellectual property，简称IP）／智力资产（intellectual assets，简称IA）同样符合FASB的定义。专利、著作权和商业秘密都有很确定的范围，它们对经济的影响也可以由相关领域的专家使用已有的评估方法进行预测。这些评估活动通常发生在兼并、收购和以资产为支持的融资活动中。虽然IP和IA可能是最有名和最古老的无形资产，不过它们的无形性更多表明的是它们物质上的不可触摸性，而不是测量和管理上的困难。

知识

知识是一种奇特的无形资产，没有确定的范围。一个人的知识可能会成为另一个人的数据资料。知识或是由创造它的公司所掌控，或是装在既没有机会也没有兴趣分享它的雇员的脑袋里，由他／她控制。从知识中萃取价值（即知识管理）的经济影响如果利用得当，可能会对经营产生一些影响，但收入的增加与知识之间的直接关系充其量也只是细微的。知识会过时吗？有时会的。比如，深入的市场分析可以使雇员受益6个月，但随着市场环境的飞速变化，一些市场因素会逐渐丧失其显著性。不过，由于新的研究成果取代了旧的成果，组织集体知识的价值增加了。是否存在一种方法，能够确定知识的价值损失呢？答案是否定的，因为一条知识的货币价值首先就无法确定。知识往往不符合传统资本定义的每一项要求。尽管如此，本书仍希望在讨论知识的这一章中证明：虽然知识的概念经常是模糊的，并且几乎无法测量，但这并不能阻止管理者为了获取价值而管理知识。

客户

公司都希望能对客户进行有效的控制。如果真能做到这一点，销售会议将会比现在愉快得多。

尽管公司对客户不享有所有权(而所有权是一项资产的核心属性)，管理者们仍坚持认为客户是公司的资产。事实上，预测客户的经济影响应是对客户进行评价的一个方面，但是由于缺乏计算的能力，目前不是被众多企业所忽视，就是根本不想预测。量化客户获利能力的能力是对这类无形资产进行高级管理的核心。

品牌

品牌完全满足资产定义中的所有条件。它们有确定的范围：消费者通过品牌就可以将宝洁（Procter & Gamble）和Unilever的产品从同类产品中辨别出来；同时品牌具有独立性：存在评估一个品牌远期收益潜力的方法，并且在任何时间都可以对其进行买卖。评估方法还能帮助人们确定某一品牌的经济价值在一段时间之后是否减少。尽管品牌有着成熟的评估方法和较长的买卖历史，但这类无形资产在资产负债表上并没有被当作资产。尽管如此，会计上对资产的处理并没有破坏人们的信念，即品牌在组织的资产组合中是一种至关重要的资产。

人力资本

人力资本可以说是最无形的无形资产。他们肯定是以物质形式存在于这个世界上的，因而不符合“不可触摸”的标准。雇员（即人力资本）的无形性主要是源于财务报告将它们列为费用而非资本。正规的财务报告否认雇员是资本，尽管没有一家公司会争辩说它们不是资产。财务报告的这种处理方式使得人力资本的经济影响难以确定，因为雇员首先并没有被视为资产，即便雇员的辞职、退休或死亡对公司的业务或价值创造能力会产生明显的影响。然而，情况恰恰相反：公司放弃对这种资产的“所有权”，改善了经济状况，因为公司少了一项支出，收入因而相应增加。

这类无形资产不完全符合FASB的定义，并不等于说它们就不是资产。将二者进行比较的目的，是要说明基于会计学所下的资产定义与管理者所认为的事实之间的分歧所在。理解这一分歧是定义无形资产的首要步骤。

因果关系与互补性

表2–2以表格的形式重新组织了Brookings对无形资产的定义。

表2–2　无形资产

无形资产的种类	包　　括
第一类：能够拥有和买卖的资产	知识产权，如专利、著作权和品牌（经常通过兼并和收购买卖品牌）
第二类：能够控制但没有独立性，不能作为独立的实体	研发（R&D）、独特的商业流程和优良的管理体制 *
第三类：完全不能被公司拥有或控制的资产	人、相关人员的关系（研发合作、供应链或产品设计合作）和网络效应

* 见Brookings，第54页。Brookings认为，需要用一个一致的词汇来描绘第二类无形资产，但目前还没有这样一个词汇。

Brookings实际上是根据能否买卖来对无形资产进行分类的，也就是说一项无形资产能否作为一个独立的商品被销售。如果可以，那么这一特定资产就必须具有确定的范围和独立性，这样所有者才能将它转让给买方。

另一种方法是围绕互补性和因果关系研究无形资产，即在各种无形资产之间的相互作用过程中，其价值也紧密相连。我们实际已经看到了这种现象，IT就是一例。围绕互补性思考无形资产，可以发现这些资产既有根财产（root property），又有派生财产（derived properties）。是指任何一种无形资产都可以作为个别的、独立的实体而被管理，而无须考虑其他资产的影响。例如，公司品牌意味着通过广告、宣传、包装设计和其他营销活动管理公司的产品。然而品牌的力量会受许多其他有形和无形资产以及程序的影响，比如生产的质量控制、IT、与合作伙伴和客户合作设计产品。要创造品牌的全部价值，就需要有在这些领域获得成功所派生出来的财产。鉴于品牌的内在互补性，对这些其他资产和能力中任何一个的利用是否也应包括在品牌管理之内？即使不是直接包括在内，管理者是否至少也应该了解这些元素推动品牌的方式，以促使人们更深入地研究更有效的品牌价值利用方法?

另一个例子是雇员。有越来越多的人开始认为，想要最充分地发挥雇员的价值潜力，就必须将他们视为招募、维系和培训体制（一个与公司的商业目标相结合的政策、程序和策略体系）这个更大的系统中的一部分。而公司对劳动力的管理往往是封闭的，完全不考虑影响财务绩效的更大的人力体系。这是因为，管理者很难将任何一个人力资本管理决策与它对净盈利的影响联系起来。单个员工的业绩与公司财务结果（financial results）之间的因果关系实在是太不明确了。如果不是这样的话，公司也许会就类似关于何时解雇谁的问题作出更明智的决定。

而且，管理者没有考虑这些因果关系（如果确实存在的话）的动机，原因在于，在传统意义上雇员是费用而非资产。然而除非在这个更大的互相依赖的体系内考虑雇员，否则便不能利用雇员作为人力资本的全部价值创造潜力。一家顾问公司的工作可以证明这一点。

图2–1描述的是无形资产的互补性和因果关系，揭示了每一类无形资产的根财产和派生财产。这个图正好支持了下面的这两个观点。第一个观点是，组织中的许多（并非所有）无形资产是创造出来而非购买来的。这些资产是为特定组织的独特需求和目标量体定做的，为组织提供了潜在的竞争优势。第二个观点是，任何无形资产的存在都要归功于先前已经存在的其他无形资产，是这些资产的派生财产。同时，无形资产还具有互补性，这种互补性可能会促使管理者比现在更全面地管理它们。

现在我们来看看每一类无形资产之间的因果关系和互补性。

人力资本

人力资本，即雇员在无形资产领域中的术语，是所有其他无形资产的根源。所有无形资产的产生都源自雇员。没有人，也

招聘制度	=人力资本				
人力资本之间分享各自的技能	+分享和获取知识所需的IT	=知识			
程序员和项目经理	+知识——独特的商业流程设计	=IT			
有才能的工程师	+技术知识	+IT支持的R&D能力	=IP/IA		
营销人员	+有关产品和客户的知识	+用于生产质量/客户服务的IT	+利用IP/IA进行产品创新	=品牌	
所有雇员	+行业技能	+使整个企业得以运转的IT	+产品/服务创新	+好的产品/品牌资产	=客户

图 2–1　无形资产之间的因果关系和互补性

就没有其他无形资产。那么人力资本是否有派生的成分呢？

严格地说，公司不能创造出雇员。不过，要雇佣为公司目标服务的合格雇员，组织需要有精心设计的适当雇佣程序。错误的聘用决定会带来与公司目标无关的人力资本，理论上讲，这样的资本投入不能带来最佳效益。在这个意义上，良好的雇佣习惯是“创造”雇员的必要投入。视雇佣程序仅仅为多方面的人力资本价值创造体系的一个部分的新方法即反映了这一点。

知识

有多少实际进行知识管理的人，就有多少有关知识管理的定义。[1] 关于知识管理存在着很多的困惑，这完全是因为知识有根财产。一些人把知识管理定义为，为了便于获取和检索而将信息进行存档和分类，目的是帮助提高雇员的工作效率。如何让人们分享自己好不容易得来的经验知

[1] Steve Barth, “Defining Knowledge Management,” KM Magazine, destinationkm.com/articles/default.asp?ArticleID=949.

识，这一点则往往被忽视。本书在有关知识的这一章中证明，虽然可以将知识作为一类独立的无形资产来管理，但是雇员对知识的贡献会影响知识管理萃取价值的程度。鉴于此，知识的派生财产，主要是指雇员创造和分享知识的流程和动力，在创造价值的知识管理中是必要的投入和重要的成功因素。将知识管理限定为便于检索而对信息进行的存档和分类活动的观点是狭隘的。

另一个难题是知识的定义。从通过电子邮件捕捉到的见解和评论，到一个有关竞争对手行动的新闻报道、一条销售建议、组织再造的标准（JPEC），事实上，属于软件程序范围内的任何信息，以及知识使用者认为有用的任何信息，都可以称为知识。这么宽泛的定义反而可能没有任何意义，这也正是目前知识管理的最大缺陷之一。

理论上，知识属于原材料式的无形资产。没有知识，任何一个公司都不可能成功。当然，人是创造知识所不可或缺的；管理知识就意味着以特定的方式管理创造知识的必要条件，也就是人。因此，知识具有惟一但重要的派生财产——人力资本。

信息技术

很多IT都是从经销商处购买来的。不过，许多公司在以自制程序构建独特的流程时，会出现竞争性差异（competitive differentiation）。即使没有竞争性差异，许多公司仍旧选择在机构内部建立自己的程序，因为经销商提供的软件完全不能符合公司的需要。在这背后是程序员、商业分析员和项目管理人员的智慧，是他们使软件设计最终成为产品。

在把软件创造为宝贵的无形资产方面，亚马逊网站（Amazon.com）堪称典范。它那设计独特的平台，既实现了网上的货物买卖，又支持了网站后台的工作流和商业程序，使电子商务网站成为可能。亚马逊的电子商务网站界面与所有其支持的活动建立了链接，使人们能够轻松地浏览、挑选商品，选择付款方式，然后按下购买按钮，就可以等着商品按时送上家门了。这个浏览、挑选和购买环境的建立是从无到有，目前可能是公司拥有的最重要的无形资产了（仅次于建立和支持它的人的才能）。对于它的产生，投入了什么无形资产？（这一购物环境远比品牌宝贵得多，因为品牌只是由操作简单的在线购物环境的功能所派生而来的资产。正是这个IT平台的独特性吸引了客户，满足了客户的需求，从而提高了品牌的知名度，而不是相反，对于这一点本书后面将有详尽的阐述。）独特的IT平台的价值来源于人力资本，是他们解决了建立可同时为众多用户服务的操作系统的难题。

知识产权／智力资产

创新密集型公司（innovation-intensive companies）认识到了人、研发和知识产权之间强大的互补性，已经有一段时间了。有技能的工程师只要进入了适当的研究环境，就能发明出有望成为下一个伟大产品的专利、商业秘密或其他技术诀窍。将IP本身作为独立的资产进行管理，也有很长的历史。管理活动包括按优先顺序排列资产组合，然后许可、销售、赠送或是放弃所有权。知识产权管理在今天已是相当成熟，在有关评估的文章中也多有论述。

人们尚不是很清楚的是，公司如何才能更好地权衡，是向研发投资，还是在专业研究人员及研发努力的补充资产没能生产出下一代创新成分时从外部取得技术诀窍。创新在今天是如此重要，如果公司自己的研发部门没能创造出新的思想，那么最好到外部去寻找，这是一个有效的方法。

现在已经有了解决的办法，在内部努力无法创造IP/IA无形资产之时，可以帮助公司迅速增加这些资产。这个IP管理潮流就是创新市场化（open-market innovations，简称OMI），它要求对所有从无形资产中发现的能力进行整体再评估，因为当这些资产聚集在一起时，就产生了能带来增长和盈利绩效的创新。这些资产包括人力资本、人力资本的报酬与激励机制、研发以及其他所有独特的组织元素。OMI要求人们了解无形资产的互补性，但重点不在于它是如何产生IP/IA的，而在于为何没能产生。从外部获取IP/IA的公司很有可能会削减用于开发IP/IA的某项无形资产投资。位于这一市场交易另一方的IP/IA卖主也会因为可以通过许可获得收入，从而恢复对理解创造

IP/IA的大量无形资产的兴趣。如果没有能出租创新的OMI工具，组织可能就不会有这个授权他人使用的机会了。

品牌

品牌是一个公司在产品质量、价格、产品设计、客户服务等多方面优秀表现的结果。品牌即是承诺。品牌管理在过去实际上就是产品营销。品牌就是产品，如一辆汽车、一袋粮食等。一个管理人员可以通过综合利用广告、产品宣传以及定价，增加某一特定产品的市场占有率。

Brookings研究所强调，一种无形资产的价值来源于与其他资产之间的相互作用，试图对它单独进行评估是在浪费时间。[1]品牌取决于"产品的品质、价格、销售渠道、经销商间的关系等因素"。[2] 其观点就是，试图将品牌从其组成部分中分离出来进行评估是没有意义的。就确定一个品牌的金融价值这一点而言，或许是这样（尽管还存在着许多的评估方法）。但是评估并不等于管理，而且公司也确实是在管理着品牌，不管管理得是好是坏。真正的问题在于，如果品牌确实是一种重要的无形资产，这是否意味着品牌管理者必须认识并能影响用于创造出品牌的投资？管理品牌时是否应考虑它的互补性？前面已经提到，承认品牌是一种重要的无形资产，意味着同时也要承认品牌产生过程中的因果关系和互相依赖的因素。也许更好地理解互补性的中心地位会给品牌管理的涵义带来根本性的改变，这个问题将在后面再次提到。

客户

同样，当我们说忠诚的客户是一种无形资产的时候，就说明我们认识到忠诚的客户是很多投入因素的产出结果。这些投入因素有的是无形资产，有的不是，包括出色的雇员、优秀的产品和服务、对产品和服务进行创新的能力、价格上的领先地位、有力的营销和宣传等等。所有这些因素相互依赖，才能赢

[1] Andrew Osterland, "Deco-ding Intangibles," *CFO Magazine* (April 1, 2001).

[2] Andrew Osterland, "Deco-ding Intangibles," *CFO Magazine* (April 1, 2001).也见 Brookings 的报告。

得来之不易的客户。客户是最终阶段的无形资产：创造所有其他无形资产的目的就是为了赢得客户，不然还能有什么其他的目的吗？

共同有效、协调地创造客户的所有互补资产，都在公司的收入以及每位客户的获利能力得分之中反映出来。并不是所有客户都能带来等额的利润。为高收入客户服务的成本实际上可能会远高于对低收入客户的服务成本，这时高收入的客户就是具有较低获利能力的客户。有关客户的边际收益（contribution margin）和终生价值（lifetime value）并不是刚刚出现的思想，但用于客户关系管理的重要性则是与日俱增。例如，前不久我给我的手机运营商打电话时，运营商代表在电话里告诉我，她的公司平等地对待每一个客户。她说这句话时非常骄傲，好像这是个荣誉。人人平等的确是法律的本质。但是在一些商业专家看来，在弱肉强食的市场规则之下，平等地对待每一位顾客恰恰是错误的客户策略。已经有越来越多的公司意识到了这一点。

公司通过根据对利润的贡献给客户打分，彻底地重新思考了如何划分客户等级，以及如何分配劳动力和资本——这是管理者的基本职能——以服务于客户导向（customer-directed）的商业目标，这一点可能更重要。现在已经不再仅仅用人口分布特征、收入水平，或是其他一些心理人口分布特征或购物的历史记录等指标衡量客户的价值了。这本身看来并不极端，但却反映了一个思考客户的新方法，而且这种测量方法会对一个公司的日常商业活动产生深远的影响。公司一旦采用区别对待的客户管理方法，几乎就会自然而然地开始思考至少是为赢得客户而投入的部分资产和资源之间的互补性，因为既然公司已经认识到客户对公司利润的不同贡献，就应该更有效地分配这些内部资源。

每类无形资产都来源于之前产生的其他无形资产。某些无形资产，如管理流程和组织安排，很难与其他资产相分离，管理者因而很难确定这些资产的实际范围。无形资产固有的互补性意味着如果要利用这些资产以充分地创造价值，管理者就必须考虑是否需要使用不同的管理方法。

经济属性

纽约大学的财会教授Baruch Lev一直在对无形资产这个课题进行广泛的研究，被认为是这一研究领域的专家。他通过研究发现，无形资产的下列经济属性使它们完全区别于物质资产。❶ 理解这些资产背后的经济杠杆有助于我们完全认识无形资产。

无形资产具有可以同时使用的多重性

这种特性在经济学上称为“非竞争性”(nonrivalry)。物质资产生来就有机会成本，因为如果以一种方式使用它们，就排除了同时以另一方式使用的可能。以一架飞机为例，在按指定航线飞行时，即自动排除了在同一时间按其他航线飞行的可能。再以打谷机为例。假设农民Bob正在农场的西侧使用一台打谷机，而他的商业伙伴Pete这时想在东边打谷，规范物质资产的自然法则不允许Pete这样做。同时，由于无法再用购买打谷机的资金投资于另一可能具有同样价值的资产，如灌溉设备，打谷机的一部分成本因此沉没了。

与此相反，无形资产则具有非竞争性，能重复用于多种环境，满足多种需要。因此，去除最初的投资，许多无形资产的机会成本为零。❷ 航空公司的飞机只能以一种方式提供创造价值的服务，而航空公司的订票系统——另一个无形资产的例子——却可以同时使用成千上万次。❸ 限度是系统所在软件与硬件的可升级性（scalability）。

某些无形资产具有非竞争性，原因在于它们的前期开发成本（up-front costs）较高，而边际成本则可以忽略。软件和药品是两种最常见的生动例子。如，希柏系统软件公司（Siebel Systems）将大量资金投入人力资本与研发，用于开发客户关系管理软件。再如，为了研制伟哥（Viagra），辉瑞制药有限公司(Pfizer)投入了巨额资金用于开发这一轰动一时的药品。研制出第一粒伟哥花了上亿美元，而第二粒与上百万粒药片同时生产，成本却只有几便士。

与无形资本的这些属性相比，飞机制造业受边际收益的限制，因为增加物质资产的量，只能帮助生产出更多的飞机。非

❶ Baruch Lev, *Intangibles: Management, Measurement, and Reporting* (Washington, D.C.: Brookings Institution Press, 2001), p. 21.

❷ Baruch Lev, *Intangibles: Management, Measurement, and Reporting* (Washington, D.C.: Brookings Institution Press, 2001), p.22.

❸ 如果你不认为订票系统是一种独立的无形资产，那么就来看看美国航空公司的前身AMR销售Sabre订票系统股份的经历。AMR于1996年10月卖出了18%的股份，市场立刻将Sabre估价为33亿美元。而AMR的全部市场价值为65亿美元。换句话说，这家航空公司的一半价值都在于它的订票系统。

竞争性是一些无形资产的主要属性。

无形资产受网络效应的影响

网络效应(network effects)描述的是，在网络规模扩大时其个体成员是如何增加收益的。[1] 这个意义上的网络不必是有形的，如电话网。它们可能是虚拟的，如使用Windows操作系统的人的数量。电话是网络经济学的一个范例。

电话服务出现于20世纪初期，那时许多运营商为争夺服务而相互竞争，很多网络之间没有建立连接，不能实现互操作。因此，姑妈May只能与使用同一网络的人进行电话联络。而她的侄女June住在几百里之外，用的刚好是另一家运营商提供的电话服务。两个运营商之间并没有像现在一样达成互联协议。如果为May和June提供电话服务的两个网络能够实现互操作的话，那么它们各自的价值都将增加。

更近的一个例子是美国在线（AOL）推出的即时通业务（Instant Messenger）与微软提供的整理服务（massaging service）。当它们各自的软件不能互操作时，只有同一网络的成员才能互相联系，每个网络对其成员的价值由网络成员的数量所限。但如果扩张网络，使双方的用户都可以通过双方的网络平台互相联系，那么所有用户的收益都会大大增加。可以说，与美国在线相比，微软用户的收益可能要小得多，因为美国在线的市场规模从一开始就是相当大的。

网络效应的一个重要方面是收益随着新成员的加入而增加。这就产生了正反馈（positive feedback），即成员越多，网络就越受欢迎，也就会有更多的人想加入。易趣（eBay）就是一个很好的例子。在它可以认为是互联网上崛起的最成功的案例之前，易趣网上就有很多竞拍买主和卖主的拍卖活动。易趣得以快速发展的原因在于，与其他拍卖市场相比，新成员的加入带来了附加价值。越来越多的买主和卖主被吸引进来，竞相成为易趣的会员。卖主加入易趣是因为他们相信，买主越多，他们想要拍卖的商品就会卖出越高的价格。买主加入易趣是因为他们相信，卖主越多，网站上可供选择的商品也就越多。正反馈通过刺激卖主和买主的加入，增加了网络的总体价值。

---

[1] Lev, p.26.

根据Lev的观点，网络效应与理解具体无形资产的经济动力（economic force）的关系，对于新建立的网站来说，首要的是先将无形资产的参与者吸引过来。[1] 例如，易趣的买卖环境就是网站所开发的巨大无形资产，互补资产是它的品牌。而品牌的突然崛起则来自媒体的关注、满意的客户，以及它所带动的众多家庭小商铺。

网络效应对公司的商业运作模式起关键作用的另一个例子是Visa信用卡。"Visa在手，海阔天空！(It's Everywhere You Want To Be)"，对建立品牌来说是个强有力的理念，同时也是在出色地暗示：公司作为信用卡交易中心的核心价值在于，消费者完全可以期望，只要商人接受信用卡，那么多半就会接受Visa卡。随着越来越多的商人加入背书，给消费者传递了这样的积极信息，即有Visa卡作保证的信用证是值得拥有的信用证，Visa卡的价值因而随之递增。一提起许多商人不接受美国运通信用卡（American Express），所有的人都会想起Visa卡网络效应的力量。[2]

哎，既然无形资产这么能创造价值，为什么还会有如此多的企业缺少无形资产呢？为什么组织不多花费些精力去创造和管理它们呢？以下部分将讨论与这些问题有关的内在经济原因。

潜在的市场规模。一些行业的市场规模不足以使它们从无形资产的可扩充性和网络效应中获益。易趣有着巨大的发展潜力。美国旅游集团Sabre公司的发展潜力同样巨大，因为旅游和相关服务市场的规模是相当大的。但有些行业却不是这样，如服装业或家用设备行业等。[3]

所有权风险。物质资产的所有权是清晰的。谁偷了他人的电动涡轮，就会受到处罚。那么，抄袭他人新开的拍卖场的概念，这时是不是有什么东西真的被偷了并不清楚。专利权和著作权保护的是对于思想的所有权，但是许多优秀的思想既不受著作权法的保护，同时也不能申请专利。竞争对手往往能通过想办法重组创新的基本思想，绕开对知识产权的侵犯。比起飞

[1] Lev, p.29.

[2] Visa卡和美国运通信用卡是美国最常用的两种信用卡。——译者注

[3] Lev, p. 32.

机的被盗，美国航空公司更担心有人会启动与在线旅游服务公司Orbitz[1]相竞争的在线订票系统。[2]模仿是对先驱者最大的恭维，但先驱者并不会因此觉得安慰。

资产最优化的难题。资产最优化是指从一项资产中最大限度地萃取价值。像万豪（Marriott）这样从事旅馆业的公司，如果希望改善其资产的利用率——即客房出租率，可以降低房价或是特价促销。但如果软件经销商无法自上而下地控制这种情况，如何才能最大化网络效应呢？这真是个艰巨的挑战。

投资回收（payoff）风险。任何的投资目的都是要获得实质性回报。无形资产有可能带来远比物质资产高得多的投资回报，然而风险也大得多。Lev引用了一些学者所作的一项研究，这项研究分析了美国的新建公司在资本市场上的表现，以及德国和美国的一些专利创造的价值。

这些专利和新建公司中很小的一部分构成了来自这些渠道的大部分创新价值。前10%的专利占了全部专利价值的80%～90%。实际上，大部分专利是失败的。这项研究还发现，10%的新建公司占了所有被调查公司市场价值的60%。所以说，由许多互相依赖的无形资产构成的创新有着相当大的风险。另一项研究显示，R&D收益的易变性使得研发风险是物质资产投资的三倍。[3]许多无形资产的投资回报是巨大的但也是集中的，具有赢者一统天下的特性。

结论

正是因为对无形资产没有普遍接受的定义，所以很难对它们进行分类。有些无形资产无法定义是因为它们是看不见的；有些则是因为财务报告并没有把它们当作资产。但并不是所有类型的无形资产都具有这些属性。信息技术不能触摸，但在财务报告中却被计为资产。人力资源是以实体形式存在的，可以触摸得到，而财务报告却没有把它计为资产。

但是，管理者们认为，从它们对价值创造的贡献这个意义上来说，所有的无形资产都是资产

---

[1] Orbitz是由美国五大航空公司合资建立的在线旅游公司。——译者注

[2] Lev, p. 32.

[3] Lev, pp. 38 ~ 39.

(尽管他们这样说更多地是出于直觉而非经验分析)。优秀的管理者知道是什么推动了他们生意的增长，如果这些价值源泉能够被识别并加以定义，他们就可以着手管理它们从而创造价值了。最后，惟一的一个有意义的无形资产定义可能就是：无形资产是新近发现的、与组织有着某种关联的可管理的价值创造源泉。

第三章

有关财务报告的公认会计准则(GAAP)

本章讨论的是涉及无形资产的财务报告问题的症结之所在。首先以微软（Microsoft）为例。微软公司的市场资本总额是不断变化着的，但总计大约有2 500亿美元，而微软全部财产和设备的金融价值则只有几十亿美元。微软在证券市场上的价值与其物质资产（建筑、个人电脑和其他设备）的可测量价值之间的差额，代表了公司的所有其他资产，虽不细致但却有效——这些资产难以量化，但却是对微软的惊人财富作出贡献的关键生产要素。

那么，这些资产都是什么呢？我们认为，它们是微软的编程员（code jock）和营销管理人员的才能、微软的品牌，以及经营管理人员的智慧——为了进入新市场，他们一次又一次机敏地研究出新的策略，提高了微软在操作系统市场上的事实垄断地位；再加上微软的知识产权组合，当然还有通过桌面软件的大量使用而产生的网络效应：由于其固有的互操作性实现了使用者之间的合作与共享，因此使用的人越多，这个软件就越有用。

可能还会有人认为，来源于独特公司文化的组织灵活性，也是微软一项不可忽视的资产。20世纪90年代中期，Netscape公司刚一发布Navigator浏览器，微软立刻就认识到推广这个在被称为互联网的全新网络上浏览网页（web pages）的软件的真正价值，于是马上召集了一组员工，让他们放下手中的一切工作，着手建立微软自己的浏览软件。尽管Netscape的领导很有远见——其本身也是一项资产，产品也很优秀，但到现在也就是个标志和网站，而比尔·盖茨等人却站在奥林匹斯的山峰之上，笑傲个人电脑的世界，几乎每台电脑的桌面上都有个小小的蓝色字母*e*，代表了微软公司出品的IE浏览器。

令很多博学家和商业巨头惊讶的是，像微软这么大型的公司竟然能够通过再分配其内部资源如此从容地调转方向，集中力量快速地进入了新市场，并成为典范，使竞争毫无可能。

可以这么说，就算把微软的办公楼都炸毁，让它的员工在华盛顿州的雷蒙德基地里的大篷车里工作，微软对广大投资者的价值也不会受到实质影响(只是由于大篷车里夏天蚊虫太多，冬天又太冷，可能会使员工的生产力有所降低)。但有些公司就做不到这一点。比如，拆了航空公司的飞机或者铲平麦当劳的地产，看看它们的股票会出现什么情况。虽然麦当劳也拥有一些诸如强大的品牌之类的无形资产，但它的财富多是建立在它管理的房地产之上的。

因为现行的财务报告标准不能完全反映一个公司的价值动力源泉，微软和很多其他行业的公司只是些小公司（poster children)。在微软的案例中，我们说微软拥有价值几十亿的资产，因为微软的财务报表就是这样记录的。但我们知道微软还支配着一组其他的能力，这些能力在财务报表中没有计为能够创造价值的资产，但投资者却相信它们是公司有望在未来发展的有力代表。[1] 资产和市值（market cap）这两种金融价值之间的差额，代表了一个公司的无形资产价值，同时也是现行财务报表局限性的一个表现，而非原因。多年来，研究人员一直在寻找更完善的报告方法，希望能够反映出无形资产的贡献。由于这些资产的重要性只会增加，所以没有理由认为研究会在何时停止。

除Brookings和FASB之外，竞争委员会（the Council on Competitiveness)还发明了一个创新指数（Innovation Index)，作为一种记分卡，以研发和知识产权发明活动的标杆标准为基础评估美国的竞争力。

MIT最近的一个最具挑战性的计划，就是它发起的"新经济价值研究实验室"（the New Economy Value Research Lab)，该实验室的任务是应用经济学手段确定无形资产的金融价值。

[1] Robert Holman and Daniel Kahn, "Intangibles: The Measures That Matters," Ernst & Young *Cross Currents*, Http://www.ey.com/global/download.nsf/Bermuda/Cross_Currents_-_Fall_2000

安达信（Arthur Anderson）为这项工作提供了赞助。不幸的是，安然事件（Enron mess）发生后，安达信停止了营业，实验室计划也随之破产。不过，MIT显然是认识到了需要利用知识的力量来解决这个问题。

为什么无形资产如此重要

过去，公司的资产包括设备、房地产和库存。1950年，一个公司拥有的资产中有近80%是由这些种类的资产组成的。这个比例在今天约为50%，另外的50%则由无形资产组成。[1]

理解无形资产历史沿革的一个方法，就是了解人们对它们的偏见。早期的经济主要是以产品为基础的。人们之间就物进行买卖。产品是有形的，可以储藏，而服务的提供则是转瞬即逝。这种暂时性特征表明，不能把服务当作资产。[2] 这一推理的逻辑是，只有可以触摸的东西即产品才能被计为投资，从而导致专利、商誉（goodwill）或品牌等价值创造源泉由于不具有实物形态而被忽视。著名的耶鲁大学经济学教授Irving Fisher（尽管有着突出的教育和学术背景，仍于1929年股票市场崩溃之前对股票市场怀有过度的热情，因此而知名）把经济学定义为关于财富的科学（the science of wealth），而财富指的就是对有形客体的所有权。这一定义贯穿于用于确定利润、投资和资产价值的国民收入核算方法（national income accounting techniques）之中——这解释了国民核算计量（national accounts measurement）为什么没有将研发当作资产。

只要看看那些在经济中占支配地位的公司，也可以发现无形资产在财富源泉中所占的比重日益增长。1917年，美国最大的公司有美国钢铁公司（United State Steel）、标准石油公司（Standard Oil）、国际收割机公司（International Harvester）、费尔普斯－道奇公司（Phelps

---

[1] Greg Ip, " The Rise and Fall of Intangible Assets Leads to Shorter Company Life Spans," *Wall Street Journal* (April 4, 2002)

[2] Leonard Nakamura, "Intangibles: What Put the *New* in the New Economy?" Federal Reserve Bank of Philadelphia *Business Review* (July 1999), p. 9.

Dodge)——这些公司都是以工业和自然资源为基础，拥有大量的物质资产。[1] 而根据今天的道琼斯平均指数（Dow Jones average），最大的公司既包括自然资源公司，如埃克森－美孚（Exxon Mobil），也包括英特尔（Intel）、微软、惠普（Hewlett-Packard，简称HP）和迪斯尼(Disney)。构成道琼斯平均指数的行业情况变化，反映了一个不可抵挡的发展趋势，这就是今后将依赖无形资产创造财富。这是对无形资产如何支配现代公司成功与否的生动写照。

更能反映上述变化重要性的可能就是法律和经济学规则的修订。在这个被标准石油公司和费尔普斯－道奇公司等统治的世界里，经济学对每种现象都试图用资源的稀缺性及其与供求的相互作用来解释。资源稀缺性的假定在自然资源开采和后期产品加工的行业完全成立。实际上，经济学又被称为“沉闷科学”(“the dismal science”[2])，并非像很多人认为的那样，是因为经济学令人厌烦，所以这么叫，而是因为经济学家早在几百年前就发现，面对日益增长的人口，土地开发的收益递减。经济学有力地向人们展示，由于固定数量的土地限制了农作物的产量，农民被迫过上了卑微、贫困的生活。

由资源稀缺性赋予活力的古典经济学很难解释现今递增的边际收益：智力性资源越来越多，物质性资源越来越少，因而耗尽的危险极小。实际上，智力资产的价值能够通过“站在巨人的肩膀上”这一现象增加。简单地说，已有的思想和知识结构可以激发出新的思想和知识，而且它们的生产潜力几乎是无限的。思想创造的惟一稀缺资源就是时间——要赶在市场条件的变化使思想变得落伍，或是由于创造思想的组织或人自身的终止或死亡使思想不复存在之前，想出好的创意。(多数公司处于两个极端之间，一个极端有着无限的边际收益，如微软；另一个极端则是完全递减的边际收益，如采矿业。[3])

现在举一个具体的例子。面对由没有稀缺性的信息、思想和知识构成的经济现实，看看公司是如何利用最优管理和组织

[1] Lester C. Thurow, *The Future of Capitalism* (New York City: Penguin Books, 1996), p.66.

[2] Thomas Carlyle 杜撰的叫法。——译者注

[3] 在这个不断发展的经济社会中，学生对这些观点很熟悉。这些现实是对有不良影响的名词“新经济”最好的真实辩护。见 Paul Romer, paulromer.com; Carl Shapiro and Hal R. Varian, *Information Rules: A Strategic Guide to the Network Economy* (Boston: Harvard Business School Press, 1999); 以及 George Gilder关于受无形资产驱动的经济稀缺与丰富的作品。古典经济学的理论被彻底推翻。

安排迎接与这些现实相协调的挑战的。

某公司市场调查部新上任的经理认为该部门的经营模式效率太低。在他上任之前，市场调查部在得到了一大笔拨款后，可以对它想研究的任何领域进行调查，但调查结果往往不能满足公司业务部门的需要。于是，新经理决定将拨款经费分配到各个业务部门，由这些部门向调查人员购买他们需要的任何调查信息，这样就可以围绕业务部门需要解决的问题开展市场调查工作。

例如，业务部门A委托市场调查部围绕某个具体问题开展调查。业务部门B也委托市场调查人员研究一个类似的问题。部门A的调查结果刚好满足部门B的大部分需求，但是在得到部门A的许可之前部门B无法得到原始的调查资料。既然部门A主张对这项调查结果拥有产权，于是两个部门开始就部门B向部门A购买部分调查结果需要支付多少金额进行谈判。但因迟迟达不成协议，谈判陷入困境。[1]

这个例子蕴含着很多寓意。第一，如果一条知识在组织内部的定价较高，就会使需求受到限制，进而限制了知识和思想在组织内部的流动——根据信息的收益递增属性，这可不是个好主意。因为分享的信息和知识越多，它们就会带来越多符合公司目标的价值。第二，信息和知识具有完美的边际收益。其重复生产的所有成本在生产第一件产品的时候就预先支付了，因为复制的成本可以忽略。就同一信息向外部客户多次收费是个极好的交易模式，但如果建立内部市场机制的目的完全是要引入财务纪律，就会为公司带来相当大的内部成本。第三，鉴于上述第二点的现实情况，在管理者试图利用的主要是无形资产的组织里，寻找最优制度安排的努力还在继续。此时，无形资产的内在经济属性与有关如何组织内部职能以使效率最大化的公认至理名言之间发生了冲突。

现在，我们已经进入了一个新的千年，一个在医学上——利用基因治疗疾病——和科技上——电子产品的微型化——取得了重大突破的时代。再通俗一些，也可以说是一个管理学——六西格玛（Six Sigma），企业流程再造（business process reengineering）和全面质量管理（total quality

---

[1] Joel Kurtzsman, "An Interview with Paul Romer," *strategy + business*(1997).

management)——不断发展的时代。但是一提起无形资产，我们却还在黑暗中摸索。我们知道无形资产确实存在，我们也知道公司财富的增长越来越依赖于无形资产，但是我们对于无形资产却缺乏像对机器、信息技术、金融工具(financial instruments)或房地产等投资组合进行管理一样的正式、系统的、可重复使用的一致管理方法或最佳范例。不过，这些方法已初现端倪。

正确地记录价值

一些管理人员为了利用驱动公司绩效增长的无形资产，而对寻找更佳的管理制度感兴趣。这些管理人员通过了解无形资产问题的根源，会形成一些有价值的观点。财务管理者目前还没有构建出一个可以用于观察公司财务状况的有效财务手段(financial vehicle)，因为公司的财务状况会受到公司所有资产动力的广泛影响。

这时在坟墓里的Luca Pacioli会不会不安呢？这位复式簿记法之父，发明了记录利润与损失、资产与负债的系统方法。Pacioli出生于15世纪，是一个圣芳济会的修道士，文艺复兴前期在意大利教数学。要是让他来评价无形资产现象——这个百年后从佛罗伦萨铺满鹅卵石的街道上冒出来的并非无聊的知识事件，将是多大的讽刺！尽管如此，Pacioli对现代生活的贡献也是不可否认的，因为他发明了一种可以描述私营企业中所发生情况的语言，这一发明的重要性可以与描述软件功能的程序语言相比。《冻结的欲望》(*Frozen Desire*，1997)这部货币发展史的作者James Buchan认为，Pacioli为现代世界提供了一个在数学上站得住脚的、经过经验证实的，因而是真实的利润概念。[1]

要是让我们这个极富创造力的牧师解释微软难题——微软公司资产的账面价值和以资产净值和负债形式存在的金融债权

[1] Charles Leadbeater, "Time to Let the Bean Counters Go," *New Statesman* (April 17, 1998).

(financial claims)之间的差额——可能会有些费劲。这个差额大体上体现了无形资产的存在及其重要性和价值。差额的产生原因是，公司的账面价值，即物质资产的历史成本(history cost)，并没有在总体上随着投资的增加而相应地增长。也就是说，根据通货膨胀进行调整之后，公司总体的账面价值或物质资产并没有发生有意义的增值;投入公司的资金没有直接反映到账面上。[1]

表3-1摘自美国联邦储备银行所作的一项详细研究。在这张表中，可以看到研发投资从1.3%到2.9%增长了两倍多，而固定资产投资则一直保持在12.6%左右。[2]

表3-1 非金融公司的研发、物质资产投资和广告费

期 间	研发（百分比）	（占非金融公司国内生产总值的比例）①		
		固定资产投资（百分比）	研发和物质资产投资（百分比）	广告费（百分比）
1953 ~ 1959	1.3	12.6	13.9	4.2
1960 ~ 1969	1.7	12.7	14.4	3.9
1970 ~ 1979	1.8	13.9	15.7	3.4
1980 ~ 1989	2.3	14.1	16.4	3.9
1990 ~ 1997	2.9	12.6	15.5	4.1

资料来源：Flow of Funds, National Science Foundation, and McCann-Erickson.

①某个公司的国内生产总值(gross domestic product)是该公司的收入减去从其他公司的购进额(purchase)。非金融公司的国内生产总值是扣除公司之间交易的重复计算后得到的非金融公司的总体收入。使用这个总收入的计算方法进行比较的优点在于，公司结构的改变——如兼并和分立——会影响公司间的交易量，从而改变公司的总收入额，尽管最终产量并未改变。

如果人们是在以远高于公司账面总值的增长速度购买股票和债券，那么他们是在向什么投资呢？答案当然不是地产、机床、仓库或股票和债券了。他们是在向公司的品牌投资，因为投资者相信强大的品牌会为公司带来财富;在向CEO及其管理团队投资，因为这个团队拥有保持公司利

---

❶ Margaret M. Blair and Steven M. H. Wallman, *Unseen Wealth: Report of the Brookings Task Force on Intangibles* (Washington, D.C.: Brookings Institution Press, 2001), p. 11.

❷ Nakamura, p.4.

润持续增长的纪录；在向公司定期生产新产品的能力投资，因为这些新产品总是能在市场上获得成功；在向公司的无形财产投资，因为投资者相信无形资产是公司未来财富的创造源泉，即使账面价值中并未分摊各种无形资产的货币价值。

投资者知道创造微软未来财富的无形资产源泉是它的垄断力，是它进入新市场的敏捷行动力；投资者还知道创造迪斯尼未来财富的无形资产源泉是它的品牌力量，是它不断推出的优质家庭娱乐项目，是它惊人的创造力。但这些判断并不是通过依据资产负债表或损益表的数据进行的纯客观计算得出的，而是出自直觉和定性评估。

经济学家认为，如果能够更准确地将无形财产记账，股权和债权市场可能就会更高效。当然，人们把注意力几乎是疯狂地集中在了利润的持续增长上，对来自公司内部的陈述自然是视而不见。这些更微妙但同样合乎逻辑的陈述可能是："是的，我们去年是不太顺利，但是我们增加了20%的研发费用，新申请了两个与核心产品有关的专利，还有两个令人兴奋的新产品正在开发之中。"

投资者在作决定时会将这些现实情况考虑进去，但是如果公司的账面价值没有达到一定的数额，股票还是会大跌。如果对计算一项无形资产在同一报告期的有益影响(beneficial impact)有一个可靠的、公认的方法，那么发生在2000年3月之后的股票市场大跌——利润的下滑——可能就不会那么惨重了。[1]

一直以来，优秀的商业人士都在探讨这个问题，可至今还未找到答案，说明这是个多么大的难题。虽然本书并不直接讨论如何改进财务报告，但财务报表上显示的公司价值和影响这些价值的动力源泉之间确实存在着巨大的差额。这不仅对会计和财务来说是一个意义深远的重大问题，而且生动地反映出在管理层面上利用、开发这些无形的财富资源的挑战。

这就像一个航海员正驾驶着他的小船向安全之地驶去，一

[1] 2000年3月初，美国股市发生了巨震，道琼斯指数在短短几周之内由历史最高点记录11 700点下跌了近20%，同时纳斯达克指数也遭受了重创，由2000年3月24日的5 078点跌至4月17日的3 227点，其跌幅超过30%。（引自万联证券特约岭南财经论坛第15期—罗伯特·希勒教授学术报告会。）——译者注

座岛屿隐隐出现在地平线上，越来越近。这时，一个巨石挡在驶往港口的航线上，石头后面有个人站在另一条船上向他发出警告，让他绕道而行。可是航海员一直紧紧地盯着这个越靠越近的安全港口，竟然没有发现这一切，因为他依赖的是在望远镜中看到的景像。在我们讨论的这个问题里，财务报告就是这个望远镜，随着无形资产现象不断出现在视野之外，焦点范围越来越窄，结果就像是得了高度近视。纽约大学（NYU）的会计学教授、无形资产问题的先驱Baruch Lev曾说："一想到全部会计手段只是个描述了公司不到1/6的实际价值的资产负债表，简直难以置信。"这个表述可能是最贴切不过的了。[1]

财务报告：信用危机？

管理人员一方面完全知道财务报告中所描述的现实与企业围绕无形资产进行的实际活动之间的背离程度，一方面还带着会心的微笑看待公认会计准则（GAAP）。考虑到这一点，这个差距简直就是大得惊人。

普华永道（PricewaterhouseCoopers，简称PwC）对高科技公司的管理人员做了一项调查，请他们根据重要性列出前10个最能反映公司业绩的绩效评定工具（performance measure）。在这些管理人员列出的绩效评定工具中，只有3个性质上属于财务信息指标，可以从财务报表中找到，即收益(earnings)、现金流量(cash flow)和毛利（gross margin）。[2] 而属于非财务信息指标的就有7种，此外还有几个性质难以确定，如管理团队的素质、经验以及战略走向。

PwC在调查中还发现，在全部被调查人员中只有38%的人认为他们的财务报表有效地反映了其所在公司的价值。而在高科技行业，该比例只有13%，这可真是令人震惊。[3] 因此，管理人员按照公认财务准则报告公司的财务状况，是因为它是规则，至少也是个标准。但是管理人员知道

---

❶ Robert Buderi, "In Search of Innovation," MIT *Technology Review* (November-December 1999).

❷ Robert G. Eccles, et al., *The ValueReporting Revolution: Moving Beyond the Earnings Game* (New York City: John Wiley & Sons, 2001). Abstract as reported at getabstract.com.

❸ Andrew Osterland, "Decoding Intangibles," *CFO Magazine* (April 1, 2001).

的不止这些。真实情况被掩盖了起来。

给未来的提示

包括了更多有关无形资产信息的财务报告应该是什么样的？PwC推出了一个价值报告（Value Reporting）模型，包括以下4个互相联系的报告标准：

1．**市场概况**（Market overview）：包括宏观经济环境和公司的管理环境。

2．**价值策略**（Value strategy）：阐述公司的目标、组织设计和管理结构。

3．**推动价值创造的源泉**（Activities that drive value creation），包括无形的动力因素，如品牌、客户、供应链关系和公司的声誉。

4．**有关财务绩效的信息**（Financial performance information），包括各业务部门的财务状况和风险管理策略。[1]

设计这个模型的意图是让公司尽可能透明地提供绩效信息。过去的资产负债表、损益表和资金流量状况表（cash flow positions）忽略了无形资产，因而缺少透明度。PwC的处理方法要求财务报告反映出无形资产对总体绩效的贡献。

在价值报告方面所作的尝试：斯堪的亚公司的实践

斯堪的亚（Skandia）公司对于上述要求已经注意了至少8年了。这个总部位于瑞典的全球金融服务公司早在20世纪90年代中期就认识到传统的财务报告标准有重大的缺陷，于是开始尝试使用反映无形资产对总体绩效贡献的财务报告方法。它的这个努力已是众所周知。

例如，在公司1996年度报告的附录中，斯堪的亚对一系列有望最终推动财务绩效的以客户为中心的创新活动进行了

[1] Pwcglobal.com/Extweb/service.nsf/docid/EDB9BDD35FE91-E37CA256BB20011AB2A.

概括性描述。在美国，终级财务目标被界定为，税后最低收益（minimum after-tax return）=10年期的政府债券率 +8 个百分点。[1]

公司的创新活动之一就是建立于1991年的DIAL Forsakring，一个支持人身保险服务业务的电话系统。[2] 斯堪的亚在附录里主要概括了该公司根据客户信息调整呼叫中心提供的客户服务的策略。在保险业，客户要求索赔、询问有关保单的问题，或是咨询其他产品，经常需要拨打不同的电话。斯堪的亚的这个项目就是将所有会让客户打电话的情况整合，使客户只需与一个代理公司联系就可以了。

在金融服务业，这个策略现在已经算不上是对服务的创新了。但这件事是发生在1996年，那时该公司对这一策略的论述，以及对为支持这一策略所建立的要素的阐述，对于关注该公司的投资者和远落其后的无能竞争对手来说，一定是个启示。

虽然这个价值报告的尝试不能精确地量化该努力对盈利的贡献，但公司确实为公共消费（public consumption）解析了驱动这一客户策略运转的要素。如果你对这种尝试表示怀疑，那么在没有这个无形资产报告实践的情况下，会更有可能购买该公司的股票吗？与“在建筑业，越少越好”的这句名言相反，就无形资产对财务绩效的巨大影响而言，对财务报告来说是“越多越好”。表3-2是关于该公司先进的报告方法的一个例子，摘自斯堪的亚年度报告的附件。[3]

由斯堪的亚的实践引出的几个重要问题，应当贯穿于有关价值报告和财务报告改革运动的争论之中。第一，这场优化财务报告的改革运动，不一定表示突然就会出现新的报告方法，能够神奇地确定公司创新能力、雇员或品牌价值。为了避免混淆，理解这一点是很重要的。虽然评估与报告之间有着纠缠不清的关系，但会计学并不是测量价值的科学，而是汇报与提供有关财务和经济活动信息的科学。[4] 换句话说，报告并非评估（尽管我们已经看到二者之间存在着相互依赖的

---

[1] www.skandia.com/en/ir/financialgoals.shtml.

[2] “Customer Relationships and Growth in Value,” supplement to Skandia's 1996 annual report, p.14.

[3] “Customer Relationships and Growth in Value,” supplement to Skandia's 1996 annual report, p.17.

[4] Osterland, “Decoding Intangibles.”

表 3–2 斯堪的亚的价值报告方法简述

	1996	1995	1994
财务视角			
承保的保费总额（MSEK）	935	880	667
承保的保费总额 / 雇员（瑞典克朗 SEK 000s）	3 832	3 592	3 586
客户视角			
电话的可接通率(%)	95.8	92.5	90.0
个人保单数	320 139	275 231	234 741
客户满意指数（最大值 =5）	4.36	4.32	4.15
瑞典的客户晴雨表（最大值 =5）	65	69	无此账
人力视角			
平均年龄	40	40	37
雇员人数	244	245	186
培训时间（天 / 年）	7	6	3.5
流程视角			
利用的 IT/ 雇员总数（%）	7.4	7.3	8.1
更新和发展视角			
承保保费总额的增长(%)	6.3	31.9	28.5
估损系统的价值份额（%）	20.5	9	无此账
智囊团提出的计划数量	175	无此账	无此账

关系）。更优的报告应当传递的是与无形资产对公司业绩的贡献更相关的信息，就算是以文字和图表形式列在密密麻麻、井井有条的损益表或资产负债表之外也可以。以标准财务报表附件的形式把无形资产记录下来，就等于承认了无形资产影响的重要性。不过，对于这些公司业绩的驱动因素，我们尚不能有把握地确定它们的货币价值。

第二，改进了的财务报告如果要达到改革者所希望的广度和范围，标准的设定是至关重要的。像普华永道这类宣传自己的价值报告风格的咨询公司，对于主张他们所采用的方法可以解决目前的报告危机有既得利益。虽然这些咨询公司的思想是有价值的，但就算采用了它们的知识产权元素，还必须由FASB等标准化组织接受和系统使用一个价值报告制度。致力于实现透明度的运动不可能采取私有的方法，否则就要牺牲协调性、可重复性，就财务报表中增加了哪些价值也无法达成共识。普华永道把两个普通的词汇合在一起注册了商标（即 Value Reporting），这个事实预示着现在的咨询公司已经从一个新出现的、目前还是支离破碎的改革运动中发现了市场机会。在这种情况下，如果要想让所有进行公开贸易的公司都采用改进了的财务报告，就要牺牲商标、方法和技巧等无形资产。

第三，改革者是基于公司将热心于揭示更多推动组织发展的策略性工具和无形性杠杆这一极大的假设发起运动的。实际上，在这些无形杠杆中，有很多可能是公司比较优势的源泉。虽然FASB和一些学者正在努力争取使隐藏于现行财务报告逻辑之内的资产披露更具透明度、更加完备，但企业的管理人员很有可能会反对这种努力。对于公司的远期目标，以及所有为支持这一目标而实施的引人注目的内部战略计划，管理层公布这些信息的热情能有多高呢？不难想像，要是让其他保险公司的管理人员报告斯堪的亚乐于报告的有关细节会有多费劲。面对更加透明的财务报告，一些公司拒绝接受，而另一些公司却愿意采纳。这一点表明，就披露而言，无形资产自身就是个莫大的风险。

第四，改革运动还是基于另外一个重大的假设，这就是对那些非财务性但又非常重要的相关信息披露得越多，公司对投资者就越有吸引力。而在斯堪的亚的案例中，却未必如此。它的股票价值从 1998 年的约 50 瑞典克朗(SEK)跃至 2000 年的 250SEK，2003 年初却突然下滑至 18.5SEK。[1] 是不是可以把股票的大幅增长与自 1994 年起至 1998 年该公司对无形资产的一系列详尽披露和阐述等同起来？股票的跌落是否又可以与自 1999 年至 2001 年公司不再对无形资产作详尽披露相提并论呢？如果它们之间确实存在着某种因果关系，那么股票的表现又有多少可以说是与价值的报告与否有直接的因果关系呢？有人认为，协调一致的无形资产报告提供了更详实、更有条理的组织信息，因而吸引了那些如果没有此种报告就不会发生的投资，这种观点并没有得到证实。斯堪的亚的实践并不表示不存在因果关系，只是因为这场改革运动才刚刚开始，还需要由实验性研究加以验证。

---

[1] www.skandia.com/en/ir/skandiashare.jsp.

由于会计师们对如何处理某一行业资产表现的偏见加大了现行财务报表与无形资产现象之间的差距，因此财务报告改革运动主要是要改变这种偏见。本书第二章介绍了无形资产在措词和定义上存在的难题。我们知道，会计行业早就有了一个公认的资产定义，而如今这个定义却几乎没有容纳无形资产的余地。根据这个定义确立的标准无疑可以适用于厂房、建筑和机器等等。但当所要分析的资产是知识、雇员、客户的忠诚度和知识产权时，就很难适用了。

这个定义是在会计专业存在严重的保守主义的背景之下出现的。其理论基础是，财务报表通常应当低估而不是高估财务绩效。这个最小化风险的思维习惯是值得称道的，即尽量降低与无节制地高估财务绩效（主要由广大投资公众和公司的其他利益相关者的激情引起）相关的风险。试想，研发能力如果是从外部获取，研发费用就被视为资产，但如果是在内部产生，则被认为纯支出。[1] 一个观点是，这个偏见来源于公司重要的支持者——债权人，财务报告正是为他们准备的。为了确保利息的收取，银行往往以物质资产为抵押向公司提供贷款，会计人员也乐于提供有关物质资产的信息。他们的想法是，如果不能确定这些陌生的新资产的价值，那么最好把它们列为支出，并低估收入。[2]

知识资本记分卡

另一个提高无形资产的价值创造可视度的财务报告方法，是由Baruch Lev与瑞士信贷资产管理公司（Credit Suisse Asset Management）的资产管理者Marc Bothwell共同发明的知识资本记分卡（knowledge Capital Scorecard，简称KCS）。其理论是，将客户、供应商关系和劳动力质量（人力资本）统称为知识资本，同时认为知识资本解释了为什么一个公司能够获得高于资产平均回报的收入。[3]

[1] 来自CBIZ评估集团的Watt指出（per FASB 141），这也有例外。在合并中，如果这些费用产生"完整"的研发资产，他们将计为资产。如果所获得的要素没达到"完整"的程度，将被认为是正在进行中的研发，并在合并时的会计记账中作为费用。

[2] AKR Capital Research, akracapitalresearch.com.

[3] Andrew Osterland, "Knowledge Capital Scorecard: Treasures Revealed," *CFO Magazine* (April 1,2001).

计算KCS，首先要计算公司3年的正常化利润（normalized earnings）的价值。正常化利润是将公司3年的历史收入与多数分析家的估算综合，不仅要考虑公司将来的价值创造潜力，还要综合经过经验证明的过去业绩。然后再将正常化利润与资产负债表中反映的物质资产回报率相比较。

因为资产负债表中的资产多数是商品，所以计算时使用的回报率分别是，物质资产：7%，金融资产：4.5%。年度正常化利润中超出这些资产预期回报的任何部分，都被认为是知识收入。这个经济指标生动地描述了一个公司从其无形资产中汲取价值的能力（虽然并不知道哪种无形资产创造了多少价值）。知识资本要计算为全部未来知识收入的净现值（net present value，简称NPV）。Lev根据3种无形资产密集型行业（软件、生物技术和制药业）的税后利润得出10.5%的折旧率，用以计算知识资本的净现值。[1]

2000年的记分卡（第三年度的知识资本记分卡是Lev发表的最后一个记分卡[2]）证实，公司对无形资产的创造过程投资越多，特别是对R&D（研发的结果是知识产权／智力资产）和广告（广告创造的是品牌）的投资越多，知识收入也就相应越高，其股票也有更好的表现。[3]

KCS还是一个比较竞争者之间相关无形资产管理效率的有用标尺。例如，通过分析发现，虽然福特汽车公司2000年第三季度的账面价值只有通用汽车公司的60%，但却宣称有着高出通用汽车公司50%的知识收入。这说明至少是在当时，福特汽车公司显然在无形资产的价值萃取方面比通用汽车公司更得力。[4] 表3–3对知识记分卡中美国主要行业的知识收入和知识资本进行了细目分类。[5]

KCS是否可以作为传统财务报告的附件呢？（Lev对KCS享有专利权，因此答案是什么尚不清

---

[1] Andrew Osterland, "Knowledge Capital Scorecard: Treasures Revealed," *CFO Magazine* (April 1,2001).

[2] E-mail from Baruch Lev (December 15, 2002).

[3] E-mail from Baruch Lev (December 15, 2002).

[4] E-mail from Baruch Lev (December 15, 2002).

[5] 这里采用的是发表于*CFO Magazine*的知识资本记分卡。原作有意遗漏了两种价值标尺，即相对于综合价值的行业市值(industry Market Value to Comprehensive Value)和市值。

楚。）不管是KCS，还是别的方法，都是要找到一种能够与传统记账方法相匹配的财务报告方法，以帮助实现人们关于更好地记录财务绩效的无形驱动因素的强烈愿望。

表 3–3　记分卡结果

行　业	知识资本（单位：百万美元）	1999 年的知识收入（单位：百万美元）	1998 ~ 1999 年度的知识收入变化（单位：百万美元）	知识资本 / 账面价值
航空与国防	23 447	1 417	65	3.58
航空公司业	7 949	399	22	2.12
生物技术	4 393	171	40	5.18
化　学	9 948	632	42	3.08
计算机硬件	49 857	2 490	389	6.69
计算机软件	38 908	1 782	279	5.68
电　子	7 690	450	29	3.70
电力事业	10 351	691	177	1.11
食物与饮料	18 565	1 306	67	7.48
林业产品	8 884	854	285	0.87
家用产品	19 296	1 097	109	8.10
工　业	23 132	1 166	113	3.65
媒　体	16 759	646	119	0.94
交通工具	13 413	962	97	3.50
报　纸	5 619	336	44	3.77
石　油	24 559	2 210	585	1.71
制　药	75 224	4 295	621	8.44
零售业	15 406	885	115	2.89
半导体	42 029	1 859	1 051	6.23
专营零售业	10 320	512	84	2.62
电　信	81 221	4 851	660	3.26
电信设备	26 947	1 684	615	3.25

鸡和蛋：改变的力量

如果价值报告方法可以更充分地解释无形资产对于组织发展的推动作用，那么它们对管理者有什么实际的意义？具有讽刺意味的是，意义可能不大。换句话说，就是价值报告制度与无形资产的改善管理实务哪个在先？（哪个是鸡？哪个是蛋？）

实际上，无形资产管理方面的创新对价值报告方法的影响可能会更大一些，而不是相反；毕竟，总体财务报告记载的是在高层之下的所有活动。如果高级管理者希望对企业中以无形资产为导向的行为进行更全面地理解和分析，那么报告中的内容以及用于评估报告内容的具体方法，就要在最能直接控制特定无形资产（知识、客户、品牌等）的经营领域内产生。

管理层需要优化的管理方法，能够直接控制无形资产。关键绩效指标（key performance indicators）、标杆管理流程（benchmarking process），以及能被提练为摘要、为CFO提供发布给投资者和其他股东的信息的数据收集活动，很可能就是在这种需要的刺激下产生的。似乎不太可能发生这种情形：高级管理层要求管理人员对资产负债表和损益表补充定性资料，于是管理人员立刻就受到了鼓舞，开始四处寻找无形资产，仅仅就是因为董事会要求提供更多用于报告的信息。

现代的绩效指标压力影响管理的一个生动例证是客户战略的变化。传统会计学显然是以产品为导向的。而正如本书第二章提到的，管理者已经开始更多地从战略上将客户视为一种资产，要求把销售的重心从传统的产品导向转向围绕客户的等级进行销售。虽然学术界承认以客户为目标的财务报告是一些价值报告方案的必要补充，[1] 但仍有理由认为，把更好的方法和手段适用于积极的客户管理的需要，其产生完全独立于报告改革运动。事实上，在听到CEO突然发出的改革呼声，要求为财务报告积累以价值为基础的信息时，正在使用根据边际收益对客户打分这类复杂方法的业务管理人员可能会作此反应："你们已经到哪了？"

以劳动力费用为例。劳动力——或者说某些劳动力——是所有无形资产的源泉。当商业状况低靡的时候，公司最先采取的行动计划就是裁员。这几乎就是条件反射，而且可以立即提高公司的收入，因为刚刚取消了一项巨大的开支——往往是惟一一项最大的营业费用。现在假设出现了能够更好地评估雇员价值的方法，即承认每个雇员对公司作出贡献的能力不同这个不争的事实。尽管我们都希望就像《沃尔根湖》（Lake Wobegon）这部小说里描述的一样，这里所有的孩子都比普通小孩聪明，但事实并非如此。每个雇员都有不同的优缺点，但有些人的能力确实超过了他们的

---

[1] "Customer Relationships and Growth in Value," p. 5.

同辈，而有些人则比其他人更擅长自己的本职工作。有时，要辨别谁最能干很容易。很明显，谁也不会解雇自己的金牌销售员——否则她就成了公司的最佳终结者。但是在一个团队中可能还有一些更微妙的因素值得去管理和评估。比如，那些从容地领导和诱导从而非常有效地激励和指挥团队成员的人，他们极具才能。对于这些无形属性如何进行记录并客观地量化呢？所以说，裁员并不是随随便便进行的——如果是这样的，上述那些有才能的人可能就会被裁掉——而多半是以类似外科手术的精确和技巧进行的。管理者这时其实就是正在管理着人力资本这种无形资产。

现在暂且将你对到底是什么具体测量方法促使管理者作出这类管理决策的质疑放在一边。此处的重要思想是要看看，由于出现了这些关于人力资本的管理方法，管理者以及CFO现在就可以向广大投资公众讲述这么一个"价值故事"：公司使用了一些管理方法，可以更好地评估雇员对整个组织业绩的贡献；因此，公司并不只是简单地通过裁员管理其收入，还通过价值报告传递了一些更微妙的细节，从而更全面地展示了正在发生的一切。在这个例子里，公司向公众展示了其本身也是一项无形资产的高级雇员评估方法，展示了它留住预示着公司美好未来的最好的、最聪明的雇员的能力，展示了生产力在以更少的雇员生产更多的产品方面的改善。投资者在占有了这一信息之后，是不是就会去拿着自己好不容易赚来的钱去购买公司的股票呢？也许不会。关键在于，只要管理人员发现需要将这些实践用于日常经营之中，因此选择传递这些信息时，公司就可以向公众讲述这个故事。

因此，在具有改革精神的公司里，管理者利用软件、数据集合和测量功能实施某个人力资本管理项目的意愿和能力，在新的财务报告计划中会成为高级主管的信息源。虽然改革财务报告的要求会给财务报表的内容带来变化，但是报告内容的产生却是来自一个新的业务职能，可以满足对公司财富的无形驱动因素进行优化管理这个完全不同的要求。这两个要求正好具有互补性。

接下来的问题是：是不是真的可以指望，如果高级管理层愿意泄露更多有关公司业绩的信息——大多涉及无形资产，就可以促成对无形财产优化管理方法的创新？也许是这样。但是，高级管理层可以随心所欲地制作价值报告。因此，如果公司不利用无形资产的管理方法，公众也许就会对所披露的信息的真实性产生疑问。

到底谁是鸡？谁是蛋？是鸡生蛋还是蛋生鸡？认识到这个问题对于热衷于优化管理无形财富的管理者来说是很重要的。要高级管理层改变态度，承认价值报告的益处并要求制作价值报告，就必须有一些涉及无形资产的活动值得告知公众。同样，一个强烈地感到需要资金、人员、技术和时间用于实施更优无形资产管理方法的管理者，可能在一个认识到优化报告重要性的环境里更容易找到支持者。于是，无形资产管理工作的两端互相得到了支持。

商誉

虽然会计业和制定会计标准的组织有些因循守旧，不过与无形资产有关的财务报告程序还是在2001年发生了变化。

商誉(Goodwill)是一个金融术语，是指收购方在合并中支付的超过目标公司资产——既包括物质资产，也包括无形资产——公允市场价值(fair market value)的部分。这部分商誉价值也被认为代表了无法辨认(unidentifiable)的无形资产。如，一个公司支付了100万美元用于收购目标公司，其中40万美元反映了收购资产——包括物质资产和可辨认的无形资产——的公允市场价值，其余60万美元就是商誉，反映了收购方愿意超过市场价格支付的溢价，根据是收购方相信合并后产生的协同优势会为新公司带来更多的财富。

会计记账过去要求收购方在固定期限内以正常方式自动支出或消耗这部分溢价。商誉或无形资产在收购方的资产负债表上首先被计作资产，然后在该资产的经济生命期内(如20年)，其价值被逐年从商誉的总货币价值中减去，即被摊销(amortized)，直至在损益表中全部消耗。

商誉随着时间的流逝自动耗损后，没人会再去考虑商誉价值，因为报告程序仅仅要求定期以一定的比例减少商誉的货币价值。[1] 这样，关注某一公司业绩的精明的专业人员就可以将这种对利润率的自动消减与营业收入区分开来。

2001年，FASB对其规则进行了修正，新修正的条款就是财务会计准则（Statement of Financial Accounting Standards，简称SFAS）第142条。该条准则规定公司现在应当对商誉的价值逐年进行测试，以决定是否存在无形资产减值或损失。如果存在无形资产减值，减少的价值仍旧从损益表中的利润中减去。但这些无形资产并不按照固定的比例减值。根据测试减少的价值可能会低于或远远高出根据过去的标准摊销的价值。

在第一章中，基于无形资产内在的因果关系和可管理的属性，我们研究了对一些通常可辨认的无形资产进行定义这一理论上的难题。恰好，FASB对目前需要解释的无形资产作了一些清晰的定义和分类，从而可以很容易地推断出142条准则的影响。根据FASB所作的分类，有三类无形资产，分别是应摊销的无形资产、不应摊销的无形资产和商誉。[2]

应摊销的无形资产是指使用年限确定的无形资产。这些无形资产能为其所有者带来利益的期限是可以测量的，包括客户合同、租赁协议、水和土地使用权。不应摊销的无形资产是那些可以长期存在的、其经济年限以及为所有者带来的利益是不确定的无形资产，可能包括商标、服务标志，以及电影、剧本、芭蕾或文学作品等艺术性资产。[3] 商誉则是指收购方为收购目标公司支付的货币价值与目标公司在合并时拥有的所有物质资产和可辨认无形资产的公允市场价格之间的差额。根据定义，商誉代表不可辨认的无形资产，即减去合并时确定的所有应摊销的和不应摊销的无形资产（依据FASB的定义）之后剩下的部分。区分应摊销的和不应摊销的无形资产，对于理解这里要探讨的更大范围的问题并不重要。重要的是，读者要知道FASB对这两类无形资产作出了确切的定义，并且知道评估专家（经常使用现金流折现法）

[1] 也有例外。虽然以前并不要求进行商誉减值测试，公司仍被要求对公司的状况进行定性分析。如果评估结果是正值，公司可能会将此记录在案，以满足SFAS第121条的要求。如果没出现消极事件或者商业状况没有出现负值，即推定不需要进行减值测试。而现在则要求进行测试。引自与CBIZ评估集团董事Greg Watts的会谈。（March 6, 2003）

[2] "Understand SFAS 141 & 142," PowerPoint presentation, Greg Watts, director of CBIZ Valution Group, 2001。

[3] 应摊销的无形资产只需根据减值需要进行测试。例如，有些客户是回头客。而有些则不会再与公司做生意，这些客户构成减值事件，需要报告对无形资产价值所作的调整——如减少客户合同的价值。另一个例子是一个客户关系的结束，如客户被选择到别处营业的另一家公司抢走。如果一个公司决定在某一特定事件框架里收回一个品牌，就需要进行不应摊销的减值测试。因为在期限届满之后该品牌资产就不会再为组织带来任何经济上的收益，它的生命期缩短了。不仅该资产减值了，而且因为公司知道它的经济生命期将在某一时间之后终止，该资产现在还被列为应摊销的无形资产。不应摊销的无形资产还可能因为生产线声誉的破坏而减值——20世纪80年代初期发生的Tylenol事件就是一个生动的例子（美国保健产品企业强生公司生产的一种止痛药Tylenol胶囊中混入了有毒物质，导致7人死亡——译者注）。引自与CBIZ评估集团董事Greg Watts的会谈。（March 6, 2003）

确定了它们的货币价值。

下面这个简单的例子描述了现行会计报告是如何处理商誉的。这一财务报告政策的变化，在无形资产的财务处理方面是个重大进步。如果商誉代表着不可辨认的无形资产，那么这个政策变化也许还能帮助我们更清晰地辨别它们。

妈妈的生活

假设妈妈开的冰激凌公司想收购爸爸的Softee冰激凌公司。表3-4是妈妈的冰激凌公司在合并时制作的资产负债表，同时也是商誉减值测试的结果。所有数字都以美元为单位。

表3-4 妈妈的冰激凌公司的资产负债表

		A	B	C	D
	原 始 账面价值	新 的 账面价值	虚拟步骤1 资产负债表的 "公允价值"	虚拟步骤2 资产负债表的 "公允价值"	新的 财务会计 资产负债表
流动资产	$100	$100	$100	$100	$100
物质资产	125	100	100	100	100
无形资产	—	—	—	25	0
商 誉	—	100	50	25	25
资产总额	225	300	250	250	225
负 债	200	200	200	200	200
资产净值	25	100	50	50	25

资料来源：CBIZ评估集团公司（CBIZ Valuation Group, Inc.）。

上表中的A栏代表妈妈的公司在其财务总账中记录的收购货币价值。收购的全部资产价值为300美元。合并时，妈妈并没有根据FASB提供的原则辨别可辨认的无形资产，而是为爸爸的Softee公司支付了超出其物质资产价值的溢价。因此，妈妈为商誉支付了100美元。

一年过去了，冰激凌市场并不景气。这一年的夏天反常地凉快，对冰激凌的需求因此很低，经济总体形势也很糟糕。到了年末，股票市场和管理层确定妈妈公司的全部资产价值为250美元。那么商誉的价值是否减少了？可能是有减值。因为我们知道资产总值少了50美元。

结果商誉可能有50美元的减值。为了举例说明，假设流动资产和物质资产保持不变，可以根据下面的公式计算出商誉的减值：❶

资产总值$250－流动资产$100（包括应收款、现金）－物质资产$100（包括工厂、设备和不动产）－可辨认的无形资产$0＝商誉$50

这部分价值反映在B栏中。

资产总值减去所有其他资产的价值后得到的残值就是商誉。说它是残值，是因为根据定义无法准确地知道商誉是由什么构成的。它只是解释了合并时支付的超过物质资产和可辨认无形资产价值部分的溢价。在这个案例中，因为商誉可能已经发生了减值，因此还需要进行减值测试的第2个步骤。

在测试步骤2中，公司发现了一种新的可辨认的无形资产，评估专家认为这一资产的价值为25美元。那么这种新的可辨认的无形资产是什么呢？

在这个例子中，这项新资产是一种新口味冰激凌Turkey Surprise的配方，是在收购爸爸的Softee公司时作为商业秘密购买的。❷ 妈妈将这种冰激凌投入市场，尽管经济低靡，整个冰激凌市场也很疲软，仍然大获成功。一条商业秘密为妈妈的公司创造了价值。这一点非常有意思。

在这个例子中，减值测试步骤2揭示了商誉减值并不是50美元，而是比原以为的还要严重。由于在进行减值测试的过程中发现了价值25美元的可辨别无形资产（见C栏），根据上列减式得出商誉仅价值25美元。

$250－$100－$100－$25＝商誉$25

从财务报告的角度，损益表上的全部商誉减值就是75美元，即合并时商誉的价值（100美元）与现在的价值之间的差额（25美元）。这25美元的商誉价值又被重新计入妈妈公司的资产

❶ 减值测试的两个正式步骤是：（1）确定资产在市场上潜在的减值，即比较报告单位收购的资产的账面价值是否超过报告单位的公允价值。（2）如果公允价值低于账面价值，公司就必须确定报告单位商誉的公允价值是否低于商誉的账面价值。如果低的话，就应当记录商誉减值。举这个例子的关键并不是要读者理解商誉减值测试，而是要注意必须进行减值测试这一事实为我们带来的暗示。减值测试的要求迫使管理者必须更清晰、更精确地分析被收购公司的无形价值源泉，从而更深刻理解这些不可辨认的无形价值源泉到底是什么。见Craig Schneider,"Pool's Closed," CFO Magazine (July 1, 2001).

❷ Ben & Jerry's had Wary Grary. Anything is possible!.

负债表（见D栏）。75美元的减值则从收益中扣除。

现行财务报告的原理又一次告诉我们，商誉的价值是减去财务报表中所有可辨认的无形资产后的残值。如果Turkey Surprise在合并时被当作配方并作为可辨认的无形资产记账，妈妈公司的会计就会在资产负债表中记录下价值25美元的Turkey Surprise，那么商誉原来的价值就是75美元而非100美元。到进行减值测试步骤2的时候，商誉就不会有这么多的减值，因为Turkey Surprise已经被记录在报表中了。在进行减值测试步骤2之前，商誉的价值由原来的75美元降至50美元，但没有更多地减值，是因为没有发现新的无形资产。因此，减值只有25美元，只是利润中极小的一部分。

注意，在D栏中，有25美元的商誉被保留下来，重新计入了资产负债表。但是对新发现的这项推动公司业绩增长的无形资产是怎么处理的呢？答案是没有做任何会计处理，因为会计账目对无形资产有偏见，根本不允许评估无形资产的价值。Turkey Surprise冰激凌给妈妈的冰激凌公司带来了巨额收益，绝非无足轻重，因为它需要管理者利用才智去协调两个公司特有的优势。虽然公司知道产生了一种新的无形资产，但是这项资产在资产负债表中却没有一席之地。而大额的商誉减值——一种新的可辨认无形资产的产生使得减值更多——却在妈妈公司的损益表中完全反映了出来。的确，新无形资产的产生是与公司其他很多更有利的因素相关联的，如增加销售量、品牌建设等。不过，公司中发生的明显的价值创造活动与会计准则的某些要求之间的差距似乎越来越大。

这个故事的寓意

这个有关商誉处理的政策变化的简单例子，涉及了无形资产及对其进行管理的诸多方面。

对无形资产不自动减值

在非专家看来，FASB在商誉报告实务方面的政策变化似乎表示，FASB承认了无形资产的价值并不是自动耗损的，在很多情况下反而是增值了。虽然这一政策上的变化并不容许改变资产负债表以反映任何增值，但对商誉不再自动摊销的规定看来至少是默认或非正式地承认了边际效用递增的法则（the laws of increasing marginal utility）。边际效用递增法则是斯坦福大学的经济学家Paul Romer杜撰的一个概念，指的是分享得越多，价值就越高。这个政策变化让我们想起了无形资产的独特经济表现，虽然这个属性与FASB的政策变化并没有关系。

要求更精确地辨认无形资产

Greg Watts是处于评估业领先地位的咨询公司CBIZ评估集团的执行董事。他认为，FASB的这个政策变化帮助理清了我们对无形资产的理解，可以促使参与评估合并后资产价值的分析家更深入地分析收购方支付的溢出价格，以便在合并前对所有可辨认的无形资产进行初始确认。修正前的准则规定对无形资产应定期摊销，所以人们不会积极地对收购了哪些无形资产做细致的研究。而现在，合并时公司账面价值中所包含的可辨认无形资产记录得越准确，商誉的减值可能就会越少。希望在合并时对无形资产的辨认和评估进行更精确的分析，是促使FASB修正规则的重要原因之一。尽管在有关无形资产的报告方面还存在着差异，FASB仍然要求在商誉问题上做更仔细的研究。这是不是就能使管理者更清楚地了解这些资产可能是什么了呢？

并不是所有的无形资产都是可辨认的

在这个例子中，因为新发现了为妈妈的冰激凌公司带来价值的商业秘密，所以需要重新计算商誉价值。但是有些无形资产并不这么容易辨认。例如，Brookings等认为是真正价值源泉的独特组织安排（本书将在后面讨论），可能就很难辨认，更不用说确定它们的货币价值了。在减值测试中，减去所有可辨认的无形资产之后得到的商誉价值，代表了FASB没有发现的、但为管理者所熟悉的一些无形资产。而且如果管理者能够知道商誉中包含了哪些无形资产，他们至少能够尝试去管理这些资产以创造价值。但是，根据FASB所列的无形资产清单，这种资产不是可辨认的、确定的无形资产，因此出于报告的目的仍被视为商誉。

FASB修正准则带来的另一个问题是，既然不再要求对商誉通过摊销自动耗损，那么记有商誉的公司账簿上显示的收入状况会在总体上有所改善？还是恶化？还是没有变化呢？现在来看表3-5。

表3-5 所选公司的商誉按净收益的一定比例摊销

公　司	商誉（10亿美元）	商誉每年按净收益的%摊销（超过30年）
通用电器	23.1	6
伯克希尔·哈撒韦	18.3	27
美国在线华纳时代	15.5	57
雷　神	12.0	123
无限广播	11.8	98
联合废品	8.2	207
雷诺兹烟草控股公司	7.6	72
英格索兰	3.7	23
诺思罗普-格鲁曼	3.5	18.5
泰诺健康	3.2	26.6

资料来源：Bancorp Piper Jaffray, 已经过Piper Jaffray的许可。

上面这个表格发表于修正的准则开始生效之时。美国在线华纳时代，这个一次失败兼并的产物，在2002年第一季度账面价值出现了540亿美元的商誉减值。[1] Qwest Communication也于2002年发生了410亿美元的商誉减值。[2] 尽管这两个公司的情况很少见，但减值的数额也是够惊人的了。

---

[1] Henry Sender, "Study Sees Hundreds of Companies Writing Down Goodwill This Year," *Wall Street Journal* (April 24, 2002).

[2] Stephen Taub, "Reverse Charge: Qwest Takes $41 Billion Impairment Hit," *CFO.com* (October 29, 2002).

换个方式说，在合并初期就彻底进行巨额的商誉减值，还是按一定比例逐年自动摊销，哪个会减少（或增加）公司的利润？这又引出了一个相关问题：如果根据减值测试在合并初期就在账簿中摊销了商誉，那么随着可辨认的无形资产的积累以及它们对财富创造贡献的增加，能否弥补合并初期由商誉减值带来的巨额损失？如果妈妈公司和爸爸公司之间的合并一定能带来除新冰激凌口味之外极好的可辨认无形资产，妈妈公司会不会重新获得75美元的商誉减值损失并弥补随后减少的利润？

最后，如果合并后的结果和计划的不一样，如在妈妈公司的例子中那样，应当怎样看待主张和影响合并决定的管理者的业绩？除了商誉减值之外，妈妈的公司还拥有能在将来为公司带来巨大利润的资产——一个公司总是有这样的资产的。但即使合并并不只是带来了巨额的商誉减值损失，股东是不是还是会以此为理由在合并开始之时攻击管理者？

如果评估专家和财务管理人员在合并时能够积极地精确计算所有可能存在的无形资产，是否就意味着公司可以在被收购的物质资产和易辨认的无形资产的未来现金流折现值(discounted future income streams）之上支付较少的溢价？

来自CBIZ的Watts认为，在旧的商誉制度下，收购方对记录并分摊所有无形资产的货币价值不是很积极，而是宁愿把这些资产作为商誉处理，恕我直言，这是因为他们知道这些资产会按照预定的比例和期限自动摊销。既然不可辨认的无形资产的范围已经由商誉溢价所确定，为什么还要浪费精力去了解它们到底是什么呢？企业合并后，两种文化、两个团队、两处知识来源的融合自然会产生协同优势，公司是不是出于这个错误的想法而为这些不可辨别的未来价值源泉支付了过多的溢价？看看时代华纳和美国在线之间的合并就知道了。人们原以为，时代华纳拥有巨大的电影和音乐娱乐图书馆，再加上美国在线的最新发行渠道（即互联网）和可视平台（即PC加上美国在线的软件），二者的结合定能产生增效，而实际上这种增效从来也没实现过。相反，由于两种完全不同的企业文化之间发生了强烈的冲突，合并最终导致美国在线、时代华纳的价值狂跌。

在有关无形资产管理的全部论述中，这个讨论财务报告难题的章节是很重要的一章。特别是财务会计准则在处理商誉方面的修正，可能会对更好地理解无形资产产生巨大的影响。不过，与之相伴的会计问题，即管理者之间需要有相应的工具、方法和框架以便更有效地从无形资产中萃取价值，这个问题更急于解决。因此，我们此后不再探讨有关报告的争论以及它给学者、会计师和财务专家带来的困惑。从下一章开始讨论无形资产管理方面的发展这个核心问题，这也是以后5章的焦点和本书的重点。

结论

财务报表是一种叙述方法，它可以告诉人们一个公司在美国经济中的发展状况。损益表和资产负债表并不是复杂难懂的文件，也无意如此，其中的数字既精确又易懂（当然首先假定数字是正确的）。但是财务报表的叙述力量是有限的，因为它们掩盖了一些重要的内容。第一，财务报表没有反映出一个组织是如何在幕后取得现今的财务绩效的——这些绩效可能是通过有关劳动力和资产利用的上千个策略和战术决定取得的。第二，也是对本书来说更为重要的一点，财务报表没有反映出无形资产对财务绩效的影响，而这些报表恰恰就是为反映财务绩效而设计的。在这个重要的无形资产随处可见的世界里，现行财务报表的简单让人觉得，对财务报表和对无形资产要研究的问题一样多。

FASB关于商誉处理的政策变化，显示出在报告标准中至少是最低限度地加入无形资产的表现的不懈努力。有关报告如何对无形资产进行处理的争论由来已久，至少在30年前，准则的制定者就注意到了这个问题。在可预见的未来，只要私营企业的财富创造能力越来越多地来源于无形资产，而非那些已经得到充分理解了的资产，他们仍旧会对此继续加以关注。尽管出于人们对燃料贪得无厌的需求，石油公司仍是经济中的强大力量，但有同样多的公司通过人类智慧创造的资产而非从地下钻取的资产获得了成功。这些公司是怎样获得成功的是本书以后各章关注的焦点。

第四章

信息技术是一种无形的技术

信息技术（IT）可能是最不具无形属性的一种无形资产。财务报告对IT这类资产采取了与传统有形资产几乎相同的处理方法：[1] IT投资被计作资本，并在使用期内进行折旧。IT作为一类资产，其最大的无形属性可能就是人们无法看到或触摸到它。

虽然财务报表对IT作了有形处理，但管理者还是发现IT具有高度的无形性，这种无形性在于它的很多影响，即它为组织带来的利益具有不确定性。对这些利益进行财务上的量化实在是太难了，因此看起来好像是无法确定的。管理者在工作中感觉到了IT带来的影响。他们深信一些应用程序提高了生产力，优化了决策制定能力，带来了目标共享感，加强了企业内部各业务部门之间的沟通。但对在作为投资决策框架的投资回报模型中的所有影响，管理者却很难说清楚。实际上，

---

[1] 虽然报告标准是以这种方式处理技术，但政府只是在最近才改变了对技术的态度。经济分析局（the bureau of Economic Analysis, 简称BEA, 美国贸易部的一个部门）于1999年改变了计算软件购买费用的方法，把这类购买费用作为投资计算，而不是出于计算国民收入和国内生产总值等经济总产量的目的把它计为生产投入。据BEA估计，把从1959年至1998年期间购买的软件费用改为作为投资计算，会使实际GDP的年平均增长率增加0.2%——换算成美元会是一个相当大的数额。（见Eugene P. Seskin, "Improved Estimates of the National Income of the Comprehensive Revision," *Survey of Current Business* (December 1999)。）这一对经济产量的向上（增长）调整反映了对来自公司内部的价值源泉以及这些价值如何使经济产量增长的认识的发展。这一认识上的简单变化即使不是明确承认也是含蓄地承认了IT是善于利用它的组织内部价值创造的强大驱动因素。简单地把这项费用当作生产投入的一部分，低估了软件在价值创造中的重要性。（见 Brent R. Moulton, Robert P. Parker, and Eugene P. Seskin, "A Preview of the 1999 Comprehensive Revision of the National Income and Product Accounts, Definitional and Classificational Changes," *Survey of Current Business* (August 1999)。）

不确定的收益在激增，是因为投入的技术与基础设施的运营甚至是成本的节省关系不大，但与企业战略目标以及实现这些目标所需的企业流程再造却有很大的关系。

目前有大量文献资料相当广泛地涉及了IT对企业的经济影响。

出于各种各样相互关联的原因，迫切要求对IT全部经济价值进行描述。这些原因包括：

- IT已经成为一个行业：人们已经不再把IT看作是一些相互之间没有关联的服务。技术现在已经融入公司内部，并且和公司为了在市场上获得成功而进行的大部分价值创造活动都有关。这些技术包括但不限于金融软件，包括营销管理自动化、销售管理自动化在内的客户处理应用程序，产品设计的共同开发，HR自助服务，供应链合作关系等等。公司的重要业务有多少，这份清单就有多长。实际上，MIT在20世纪90年代中期开展的一项研究发现，投资者对技术投资的估价要比传统的资本投资高出10倍。❶这是因为IT不仅使对商业目标提供支持的内部流程和客户处理过程得以改善，还提高了人的业绩——所有这些都是无形资产。
- IT组织的角色转换：IT/IS组织在过去被看作是公用服务组织，即能让系统正常运行、提供技术支持窗口、发现并修理故障、安装软件和硬件的组织，类似设备管理机构，任务就是让灯能照明、锅炉能烧水。从创造价值的角度来看，这些组织是非常重要的，但不太可能成为合作伙伴。不过，现在公司可利用的IT种类已经从简单地为战略目标提供支持，发展到帮助实现这些目标，因此要求负责信息系统的人员考虑把技术与商业需求结合起来。这已被公

❶ Erik Brynjolfsson and Shinkyu Yang, "The Intangible Coasts and benefits of Computer Investments: Evidence from the Financial Markets," Sloan School of Management, MIT, (May 1997), p. 26.

认是一次巨大的文化变迁。

- 技术失败率：由于在报道失败案例的行业内没有一家公司能够进行统计上有效的取样，有关IT投资总失败率的统计数字可能会很不准确，不过现有的生动实例就已经足以令人震惊了。例如，美国一家大型保险公司在运营商撤走之前支付了1 000万美元，成为一个客户关系管理程序（customer relationship management，简称CRM）的销售商，结果发现这个软件根本就不符合自己的要求，最终以失败告终。换句话说就是，该保险公司为知道这个程序与其商业目标不匹配花了1 000万美元，从各个角度来说这都是个巨大的失败。此外，还有大量类似的统计数据。在所有的IT项目中，有一半是刚被采用就已经过时了的，而且还超过了预算。[1] 对这种不计后果的做法，是时候在财务上保持节制了。同时，从中也可以看出，人们是如何突然间意识到需要对IT进行与所有其他资产投资同样的财务审查。

- CFO的加入：因为IT有望给组织带来绩效价值——增加收益和市场占有率、加速产品开发的周期、加强品牌的价值等——CFO越来越多地成为IT话题的内容。就这一点而言，技术语言里加入了财务语言和财务思维方式。当话题涉及更具战略性的投资时，谈话内容的主题不仅有每秒百万条指令（millions of instructions per second，简称MIPS）、每秒浮点运算次数（floating-point operations per second，简称FLOPS）、批处理速度（batch-processing speeds）、网络总吞吐量（network throughput）这些概念，同时还充斥着内部收益率、现金流和投资回报等概念。

除了上述主要趋势，还有一些次要原因促使人们对技术的投资回报越来越感兴趣。其中的一个原因是，在业务领域为支持商业目标而投入的技术投资预算，不管是程序包还是内装客户计划，都越来越多地由业务部门提供资金，而非通过技术组织获得。[2] 结果是，要由管理者担负这些费

---

[1] Standish Group press release (March 25, 2003).

[2] 引自与Gartner研究部主任Barbara Gomolski的会谈。具有讽刺意味的是，很多IS（信息系统）组织的预算限于公用服务类的项目——维护和定期升级——即使很多首席信息官不得不通过提高业务和财务的描述能力接受经济价值的影响，作为确保IT项目的执行与公司战术与战略目标相结合的方式。

用。由于对经济价值的描述为投资决策提供了更加清晰的思路，增强了相关风险的预测能力，于是，为描述有关投资项目的所有影响和成本因素而进行的成本-收益分析突然间就成为了一种管理责任。由于对管理者寻求的投资责任加重，围绕战略性IT投资出现的一个永恒规则就是，对渴望得到的东西要谨慎尽责。

管理人员对为工厂、设备或不动产等资本投资的经济影响建立模型有着长期的经验，面对人们围绕IT的经济影响这一话题叽叽喳喳地争论不休，他们可能不是感到困惑，就是震惊。已经进入了新的千年，而我们才刚刚意识到至少是试图量化IT回报的需要和价值，难道这不应该让人们至少感到一点点的震惊吗？有些公司早就对包括IT在内的所有投资进行财务评估了，但还有同样多的公司直到最近几年才刚刚开始着手这些评估活动。在很多时候，对软件包的ROI分析，就像是软件自身产生的一个概念，而不是本应如此的财政学产物。随着人们迅速地意识到量化IT经济价值的意义，人们发现，有些影响是很难测量的。

IT的无形性因素

人或者说是人力资产之所以是一种无形资产，原因之一就是它们在公司资产负债表中没有被计作资本。人力资产的无形性源于观念上的转变，即从价值创造的角度，人是一种资产而非纯支出。但是，正如我们在前几章所看到的，人力资产在财务报表上却是一项费用。正是这一差别造成了人力资本的无形性。而技术显然与此不同。

更确切地说，IT的无形性源于这样一个事实：对于IT的很多收益，很难通过确定财务数值的方式进行测量；而且，正如我们从Finance 101中得知的，所有投资的ROI都是用以下公式表示的：

$$\frac{利润}{投资}$$

例如，一项100美元的投资获得了20美元的利润，那么这项投资的ROI就是20%。管理者往往用固定节省的成本代表分子中的“利润”，也就是用节省的成本代替税后利润，因为对IT投资的目的并不是为了换回利润。当然也有例外，有些技术投资是能产生收入的，不过这类投资很少见。如果为100美元的投资节省了20美元的成本，那么ROI就是20%。这种计算方法以下面这两个假设为基础：1.假定所有节省的成本都被计入了损益表中的盈余，即节约了20%的成本就等于利润率直接增长了20%；2.假定无论是成本还是利润都保持稳定，因此可以在投资前和投资后进行有意义的比较。但这种情况发生的概率是多少呢？答案是这种情况永远不会发生。不过这种算法可以大概表示一项技术所节约的成本。

当没有纯利润可用时，有些公司会使用投资回收期限法（payback measures），这种方法可以用于测量一项投资从自身创造的现金流中得到回收需要花费多长时间。❶ 越早回收越好，原因有二：第一，回收期越短，该项目的投资风险就越小。第二，越早达到收支平衡点，收回的投资就能越快地用于其他项目。不过，组织很少仅仅依靠这样简单清楚的计算就作出IT的资本投资抉择。

更多的公司不得不就涉及难以定义但容易量化的金融收益以及更难以计算但同样重要的无形收益，作出一系列的IT资本投资抉择。此外，IT收益具有无形性并不是指IT的影响是不明显的、不可感知的，而是指在投资的同时把ROI模型作为具有说服性的商业证据的一部分展示给管理者时，很难确定收益的具体数额。在把ROI公式作为决策制定框架，用于在很多可选资本投资之间进行选择的工具时，往往最容易陷入这种困境。

假设一家银行要对贷款处理软件程序和一套用于银行客户在线付款的应用程序进行分析。二

---

❶ 有时管理者会混淆收支平衡和ROI。对描述IT经济价值的强烈兴趣使ROI成为以数字表述这一价值的各种方式的专业术语。但是，ROI在财务上有与偿付、内部收益率和净现值同样严格的定义。

者的投资回报几乎相同，每个应用程序都有望节省大量成本或是带来递增收入。但是，银行通过更深入的分析发现，面向银行客户的在线计费门户策略能带来更长期但更不确定的收益，主要是来自提高银行在巩固和扩展其客户关系方面的能力。银行的一个战略目标是通过利用增值的在线服务留住客户。如果银行提供一站式端口（one-stop portal），使客户不仅能进行查询、存款、抵押、购房、管理投资账户（假设银行已经提供了这些在线服务），还能反复地支付煤气水电费、电话费、手机费和汽车贷款等，那么这一端口显然就能帮助银行实现这个战略目标。客户为这些服务支付的低额月租费可以证明该项IT投资在投资回报或盈亏平衡基础上的合理性。不过，通过网络与客户形成的更深入的多维关系才是银行的真正价值源泉，即使银行不能牢牢地把握住这种关系对银行未来收入的确切影响也是如此。"通过这种增值服务与客户建立更深入的关系"的可辨认收益是不确定的，因为没有可靠的方法为某一更深入的关系量化其未来现金流的净现值——至少现在还没有，因为银行可能还没有开发这项服务——但是基于较高层次的目标，银行还是选择向在线计费项目投资，放弃了贷款处理应用程序。

使IT具有无形性的主要因素源于模糊的因果关系（causal ambiguity）。因果关系的模糊性有以下几个表现形式。一个是，不能在可分离的结果与具体的技术投资之间建立联系，这被称为分离模糊（*isolation ambiguity*）。如果投资和结果之间能够建立清晰的因果关系，但这种因果关系又不是直接的，在技术原因、商业结果和其他因素的作用之间缺少了几个中间链条，这时就出现了第二种模糊性。管理者实际应当确定，在结果中有多少是由技术带来的，又有多少是由其他价值贡献源泉带来的？这被称为权重模糊（*weighting ambiguity*）。下面分别列举这两种例子。

分离模糊

假设一个零售商投资改进呼叫中心的基础硬件和软件，这属于客户关系管理系统中独立的一类应用程序。没有哪种软件能比CRM更让首席信息官心碎的了，因为软件销售商吹了牛，但没有按要求提供产品，同时使用该软件的公司也没有对这类软件对组织的挑战作出适当的反应。尽管如此，呼叫中心应用程序作为CRM的子程序所具有的强大功能，仍然可以帮助公司更好地配置内部资源来接听打入的电话，通常还能帮助公司更有效地控制电话的打入量。

假设有一家公司认为，如果打入电话者的平均等待时间减少30%，就可以节省通信成本，同时还能提高客户的满意度。于是开始对能使组织更好地根据电话打入量设置岗位的大量软件和硬件进行投资。在应用IT的前三个月里，客户等待接听的时间就以50%的速度大幅减少，上半年的销售额因此增长了10%，这简直让公司欣喜若狂。那么增加的收入中有多少真正是由IT投资创造的？用销售商们的话说就是，全部增加的收入都是由IT创造的。客户在给呼叫中心打电话时接受了更优质的服务，因此更加满意，这是销售商的销售宣传语中关键的亮点。

毫无疑问，一次愉快的呼叫中心体验能够影响客户对公司的看法以及他们继续与公司打交道的愿望，在那些呼叫中心在公司与客户的关系中扮演重要角色的行业中更是如此，如金融服务行业和技术领域的PC和其他高科技小机件的销售行业。但是即使将收入激增完全归功于客户满意度的改善——尽管这是不可能的——公司怎样才能证明IT投资和收入增长之间的直接因果关系呢？组织能否从收入增长的部分中分离出哪怕是5%的比例，显然可以归因于客户满意度的提高，而非一个更好的系统、一项重要的广告活动或是受公众欢迎的某一产品创新吗？

以银行的在线计费IT投资为例。假设在银行推出这项服务之后的6个月里，共有3 000人签约使用。银行发现投资服务的收入虽然只有少量增加，但增加的部分则主要来自签约使用在线服务的客户。要获得调查数据，需要银行的投资销售员获取能证明是在线计费能力而不是别的因素促使同一客户签约使用投资服务的数据。在没有这种数据的情况下，我们无法实际知道收入的激增和什么有直接的联系，是在线支付，还是出于朋友的推荐或是对另一经纪人的不满？是与这些都有关系，还是都没关系？是不是根本就不值得寻找因果关系？如果银行根据直觉认为在线计费端口是建立客户关系的重要因素，但对证实这种直觉并不怎么感兴趣的话，人们也许会这样认为。一个人的财务状况是她的生活中最重要的一部分，对她的生活影响也最大。在线服务只不过能使银行希望与使用这项服务的客户建立的契约关系更加牢固一些。

权重模糊

当其他因素是价值创造秘方中不可或缺的成分时，如何有效地确定IT投资的贡献，可能是管理者更常面临的挑战。我们知道IT推动了积极的经济结果，但是除了已经辨别出来的其他重要贡献因素，技术的推动力到底有多少呢？

让我们来看看大型互助基金公司柴弗斯（Dreyfus）的经历。柴弗斯公司希望把它在技术的帮助下利用客户数据解决一个严重资产流失问题的过程概念化，这个愿望显示的实际上是恰当地认识——既不高估也不低估——IT投资的难题。

当执行副主席Prasanna Dhore上任的时候，该公司的资产流失率和行业平均数差不多，而且利用技术阻止资金流出公司的互助基金家庭系列的努力没有起到作用，结果糟糕的基金投资业绩导致了资产流失。当时显然迫切需要想出以客户为中心的策略和战术，阻止客户把资金移至别处。但是，就Dhore及其同事所知，柴弗斯公司的实际情况比这更复杂，更微妙。

Dhore知道所有的战术和战略决策都要先从处理信息开始——在此案例中是有关客户的信息——金融服务行业中这类信息有很多。关键是要筛选所有信息以获得富有意义的模式，也许能够帮助解释流失问题，同时帮助识别那些在公司拥有大量资产总额的投资者的特点。Dhore投资购买了赛斯（SAS）的数据挖掘工具来帮助进行这一数据分析工作。数据挖掘软件刚好是权重模糊问题的范例。由于有太多的因素参与了投资回报的产生过程，在管理者寻找数据挖掘软件的ROI时就会出现权重模糊问题。

一种叫做知识目标理论（Knowledge Object Theory，简称KOT）的方法可以用于分离参与创造数据挖掘软件总价值的所有源泉，帮助阐明权重模糊难题，同时解除管理者在确定某一特定IT投资的确实回报时的困惑。本书在第八章中将知识作为一种无形资产进行讨论，该章对KOT有详尽的阐述。因此，在此处是否了解KOT并不重要，重要的是要认识到信息技术所创造的价值的互补性质，以及这种互补特性是无形资产区别于传统资产的重要特点。

用KOT的术语说，下面就是一个所谓的三元组（Triad）。

投入	过程	产出
客户数据	组织、清理、构建	客户资料信息

三元组是用于描述某一事物现实情况的组织方法。在三元组中，某一事物被输入一个程序，在程序结束后就变成了另一个事物。在本例中输入的是客户数据。客户数据被输入了组织、清理和构建过程，最终得出清晰准确的客户资料，成为数据挖掘软件指引管理者作出更明智决定的基础。此外，KOT还用于说明产生该软件总体价值的一系列源泉的互补性。

数据的组织、清理和入库在今天是常见且关键的IT活动，因为信息以及随后由该信息得来的知识可以看作是公司的营养来源，是我们所关注的价值创造过程的动力源泉。

在下面这个三元组中，客户信息成为管理者试图利用的新无形资产。

投入	过程	产出
客户信息	数据挖掘 ——寻找有意义的模式	知识 ——模式、有意义的客户信息片断

柴弗斯的管理层利用强大的数据挖掘工具帮助他们理解大量清晰但空洞的客户信息。通过数据挖掘，柴弗斯发现了更深奥、更有启迪作用的客户行为，这些客户信息特征成为公司为实现阻止资金流出公司这个财务目标而采取的战略和战术的依据。管理人员决定沿着生命阶段（life stage）、获利能力和投资行为这三个客户维度解决资产流失问题，并为销售人员精心制定了营销计划和一些战术性活动，直接用于围绕这三个维度解决流失问题。几年后，流失率最终减少了近

25%。Dhore说道:"我们不再有追回流出资金的问题了，我们现在面临的是销售上的挑战，而这才是我们想要的。"[1]

投入	过程	产出	对绩效的影响
知识	管理层制定决策 ——对知识进行分析判断	战术： 营销计划、销售技巧	资产流失的减少

这样看来，在资产流失的减少以及因此保持稳定的投资管理费（如果没有增加的话）之中，有多少功劳应当直接归因于SAS的数据挖掘技术？公司从一开始只有一些原始数据，到通过对上述几层程序的解构分析，成功地实现了财务目标，这说明要满怀信心地准确回答这个问题有多难。柴弗斯公司当时可能对参与从原始数据到成功战略这个反复过程的所有无形资产的相对重要性进行了权衡。但是对于SAS的数据挖掘工具和决定为了进行分析首先需要输入哪些数据的管理者的经验和判断力，这二者的重要性如何权衡？知识究竟有多大的功劳？是比软件的功劳大，比管理者的功劳小？还是完全相反？在这个案例中，整个软件的全部价值创造因素的多样性引起了权重模糊问题。所有软件的价值在某种程度上都会受到外部因素的影响，如软件程序所处理的信息的质量、系统使用者的技能。但是，像数据挖掘软件这类技术的互补性特点更突出，因为这类应用程序的真正价值在于优化决策，而不是降低经营成本，这也是其他很多类软件的价值目标。幸好，很多类型的软件投资并不会带来权重模糊问题。计算它们的ROI的路径是清晰的。

在本案例中，共投入了多少无形资产？商业人士能够确定的至少有五种：数据、信息、知识、IT、人。在柴弗斯的案例中，还有个隐含的无形资产，即独特的文化与公司哲学，它们影响了为执行公司战略而进行的所有活动。公司并不打算在第一年里彻底实现目标，也不追求大满贯，而是追求迅速取胜，各个击破。

[1] 摘自与柴弗斯公司副总裁Prasanna Dhore的会谈。

在公司充分实施这项计划之前，Dhore提出了他自己关于面向客户采取什么战术的主张。并不是每个公司都会采用这种方式，无特定目标的、散漫的组织可能立即就会劲头十足地把项目付诸实施。而柴弗斯公司充分利用了管理层的经验、专业技能以及健康的文化环境，这些都促使公司采取步步为营的方法解决严重的商业问题。对于管理智慧的价值应该如何量化呢？金融服务业是最精于利用IT实现经营和战略目标的行业，经营环境可以说是既文雅又残酷。因此竞争的需要可能会深深地渗透于公司文化之中，这种文化同时又支配了管理实践。在柴弗斯的案例中，这些受公司文化支配的管理实践为无形资产的分配提供了支持，并且最终证明是有效的。

现在再回到权重模糊这个问题上，考虑以下问题。我们知道柴弗斯的公司文化影响了阻止资金外流的有关决策。以阻止资金流失为形式的价值是由众多无形因素共同创造的，其中公司文化的贡献能占到多少？ 5%？还是50%？商业情报和数据挖掘软件需要信息、数据、人、管理哲学等这么多相互依赖的变量的紧密结合，以致于有人会认为准确地计算ROI充满了危险，因而是无意义的。

然而，事实并非如此。很多公司已经证明，权重模糊问题不会阻止它们继续对具有这些特点的技术投资（有SAS的成功为见证），无论是否已经制定了严密的商业方案。很多公司在考虑资产投资的时候，并不考虑权重模糊问题，因为他们根本就不为投资可能产生的财务影响建立模型。然而，对那些努力预测投资回报的公司来说，对投资回报的任何补充性影响都会加以关注，并因此提高对取得成功必须具备的所有条件的认识。在涉及数据挖掘软件时，这些必备条件包括清晰、精确的相关数据，以及有足够才能的管理者，能够知道通过软件揭示的哪些情况与特定商业问题相关，并且知道应采取什么行动（这也是同样重要的）。经济价值模型往往假定存在这些无形的价值创造因素，并且假定它们的存在是危险的。理解权重模糊问题及其产生因素，是深入理解软件投资的潜在经济回报以及如何最大化这些回报的开端。

有些管理者可能会认为，在描述IT经济价值时出现的分离和权重模糊问题共同阻碍了管理层对技术投资项目的支持。不过事实并非如此。至少有一项与以客户为中心的技术——以网络为基础的自助服务、呼叫中心应用程序、销售管理和营销自动化程序等等——有关的研究声称，CFO了解技术影响的不确定因素，并且乐于使用财务硬指标和非财务软指标来批准投资。[1] 虽然分离模糊和权重模糊问题使得进行和谐、清晰、轮廓分明的经济价值描述工作变得复杂了，但是IT投资具有无形性影响的现实并没有完全阻碍对这些技术的投资。现在已经找到了解决这个难题的办法。

迎接无形性的挑战

设法解决IT无形性因素的第一步，就是要知道经济价值描述在什么时候对管理者是有用的，什么时候没用。经济价值描述是指，在投资前对预期会产生成本和收益的所有因素建立内容丰富的模型，以便进行包括净现值、内部收益率等贴现现金流或者ROI的计算。如果我们接受为一项技术投资建议的经济价值建立模型有助于作出是否投资的决策这一观点，那么问题就变成：应该将资源投资于哪些项目，才能为预期回报真正地建立模型？因为建立模型过程中的计算必须是准确的，能被管理者赖以高度的信任。

采用优先分配法进行经济价值预测——即投入时间和智力为某一技术项目建立模型，放弃为其他技术项目建模——对管理者是最有用的。下面的这个框架既不能告诉读者对某一特定投资进行测量有什么特别的价值，也无法让读者知道如何测量驱动业绩增长的因素，但可以为哪些技术最适于模型化而哪些技术不适合提供指导。读者会看到一些无形性问题被完全消除了，因为通过这个框架，管理者为如何测量某类项目的一些难以量化的结果而烦恼的时间减少了，从而有更多的时间对其他项目的成本节省以及收入的可能性进行深入研究。消除了对某类技术项目的投资回报的困惑，同时也就消除了测量这一技术投资无形性影响的困惑。

测量活动金字塔

在对一项技术投资建议的经济回报进行模型构建和预测时

[1] "Customer-Centric Technology Investments: Where's the ROI?" Saugatuck Technology and CFO Research Services white paper (December 5, 2002)。这项研究还发现，与公认的常识相反，公司越小，越倾向于利用非财务技术描述IT的经济价值。公司越小，可用于风险更大的技术创新的自由处置资产往往更少，假设这些公司会利用硬指标来减少投资回报不确定性是错误的。实际上，公司越小，商业模型和组织结构就越简单，由于购买和预算程序更自由、更随意，在这个问题上思想也就越自由。

使用的投资资源分类法，是指要建立与技术最匹配的ROI预测和经济模式。一个测量活动金字塔（measurement action pyramid，简称MAP）是围绕以下三个方面建立起来的：

- 与该项目有关的风险程度；
- 该技术可在多大程度上回收重大收益；
- 某项特定技术在创造价值方面对其他特定技术的依赖程度。

图4-1为MAP方法的图示。

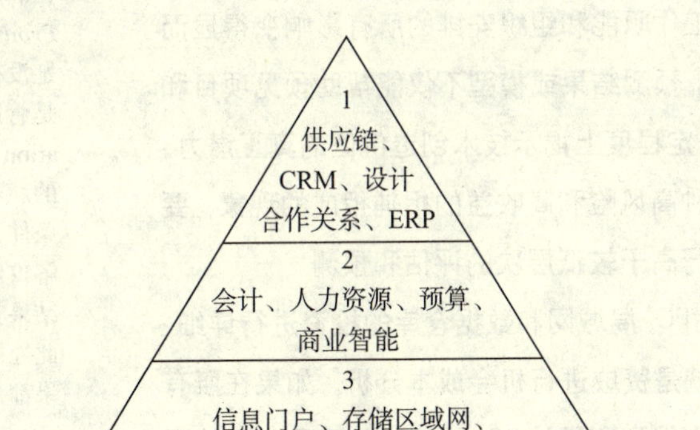

图4-1　MAP方法

MAP的理论基础是，公司应该对第1、2层次的投资进行比第3、4层次的投资更严格的ROI预测。[1] 主要有以下三个方面的原因。第一，在金字塔中的层次越高，投资项目的固有风险就越大。金字塔越向上就越窄，代表给差错留有的余地也就越少，因此第一次就做到计算正确是非常重要

[1] 作为旁注，MAP也用于项目的先后次序安排。第1层次的IT投资很可能要先以一个第4层次的为基础。Real Options作为一个测量方法可以在此适用。见Henry Lucas, *Information Technology and the Productivity Paradox*（New York City: Oxford University Press, 1999).

的。这是因为战略性的技术种类既复杂又新奇，新的经营方法要求重组企业流程，提高组织的灵活性。因为公司对最大化投资回报所要求的组织变革没有足够的预期而失败的CRM创新不止一个。位于较低层次的技术在项目的执行和经营这两个方面的固有风险都要小一些，因为它们对商业运作方式的影响更小。❶

第二（同时也涉及一个相关问题），位于第1、2层次的战略性技术类别提供了较低层次技术所不能提供的机会，如收入和市场发展潜力。具有较强影响力及较高风险的IT需要建立更精确的财务模型，完全是因为赌注更高——不仅风险高，财务回报也高。经过深思熟虑后得出的ROI预测结果的最高价值之一是，如果预测是准确的，那么预测结果就能使软件的所有潜力及其对业务流程、工作职能和组织安排的所有影响变得显而易见并可预见。因此，预测结果或模型不仅能帮助预见项目和经营的风险，还能在一定程度上揭示技术创造价值的真正潜力。出现在较高层次的这种高风险和高收益的相辅相成的现象，要求在投资前对它们进行高于较低层次的评估和预测。

第三，如果赞成对PC、局域网和数据仓库的投资进行详细、精确的预测，实际上就是赞成进行机会成本分析。如果在所有计算都进行完之后没有得到所需的ROI结果，公司是不是就要为了支持几个应用程序而放弃对PC机、办公系统的升级、新的存储或数据仓库投资呢？如果决定不对这些支持型技术进行投资，公司的成本又是多少呢？一个答案是，如果公司决定不对这些技术投资，就永远没有机会利用第1、2层的技术了，因为正是第3、4层次的技术为它们提供了动力。

这样说并不是在暗示：因为基础设施类的IT支持了战略性的IT，所以就无需在乎它们的费用。相反，对特定技术在生命期内所涉成本进行精确的所有权法分析得出整体成本，是相当重要的。❷ 不过，对很多组织来说，描述了一项投资建议所涉所有成本的商业方案，加上一些证明这项投资是个好主意的定性

❶ 这个分类法的概念是由Lucas在*Information Technology and the Productivity Paradox*中提出的。她没有使用金字塔的概念，用的是管道风格（pipeline stylization），基本上达到了同样的目的。某些技术是其他技术的先决条件，理解二者之间的关系是理解IT经济价值的开端。这个观测结果实在是太简单了，但很多在此处帮助澄清问题的重要观测结果都是如此。

❷ TCO(Total Cost of Ownership)，指计算机系统导入、维护、管理等需消耗成本总额的指标，可将硬件和软件购买费用、许可费用、维护费或系统开发费等直接费用以外"隐蔽成本"明显化，并可避免不必要的投资的重要参考指标。——译者注。

判断和分析，足以代替由于对ROI分析所揭示的难以量化的影响究竟应该分摊多少货币价值争论不休而陷入绝境的决策制定程序。

因此，基于风险、战略性影响和可行性等理由，最适合对第1、2层次的IT做详尽的ROI计算。在第1或第2层技术所含无形性影响的范围内，管理者更有可能会为来自这类项目的问题而焦虑不安，因为基于刚刚讨论的原因，对这些技术进行经济价值描述要重要得多。管理者不用去管第3、4层次的投资带来的种种无形性影响。

诚然，这里对个别技术类型的描述多少有些武断。企业完全可以提出证据证明，很多金融应用程序显示不出任何比较优势，因而从第2层降到了第3层，或者是数据挖掘软件如此戏剧般地改变了决策的制定以致被认为是一种战略性投资。但是一般来说，金字塔的逻辑还是有效的。如果不对第3和第4层次的项目进行投资，那么第1或第2层次的投资也没什么用。

以Oracle对其9i应用程序服务器列举的收益为例：

- 通过整合、简化企业流程改善企业的灵活性；
- 通过揭示固有应用程序包中的信息，制定有见地的决策；
- 与使用行业标准的商业伙伴合作；
- 获得对客户的综合认识，无论有关他们的信息在哪。❶

按照依次的顺序，管理者如何测量改善后的企业灵活性、更有见地的决策、合作的价值，如何测量对客户综合认识的财务影响？在这里引用Oracle的一句话：这些影响是在成功利用技术的企业的掌控之下。但是职责是在ROI预测过程中模拟成本和收益以交给上级的管理者能否控制这些影响呢？首先，在分摊这项技术的收益时不能控制；其次，以这些词汇表述时更不能控制。

MAP显示，应用程序服务器技术确定无疑地是位于第3层或第4层的——虽然不属于战略性

❶ Oracle opt-in e-mail marketing message from *BusinessWeek* magazine subscription.

技术，但仍旧是确实产生收益的技术所必需的。在一个三层客户／服务器环境下，应用程序服务器控制一个软件程序的业务逻辑。数据库提供数据，应用程序服务器根据程序的设计目标解析数据，前端（即PC的图形用户界面）显示数据，并用作人与软件之间的交互点。应用程序服务器是一种极其重要的技术，就像发动机对汽车那么重要。但它并不是上述收益的直接源泉，而是与中间件（即位于应用程序服务器——CRM、采购应用程序、财务应用程序等——甚至是使所有软件得以运转的硬件之上的应用程序）一起共同创造了收益。❶

正如上述案例中的SAS商业智能工具一样，应用程序服务器技术创造了经济价值，但由于它不属于战略性投资，因而需要依赖其他的IT元素共同创造价值。

无形性难题的案例

虽然源于IT投资影响的无形性难题不能依靠普遍适用的公式解决，但并不是没有办法解决，参见以下三个例子。

案例1：寻找组织灵活性中的确定因素

技术投资影响的无形性有时来源于对收益的表述方式。员工授权（employee empowerment）、组织灵活性或信息的质量等这些用语言清楚表述出来的影响，虽然凭直觉可以理解，但实际上是非常模糊和抽象的。不仅公司的年度报告、简介材料以及其他营销材料中到处泛滥着这些词汇，而且媒体为了说明某公司具有某方面的实力，也会引用这些概念。大部分听众对这些无形资产概念感到满意，因为他们负担得起。但是如果要把这些时髦的词语作为资本投资依据时，CFO可能觉得还是更精确的表达方式更可取。

现在回到Oracle的应用程序服务器这个例子。为了便于说明，假设供应链软件具有与Oracle应用程序服务器完全相同的收益。（任何种类的技术都会有由于无法精确的计算而表述含糊

❶ 乍一看，在谈论价值创造要素的过程中提及硬件似乎是反证法，其实不然。只要问一个CIO与新企业软件有关的所需增加的硬件成本就可以了。随着这些投资膨胀引起的数据激增，（企业软件）可能包括数据仓库、更大的网络容量，或者是存储区域网。支持第1或第2层的新3或4层投资可能是非常重要的。在战略性软件投资发展所需的硬件范围内，硬件必须作为价值创造源泉所承认，因为它最终在ROI计算中是作为成本计算的。

的收益。）仔细观察这些表述就会发现，即使它们不是完全可以测量，但也都可以表述得更清晰一些。收益表述得越清楚，就越能更好地分析投资影响的本质，领会影响的相互依赖性，更好地把它的贡献从其他因素的贡献中分离出来。只需通过从更具体的角度思考这些无形收益到底是什么就可以了。管理者在面对营销材料时可以使用的一个实用练习，是个简单的语言解析练习，可以帮助使那些乍一看肯定是无形的影响更加确定。这就是有形性演绎表（Tangibility Deduction Grid），见表4-1。

表4-1　有形性演绎表——供应链应用程序

第1步 无形收益	第2步 无形性因素	第3步 重述收益以 使问题变得清晰	第4步 描述词的相关性	第5步 可观察因素	第6步 可计量性
对难以量化的收益进行表述	是什么因素使收益变得难以确定？	为了阐明可量化的影响是否可以改写无形收益？	以供应链投资为例，速度和弹性是否是相关收益？相关性何在？	如果无形收益是相关的，改善是否可以观察到？	如果可以观察到改善之处，那么可能的衡量标准是什么？
改善后的企业灵活性	测量企业灵活性的困难	灵活性被定义为“迅速、轻松地移动四肢的能力。”① 同义描述词：速度、弹性	是相关收益 速度：把产品更快地送到客户手中 弹性：针对市场需求变换产品组合	是 → →	速度：减少送货时间 弹性：增加市场份额、增加收益、减少库存、提高运营资本的效率
	清晰		具体	相关	可测量性

① Dictionary.com，《美国传统辞典》，第四版（Houghton Mifflin, 2000）。

在表4-1中，我们试图消除关于“通过整合和简化企业流程改善企业的灵活性”这项收益的困惑。通过这个简单的过程驱动练习，管理者从供应链投资中找到了不明确的影响，并将其转化为可观察到的并有可能测量的现象。

改善后的企业灵活性很有可能是指，通过减少生产过程涉及的供应商数量或者是通过减少购买原材料所需的步骤，加快了产品投入市场的速度。通过重新部署人力和资本，改善了的灵活性被转化为更敏捷地对市场状况作出反应的能力。没有一个管理者会说，收入的增加或运营资本效率的改善存在不确定性。

现在把供应链软件换成具有同样无形收益的营销自动化软件，然后再做这个练习。结论也许就是，收益同样是可观察到的，因而是可测量的，但是影响却与供应商软件不同，因为二者起作用的商业领域不同。有关速度提高的衡量标准可能包括，营销活动从计划到开始实施的中间时间的缩短。营销计划的加速实施意味着更快地从这项活动中获利，因为与直接邮寄广告相比，自动化软件让客户更早地得知了促销信息。通过使用自动化软件中的自动化技术和新程序，公司明显能够更快地启动营销活动，从而更迅速地创造收入、更早地回收投资。

弹性是指，能为客户提供的在看到宣传口号后与公司联系的一系列选择自由。客户可以选择购买产品、向客户服务人员咨询，或者也可以从网站上了解更多的信息，这样客户就可以利用详细的产品信息，最终作出购买决定。假设有关产品的信息很容易获得，也很好理解，客户可能就不会与呼叫中心联系，因为自助环境帮助回答了所有问题。就此具体情况而论，弹性最终转化为咨询电话的减少以及组织成本的节省，这些都是可观察到的、可测量的收益。

考虑到英语有时所具有的含糊性质，弹性作为营销自动化程序中陈述的一项无形收益，涉及更多的可能是应用程序的技术性能。对包括营销自动化在内的任何客户关系管理软件来说，最关键的是获得客户综合信息的能力，即根据客户与公司之间通过客户服务、促销、营销和网站活动以及产品所形成的所有历史纪录，建立完整的客户档案。从未经整合的软件中抽取数据会是个巨大的整合难题。但不管怎样，至少有一家销售商宣称，只要使用它的软件，就能通过有关阐释、模拟、合并数据的公开标准，提供完整的客户档案，从而缓解整合问题。弹性最终可能会让难题变得相对容易，使IT组织能够集合完全不同的数据筒仓，并把它们转化为可测量的收益，即减少IT人士必须在围绕特定投资进行的整合活动上花费的时间和成本。

在这里再简要概述这个简单程序的设计目标，即精确地描述和确定一项技术的无形收益。以下步骤有助于使IT投资的一些收益由无形转为确定：

1．企业预期通过投资获得的无形收益是什么？

2．该收益为什么是无形的？或者说该收益为什么是难以量化和测量的？

3．换个方式重述该收益以使问题更清楚。根据英语词汇的可互换性，寻找几种不同的方式重新表述特定无形收益。通过巧妙地运用词汇、寻找同义词，很容易就能帮助阐明投资影响的驱动因素是什么。

4．如果可以重新表述该收益，那么其相关性何在？在供应链投资的情况下，库存的减少是由改善了的灵活性转化而来的可测量影响。在利用客户关系管理程序的情况下，可能也有同样的相关性，但是获取确定影响的绩效指标或者度量标准在二者则是完全不同的。很多软件都是如此。在使用CRM程序的情况下，弹性可能转化为与特定活动相关的配置成本或呼叫中心费用的减少。结果是改善了的灵活性与供应链软件和CRM程序都是相关的——只是方式不同而已。

5．一旦确定了相关性，下一个问题就是重新表述的收益是不是可观察到的收益。把收益从无形转化为有形过程中的可观察性，是指有把握地量化和测量特定影响的能力。虽然大量的企业软件带来了容易看到的结果，但可观察性不一定是指能用眼睛直接看得到影响。可以随便找个人问问，把企业间的订单处理活动自动化的应用程序的缺点——全部工作时间减少但效果相同是这项技术最容易观察到的影响之一。IT投资的无形影响或其他影响，经常是通过记录改进之处的有效数据观察到的。用肉眼很难看到在库存方面的效率，除非有人每天站在库房里清点库存。而抽取能够反映软件对收益的改善之处的数据显然更容易。

6．如果某一事件是可观察的，那么它就是可以测量的。这在理论上是毫无疑问的。任何积极影响，不管是用肉眼看到还是为有效证据所证实，都很容易用成本一定比例的降低或者收入一定比例的增长这两种衡量标准来说明，一定是这二者之一。

案例2：去除少量收益的魔咒

不止一个IT管理人员抱怨说，某个特定的预期影响只能节省少量的时间，如2分钟／事件或天。对这些管理者来说，这个收益是无形的，因为节省的时间实在是太短了，根本就无法测量。或许是这样吧。

实际上，对人类的某些活动来说，自动化程序提高的两分钟生产率可能也是非常重要的。这里首先要解决的一个问题是，是确实观察到了节省的两分钟时间，还是管理者只是以此作为极端的例子来说明进步太小了——这对管理者来说是无形的收益——因而是难以测量的。对于一些重复性的管理工作，每天节省两分钟，即使这两分钟是看得见而且是经过证实的，也实在是太短了，短得无法转化成为值得注意的影响。节省10分钟可能同样没有意义。但是，如果一家航空公司通过安装或重复使用某项技术，把行李的装舱时间缩短了10分钟，这一生产率的提高就变成了承运人在准时承运方面效率的提高和客户满意度的改善，尽管它们之间的因果联系是模糊的。对无形性影响的量化，与所探讨的应用程序和受无形收益影响的企业有很大的关系。测量结果可能是，无形影响可能是巨大的，也可能不是。

例如，一个来自西海岸港口机构的IT管理者抱怨说，没有专门的技术测量具有无形性的少量收益。假设一个软件使运务员用在某项重复性工作上的时间每天缩短两分钟，那么只要把缩短的时间换算成一年累计节省的小时数就行了。假定一年总共节省了500分钟（约8个小时）：

$$2\text{分钟}\times 5\text{次}/\text{周}\times 50\text{周}/\text{年}=500\text{分钟}$$

如果这个运务员每小时的劳务费是30美元，那么他所在的组织一年就能节省240美元。如果这个港口总共只有两个运务员，每天节约两分钟确实不是多大的收益。但如果每一班次都雇佣30个运务员，自然就不是这样的了。随着劳动人数的递增，少量收益成比例的增加，突然就变得确实可见，已经开始可以按人头计算节约的成本了，虽然这样大小的收益在今天已经很少见了，因为很多工作都自动化了。

在上述两种情况下，只有当运务员把节省的时间用于另一生产活动，即从事更多的工作之时，才会产生收益。否则就不存在成本节省，因为此时的劳动力是不变成本。港口机构不大可能为了节省240美元而缩短运务员的工作时间，并按照缩短后的时间支付工资，如果运务员组成工会，那就更不可能了。管理者在测量IT时最容易犯的一个错误是，没有考虑到生产率收益的衡量标准——在本例中是节约某项管理工作的时间——是建立在一个有时是重大的假设基础上的，这就是假设实际节省的时间被工人用于从事有意义的额外工作。如果节约的时间中有一半是花在喝咖啡或和同事说话这些可能是被允许的事情上，就必须把它们从总经济影响中减掉。

有关案例2的第二个问题是，管理者认为这种收益即使是有可能获得的，也是很难观察到的。可观察性并不是说要拿着秒表仔细观察某人的工作，而是指能够从技术系统中收集到相关的有效数据。如果管理者掌握了能够体现将时间用于工作这个过程的适当原始资料，那么随着时间的流逝，可提供的数据就可以揭示节省的这两分钟时间是否值得记录在为决定投资可行性而使用的净现值或者是盈亏平衡等财务评估框架里。此外，可观察性还是指影响的持续性，即影响已经成为所分析的工作流的一部分，并且发生频率足以使这一影响转化为更大的经济利益。每星期两次或每月10次节约两分钟的时间，即每周节约4分钟或每月节省20分钟，也许算是持续性的，也许不是，这取决于节省时间的发生频率是否是足以测量的影响。在只有两个运务员的情况下，可能并不足以测量，但如果有50个运务员，可能就是了。

虽然对以分钟计算的、断断续续节省的时间的影响进行量化是个难题，但这并没有阻止联邦快递（FedEx）宣布，它最近刚刚耗资1亿5千万美元为驾驶员配备了新的手持包裹跟踪装置。这种无线装置能够帮助送货员在每站平均每个包裹节省约10秒钟，从而使公司每年至少节省2 000万美元。[1] 考虑到该公司的业务规模，不难想像这一手持装置投资所节约的10秒钟时间

---

[1] Jon E. Hilsenrath, "Behind Surging Productivity: The Service Sector Delivers," *Wall Street Journal* (November 7, 2003), p.1.

会是多么重大的、可以计量的经济利益。假设一个送货员一天可以运送100个包裹，那么FedEx上千个运送员每人每天就能节约17分钟。节约的这些时间能否意味着提高了运送时间方面的效率或是减少了汽油的消耗？这10秒钟毫无意义的收益立刻就对公司的业务产生了巨大的集合效应。此时的影响就不再是无形的了。

在这段讨论中读者可能会注意到，投资影响要由无形变为具体，必须在投资部署以后加以确认。可以说，预测的所有IT投资影响在得以确认之前都是无形的。对任何资本投资的影响可能都需要加以确定，但对涉及技术的投资来说，由于其内在的复杂性，这种确认可能就要更迫切一些。正是出于这个原因，越来越多的公司开始在IT投资后启动审核能力，目的就是把无形的、难理解的影响转变为确实的影响。

案例3：从战术中寻找确定性因素

如果正在考虑中的特定投资与具体特定的商业目标没有直接联系，IT的无形性就会是个问题。公司进行技术投资的原因有很多，比如使企业流程自动化、为了与规章保持一致，或是对一个销售商的歇业作出反应。组织很少会完全看不到新技术对企业经营的改善方式。但有些种类的技术由于其本身的性质，模拟它们的经济效益会比其他技术更容易。我们刚才已经看到决策支持/商业智能软件的影响能有多不确定。还有一种存在量化问题的应用程序，这就是学习软件。

从过去公司在培训上所作的努力可以看出，公司很少会为提供给员工的MBA、专业证书、管理专题讨论会等继续教育的机会计算投资回报。由于公司承担了学费、书费和因培训而没有工作的机会成本，因而培训投资是巨大的。有些组织甚至投资几百万美元，把业务部门的员工集中到总部培训。除了要负担相关的住宿费和往返路费，还要花大笔费用聘请会计师和大学老师来授课。公司这么慷慨地把钱花在培训员工上，主要是基于这样一种信念，即训练得更好、教育程度更高的员工能提高绩效，体现在财务报表上就是成功。组织认为没有必要确定培训工作的ROI，也不知道要得到精确的测量结果有多么难。不管拥有“更聪明的员工”这个目标有多崇高，只要与当前的战术性企业目标没有直接的联系，就会出现所有类型的分离和权重模糊问题。为取得电子工程学位或者工商管理硕士学位提供资金的收益可能是非常不确定的。

现在再来看看电子学习软件（e-learning）。今天的大多数公司都拥有先进的信息网络设施，多数员工也都有一定的电脑知识。因此，迟早会出现一个利用这些设施和员工知识的行业。现在，电子培训公司销售的价值上百万元的数字课程和软件工具，使工人不用离开工作岗位就能学到各种商业和技术能力。（至于这种教学方式是否比传统的面对面教学方式效果更好，不在本书的讨论范围。）公司确实看到，与传统的教育培训方式不同，可以针对企业当前的需要迅速展开电子学习课程，而且由于这种培训方式所具有的数字传输性质，可以同时教授很多人。很多公司为这些优势所吸引，因此作出了可以进行ROI量化的战术性培训投资，以下就是一些例证。

- 总部设在纽约的电视娱乐公司Cablevision雇了一家电子课程销售商为自己开发课程软件，目标是为公司的两类职工提供培训：一类是到用户家里解决技术问题的技术人员，一类是通过呼叫中心为客户处理售后服务问题的销售人员。对于技术人员，Cablevision希望通过高级培训减少“上门服务”的次数，也就是减少重复为解决电视播放故障或不能与网络连接这类问题而到客户家中的次数；而对呼叫中心的销售人员，则希望当客户与公司联系的时候，向客户提升销售（up-sell）或是交叉销售（cross-sell）[1]额外服务，要满足这个要求更困难。这家电子课程销售商围绕巧妙的销售技巧设计了课程。对Cablevision来说，销售人员从被动地接听电话训练为主动地销售产品/服务，是个战略性的转变。[2]
- 多种电信服务的供应商Verizon所要追求的目标与Cablevision相同，即减少技术人员到客

---

[1] 提升销售是指向购买某产品的客户推荐与该产品相关的其他产品/服务，而交叉销售是指向购买某产品的客户推荐更高端的同类产品/服务。——译者注

[2] John Berry, "The E-Learning Factor," *InternetWeek* (November 6, 2000).

户家中上门服务的次数。在此案例中，Verizon 把呼叫中心的工作人员作为培训对象，这些员工的工作是判断客户电话咨询的问题是否需要技术人员上门服务。其理念是，如果呼叫中心的员工在可能发生技术问题的领域受到的教育越好，就越能作出明智的判断，从而减少技术人员不必要的上门服务次数。[1]

在这两个案例中，两个公司所作的都是战术性投资，因而其效益都是相当确定的，在投资之后也容易进行测量。Cablevision 可以追踪记录每次新服务和每个销售员所增加的收入，以及更具定性的属性，如销售员得分的提高。销售员的得分是通过电话调查获得的测量客户满意度的质的标准。例如，一个客户为了解决问题给公司打电话，在谈话过程中销售员提出了一个销售建议，几天后一个第三方调查机构就会给该客户打电话询问有关这次电话谈话的情况。在 Verizon 的案例中，公司比较了决定是否需要让技术人员上门服务的总机工作人员在培训前后接听重复打入电话的次数，为了分离出电子培训课程的影响，还把受过培训和没受过培训的两组总机工作人员对照进行了追踪观察。

上述两个公司都没得到新的学习软件投资会带来回报的承诺。但是这些投资的战术性应用至少能让公司明确地知道该投资是否明智。学习软件投资影响的无形性因素因此消除了。

审核带来的无形性

如果公司假设一项技术投资的影响会等于或者高于经济预测结果或 ROI 模型的数据，就会让人想起一个笑话：困在失火的建筑里的经济学家说："没事，我可以假设有一个消防龙头。"无聊的科学家为了更好地解释经济现象，依靠假设建立各种理论，而管理者就没这个责任。实际上，这种做法可能是很危险的。

[1] John Berry, "The E-Learning Factor," InternetWeek (November 6, 2000).

目前IT管理实践中最明白表示出来的一个假设是，在ROI计算中预测的回报，即成本的节省或收入的增加定会按时实现。不然还有什么别的理由，能解释大部分组织在资本投入后并不费心去证实预测是否准确？无论为建立用作决策工具的经济模型花费了多少精力，这些模型在投资成为事实之后都变成了一堆覆盖于人们辛苦努力之上的数字垃圾。预测正确与否都没有关系，因为计划已经实施——还是继续进行后面的工作吧。

很多公司只是对结果作出假定而不作投资后的核查，很可能还有另一个原因，那就是担心或怀疑核查后会发现投资的真实影响低于预测结果。没人喜欢评估，特别是在结果低于预期时更是这样，而且那些应对投资负责任的人，即投资建议者和控制投资预算的人，也害怕来自那些投资提议遭否决的人的报复。

应当鼓励公司在投资后反复、一致地启动审核能力，用于消除一项投资预期影响的无形性。此外，投资后的审核还有更重要、更具战略性的效益。员工乐于接受的最有力的管理实践之一是，有能力学习并将学习过程转化为工作质量或效率的提高，如果你同意这个高级原理，那么审核就是IT管理的有效要素。如果经审核发现回报低于计划，那么仅仅证实回报与预测相符是带不来效益的，只有改善技术资产的性能才能创造效益。调查为什么投资中的某一因素没有降低成本或增加收入，也就是在把不确知的、受到忽视的影响即无形影响变为具体的影响。理解了技术的真实性能，也就启动了补救程序，通过这个程序，可以在投资回报不佳的时候最终从技术中萃取最大价值。这可能是对审核活动投入时间和资金的最有力的论据了。

例如，一家位于海湾旁的医院认识到把闲置的诊所生产力利用起来的回报潜力，于是决定进入转诊治疗行业（referral lab business）这个新市场，即把治疗对象从本院病人，扩展到来自圣约瑟一直到Sacramento的诊所的转诊病人，所涉地域范围极广。这是个有关人力、流程和技术投入的高风险、高收益投资——投资后对预测进行核实的理想对象。

该医院正确地预见到，用于支持这个创新的专业诊所管理程序包可能会使某些业务流程之间不相容，这样就会减少预测的ROI值，但不知道会出现什么样的不相容以及它们会如何影响投资回报。于是IT人员决定在投资部署的同时审核回报活动。虽然审核活动也可以等到投资部署完以后再进行，但这项对治疗转诊病人的投资风险实在是太大了，所以医院希望能迅速发现运作过程出现的任何故障。

审核小组在转诊平台运转之后不久就发现，筛选器向转诊病人收集数据的程序非常糟糕。为了让病人接受诊疗，系统被充分利用起来，由筛选器从系统中抽取出从病人的近亲情况到饮食限制等20种数据。医院向转诊病人询问这些无关的问题，而实际需要的数据可能只有三类：病人的姓名、年龄和承保公司的名称。这并不是什么灾难性的故障，但显然会影响病人的总量，因此也就影响了预期的收入情况。通过调查软件的业务逻辑与转诊诊所的工作流不相容的原因，IT人员找到了阻碍预测实现的地方，并作了必要的调整。现在，这个转诊诊所每年能为医院赢得700万美元的利润。

另一个例子是关于一个钻井设备生产商。这个生产商投资开发一些帮助它管理有关技术获取的购买软件模块，并将这个开发项目外包。其中一个购买软件模块由资产生命期管理软件构成，设计目标是帮助公司更有效地管理与众多销售商的IT租赁安排。在一次核对经济回报是否符合预测的常规审核中，管理者发现这个软件还具有帮助组织改进技术设备租赁合同中的保证条款的功能。这家生产商为在美国19个州内维持3 000多个维修站支付了巨额费用，但公司的管理者并不知道维修工作会花掉公司多少资金。

直到进行常规审核时管理者才发现这个功能，并很快将其启动，公司从此就可以知道，延长硬件资产的保证期或是以旧换新是否能节省费用，如果可以的话，能节省多少。正是因为组织不怕麻烦检查了投资的经济影响，一种由于无关性和难预测性而确实无形的投资影响立即就变得具体、确定，成为创造真实价值的源泉。

审核投资回报的目的是，立即就可为信息技术资产投资引入会计原则，建立持续的程序改善能力，以及通过将无形影响变得确定从而更深入地理解共同创造价值的所有源泉。为了使审核功能起作用，对以下几个问题应给予高度考虑，虽然这超出了本书的研究范围。

- 对审核的设计要围绕少数几个重要的衡量标准进行，而不要纠缠于不那么重要的影响而使自己陷入困境。在很多 IT 投资中，大量价值都是在少量精选的收益中发现的。通过审核，可能会挖掘出其他经济驱动因素。这时，可以决定是否继续调查新发现的业绩指标。
- 建立和谐的上下限标准：确定对企业的影响达到什么程度时才有必要审核，对价值多少金额的投资则不进行审核。比方说，数据仓库的价值可能是非常昂贵的，但由于这一技术具有基础设施的性质，对它可能不值得进行全面的审核。而一个给企业带来改变的软件包可能就有充分的理由成为审核的对象。请参考有关测量活动金字塔的论述。
- 审核结果出来后，这些信息有什么用呢？在着手审核之前就应该知道审核结果的用处。是把审核作为一个不断学习和改善流程的工具呢？还是帮助 IT 赚取红利的手段？还是二者都有？是不是无论是好是坏，审核结果都会进入某人的人事档案？审核的目的本应是根据实际投资结果验证预测的正确性，但是一旦有了可测量的结果，可能就会引起很多政治阴谋，除非管理层在进行审核之前就确切知道应如何对投资结果进行审核。
- 谁拥有审核的权力？这个问题解决不好可能就会成为隐患。据技术分析家说，目前的趋势是由业务部门（LOB）直接接受新 IT 项目的资金，而 IS 办公室则作为服务机构接受拨款，处理升级、乱码修复（规范的设定）和日常购买工作。这就意味着虽然审核涉及几个部门的工作，但最终还是由 LOB 负责为审核提供资金并决定结果的高低。

结论

物理学中的量子理论否认任何事物如果不能观察到就不存在的形而上学观点，正是形而上学的这一核心观点使爱因斯坦提出如果没人看月亮，月亮是不是就消失了这个问题。形而上学在对技术投资的经济价值研究中显然也占有一席之地，这就是除非预期收益被清晰地确定、量化和测量，否则它对管理者来说就是不真实的。不真实的收益也就是无形的收益。信息技术具有多方面的无形性，这让那些真正关注从这个重要资产中获取价值的管理者大为惊慌。现在管理者居然会关心这个问题，对技术管理的发展来说是件好事，因为这说明他们已经认识到迫切需要把IT投资与商业战略目标更好地结合起来。这种结合只能通过更全面地描述技术——主要但不只是软件——的经济价值。而更全面地描述技术的经济价值要求无论使用什么样的简单工具或方法，都要把无形的现象变为确定的影响。

正是这一要求使得难以测量的影响引起了管理者的恐慌。技术或业务经理在面对这种无形的价值源泉时，要解决的最重要的一个问题是：缺乏确定的数值，是否会影响我们对被提议的投资收回商业价值的能力的信心，以致放弃该项投资？在大部分情况下，答案是否定的。企业一致证实，描述特定投资经济价值时存在的无形性因素并没有阻止他们的投资——虽然这未必是件好事。原因如下：第一，组织根本就没有试图把量化预期IT投资的经济价值作为在竞争项目之间作出选择的根据。如果没有企业案例，就没人会关注无形性影响。第二，对任何无形性影响来说，可量化的收益都超过了不确定的收益，因此不对无形影响进行量化的风险极小。第三，将无形因素转化为确定因素的努力，使公司获得了关于特定IT投资涉及的所有成本和收益更全面的认识。

管理者应该感到安慰的是，如果公司因为难以量化的影响就把IT投资停留在原来的水平和范围，现在可能就不会有那么多由客户带来的收入所支持的创新，即以知识产权和商业秘密等无形资产形式存在的技术创新。这正好是本书下一章的主题。

本章要点

组织在面对信息技术难以测量的影响或者长期从事测量活动的时候，应当考虑以下几个问题：

- IT投资收益的无形性只有在组织首先严格分析收益的时候才会出现，这是显而易见的，无需提及。不过，管理者为不能量化IT收益而苦恼，表示公司正在为更好地理解IT投资的经济和组织影响而花费精力，从这个角度来说，无形性难题的出现是件好事。
- 一些技术由于其自身的性质，具有比其他技术更无形的影响。组织通过使用测量活动金字塔对可利用的所有IT机会进行分类，可以把更多时间用于对战略性的、能为企业带来改善的项目的分析上，而不用在分析各种项目上浪费时间。分析上的无能会由于浪费了时间和精力，而与完全忽视经济预测一样危险。
- 如果某项投资有可能对组织产生更具战略性的影响，管理者有时会而且也应该选择这种具有无形性影响的投资，而放弃具有确定影响的投资。例如，两个项目可能有相同的ROI预测值，但其中一个只能节省成本，这种影响是很容易测量的；而另一个项目显然具有产生战略性影响的潜力，即新的市场机会、新的客户或新的创新等，但是这种影响未必容易测量。不过，不能彻底地预测投资结果，即投资结果具有不确定的因素，不一定就要排除这项投资，因为高风险经常是与相应的高盈利相关联的。
- 多数组织甚至包括那些正式将经济预测用于IT投资决策的组织，并不知道审核可以解决技术影响的无形性问题。在投资实施后对结果进行研究，可以意想不到地揭示未曾预见的收益和成本。审核结果可以用来回答公司为什么需要一项新技术投资的问题。想建立审核能力的公司需要考虑审核会对管理产生什么影响，包括对项目和预算控制权的影响，以及如果审核结果远低于经济预测应采取什么行动。

第五章

创新市场化：为创新开启市场的大门

作为无形资产的一种，知识产权(IP)一方面被财务报表中的资产负债表所忽略，一方面又在除资产负债表以外包括教科书、会议和研讨会、对研发生产率的分析、企业有效管理软件在内的所有地方受到了太多的关注，此外，至少还有一本为定期讨论IP趋势和最佳实践而创办的杂志。❶

咨询公司已经把知识资产管理实务设置为一个工作岗位，在法律实务中更是有专门从事知识产权业务的律师。很多组织已经明文规定，IP管理是一个重要的职务，同时冠以正式的头衔，如知识资产副经理，技术商业化主管（director of technology commercialization）。有个软件销售商还发明了一种指数，类似道琼斯工业指数，用于表示专利、著作权和商标知识产权的市值。❷

从美国专利和商标局（the United States Patent and Trademark Office，简称USPTO）接受专利申请的巨大数量中也可以看出专利作为一类资产的重要性。由于USPTO已经难以应付大量的申请，一项专利申请的审查和批准要等上近两年的时间。这对经济状况所允许的创新能力和提高生产力来说，是个潜在的巨大障碍，因为发明人在发明得到政府正式批准之前

---

❶《知识资产管理》（*Intellectual Asset Management*）杂志由Globe White Page有限公司于2003年5月在伦敦创办。该杂志的销售口号是："《知识资产管理》杂志的独特性在于它把IP当作一种商业资产。"这证明正在发生把IP像管理机器和不动产一样管理的这一态度上的改变。

❷ PLX系统的无形资产市场指数（The Intangible Asset Market Index）。

可能不愿实施专利。USPTO的负责人曾经向国会发出警告，积压的专利档案总量到2008年会超过一百万件。以半导体行业为例，从1985年到1995年专利审批率增长了一倍。[1] 仅2001年一年的时间，IBM就有3 411件专利获得了批准。[2]

虽然有关著作对知识产权管理已经有了明确的界定，还是出现了一股会对组织成功地从这些无形资产中萃取价值产生深远影响的管理潮流和方法。这股潮流被称为创新市场化（open-market innovation，简称OMI），它描述了一组管理方法和组织环境，能使公司取得自己不拥有同时也没机会在公司内部创造的知识产权和智力资产（如商业秘密和其他技术诀窍）的授权，同时也为拥有大量IP/IA组合的公司提供了利用许可潜力的机会，产生以前可能从来没发生过的收入流。

为了便于此处的分析，有必要再来看看知识产权的分类。知识产权包括著作权、商标权和专利。智力资产包括商业秘密、可编码的技术诀窍、设计图和计划、流程。二者的区别在于法律的处理方式不同。IA和IP可能是同样重要的，也可能具有相同的金融价值，但IP是经过法律认可的产权，而商业秘密和技术诀窍则不是。虽然这个区别对本章的分析来说并不是很重要，但还是应该认识到这一点。

目前，有整整90%的新技术是以商业秘密而不是以专利的形式存在的，[3] 有80%的许可和技术转让活动涉及商业秘密而非专利。[4] 另一项研究显示，与寻求专利权的保护相比，美国的制造商更依赖商业秘密和最先进入市场的优势来补偿研发投资。[5]

另一个需要澄清的重要问题是：虽然著作权和商标权作为IP中的一个种类对很多组织是非常重要的，但此处的讨论不涉及著作权和商标权。本章主要阐述创造智力资产收入流的新兴管理潮流，并在较小的范围内阐释知识产权。与著作权和商标权不同，专利、商业秘密、方法、计划、设计图可使技术的用途系统化，这被称为科学的商业化。科学经过如此应用之后，出

[1] "Current Issues and Trends in the Economics of Patents," UC Berkeley and National Bureau of Economic research, Bronwyn Hall (September 2002), p.11.

[2] David Wessel, "Capital Exchange" column, *Wall Street Journal* (December 16, 2003).

[3] Greg Watts, "Valuing Intellectual Property," presentation, CBIZ Valuation Group (July 11, 2002), p. 7.

[4] Greg Watts, "Valuing Intellectual Property," presentation, CBIZ Valuation Group (July 11, 2002), p. 7.

[5] Lev, p. 34. 一些最具创新性的活动发生在没有专利法的国家。例如，瑞士发明人往往把精力投入制造手表和科学、光学仪器专用的钢铁。对这些创新几乎不能通过反向工程获取技术，因而最适合采取商业秘密的形式，而不适于专利保护。英国人曾试图破译这些创新，但失败了。见Terea Riordan, "A Stroll Through Patent History," *New York Times* (September 29, 2003).

现了具有新的性质和特征的洗涤灵、汽车发动机和Unix服务器数据传输架构等新的产品。

但是，不能仅仅因为目前多数的技术发明和能力都是以非专利形式存在的，就认为专利不如其他智力资产重要。专利是一类生来就有效力的无形资产，因为它们是经法律确认产权的技术诀窍，专利权人在专利授予后的20年内享有利用专利取得经济利益的权利。盗取这一法律授予的垄断权就要承担相应的法律后果。

赋予技术诀窍类似土地所有权的产权，这是个传统的观念。我们现在对这一原则的承认不过是重新肯定了500年前一个深思熟虑的计划。世界上第一件专利产生于15世纪的威尼斯。当时的威尼斯基于以下思想建立了授予此种垄断权的正式制度："[如果]为有天赋的人的成果和发明制定法律，让了解这些作品和发明的人不能通过复制它们夺走发明人的荣誉，那么更多的人就会利用他们的天赋作出对我们的联邦有用的发明。"❶

当年威尼斯人把本是与采矿活动有关的产权思想适用于智力活动的成果，证明他们的思想是具有前瞻性的。虽然知识管理以及这个概念所孕含的所有思想无疑是20世纪末的发明，但是那些在文艺复兴时期参与了知识蓬勃发展的人早就知道，专利是一种非常重要的创新源泉。如果由于太多的人生活水平太低，而使生活水平的快速提高成为当时的政治议题，那么创新就是那个时期物质繁荣的源泉。

专利：消极产权

在此要注意的是，用消极产权这个词描述发明固有的产权概念是出于预防盗窃的思想。一个流行的错误认识是，专利提供了利用发明思想的机会，而实际上专利提供的是阻止他人利用发明的权利，这是一种消极的权利，而非积极权利。❷

---

❶ Joel Mokyr, *The Lever of Riches*: *Technological Creativity and Economic Progress* (New York City: Oxford University Press, 1990), p. 79.

❷ Alexander Poltorak and Paul Lerner, *Essentials of Intellectual Property* (New York City: Oxford University Press,1990), p. 79.

理解专利是消极产权，可以使人们知道，与公司从其IP/IA组合中萃取价值的传统方式相比，创新市场化是多么的不同，而且更有效。OMI有助于买方和卖方形成对IP/IA的经济机会的看法，在专利纠纷中当双方陷入法律困境的时候，可以作为一个可供选择的方法。传统的许可方法可以通过一个简化的例子来说明。❶

假设简发明了一个非常好的包装饮料的新方法——易拉罐。她发明的这个圆柱形的饮料瓶有12盎司重，在瓶身上有个环状物，上面附着一块能拽掉的突起，着急喝饮料的人拽掉这个拉环就能打开瓶子。简为这项发明申请了专利。易拉罐投入市场后大获成功。两年后，吉姆对这个易拉罐作了改进。改进后，饮用者不用拽掉瓶盖，只要拉一下一个翘起来的小拉环，易拉罐顶部会露出一个小洞。这样饮用者无需拽掉拉环就可以朝里打开易拉罐。经过这么一改进，易拉罐安全多了。改进前，出现过把拉环掉到饮料里、划破饮用者嘴唇的事件，更严重的是，还有一些饮用者吞下了拽掉的拉环。

根据专利法的规定，吉姆在没有从简那得到关于易拉罐设计的许可之前不能实施他的发明，因为简对易拉罐这项发明享有排他权，而吉姆的发明又必须在使用简的易拉罐发明的情况下才有价值。吉姆关于新易拉罐开启装置的发明是以简已经建立的在先思想为基础的，这个在先产生的思想被称为先有技术。广义的先有技术是指，以任何形式存在（包括以前的专利）的所有可公开获得的文件。假如构成一项发明的思想可以在公共领域获得，因而被推定为是显而易见的，不具有新颖性（新颖性和独创性是专利的重要属性），在这种情况下，先有技术能使这个发明的专利申请无效。不过先有技术的存在还反映了一个事实，这就是很多思想不是凭空出现的，而是在其他已有发明的基础上产生的。最后，简对吉姆的发明很感兴趣，因为这是个有关易拉罐开瓶设计的巨大创新。如果吉姆与简能就许可协议达成一致，分享收益，而不是让各自的律师拒绝对方的要求，

❶ 引自与QED的首席运营官 Phil Stern的会谈 (November 5, 2003)。

那么结果就是双赢的。这是组织获得IP的经济报酬的通常情形。如果简没有得到报酬，就可以主张自己的消极产权，从而阻止吉姆实施他的发明。简也完全有权选择不授权实施新的易拉罐开瓶设计，从而阻止吉姆实现他的发明的经济效益。

如果吉姆没有得到易拉罐设计的授权就实施他的发明，简可以通过诉讼主张她的专利权，然后吉姆可能会被迫补偿简的在先发明的损失。这是组织从IP中获取价值的另一个传统方式。

创新市场化描述了与主张消极产权类似的结果：为IP（广义上还包括IA）的买方和卖方带来经济利益。但是二者价值萃取的背景却很不相同。

OMI的本质

创新市场化是指这样一种安排：买方取得IP，满足其对创新的需要，而卖方则通过出售或许可IP帮助了买方。这一市场交易的任何一方都承认双方既有优势又有弱点，而每一方都相信通过与另一方的合作能克服自己的弱点。这个安排看似简单，但要达成交易则有可能是非常复杂的，这种复杂性主要来自决定了公司过去尝试用什么方式从IP中萃取价值的态度和文化。要实现通过OMI汲取智力资产的价值，就必须重建这些文化和态度。这说明OMI并不像看起来的那么简单。

看到这儿，有的读者可能会停下来问："等一下。这不就是IP许可吗？这可是在很多年前就出现了！IBM一年就能赚20亿美元的专利许可费。"[1] 此话不假。实际上，像Nike这样的公司就是以技术取得为基础建立起来的。但是，目前有很多对公司产生影响的内部和外部情形，要求公司把有时具有特殊性质的专利使用费（专利许可的目的就是得到专利使用费），换成对组织的优势和弱点来说是更有效的、更有针对性和更可靠的方法。

在那些有意识地将OMI实践用于提高财务绩效的为数不多的公司里，很多高级主管和董事会

---

[1] Darrell Rigby and Chris Zook, "Open-Market Innovation," *Harvard Business Review* (October 2002), p. 5.

成员都提出了这样的问题：“我们为什么不这么做呢？”[1]

在公司层面影响创新市场化的情形

在公司这一层面上有很多影响OMI的情形。下面就一一研究这些情形。

有限的市场

在卖者一方，可能会有大量的IP组合被闲置，原因之一就是一直没有利用IP组合的有效手段。虽然经常会有一些公司的工程师在公司的供应链上或是有良好关系的竞争公司里寻找同僚，私下询问他们是否对自己公司的IP感兴趣。但是用这种特殊方法进行搜索的范围仅限于他们在职业生涯中建立起来的关系。由于认识的人有限，他们的关系网也是有限的。试问有多少半导体公司的电子工程师会认识农业或是消费品包装厂中有类似资质的管理者呢？即使作为IP卖主的公司管理者接受了IP也许能为公司带来一些现金流的疯狂想法，又能到哪去寻找对这些创意感兴趣的人和他们的详细资料呢？许可安排的谈判对象不仅受行业所限，而且也受地理位置的限制。工程师的关系网很有可能都是由本地的同行组成的。

有些公司曾经雄心勃勃地尝试跨越行业和地域的限制寻找谈判对象，但效果并不显著。例如，在福特汽车公司中负责专利许可的管理人员曾采用直接发送邮件的方式寻找潜在的交易对象，但成功率很低，这个结果并不让人感到意外。[2] 也许要是有个国际电子交易市场使福特与买方之间的交流变得畅通，福特可能就会吸引到一些买主，这些买主连它自己都不会想到能对自己的IP感兴趣。福特显然迫切希望能吸引到买主，因为公司希望把来自许可的收入在2005年之前增长7倍，达到约2千万美元。[3] 不过现在有了有效得多的交流渠道可以帮助福特实现这一目标，这在本章后半部分将有详细的阐述。

❶ 引自与yet2.com的首席运营官Phil Stern的会谈 (February 3, 2003)。

❷ Bill Roberts, “Rediscovering Corporate Treasures,” *Knowledge Management* (May 2001).

❸ Claudia H. Deutsch,” Industry Expertise Has Itself Become a Product,” *New York Times* (May 13, 2001).

认识不到专利的潜在价值

一个更大的问题是，专利所有者认识不到自己的专利在其他行业所有可能的用途。以军事部门为战斗机驾驶员开发的头盔式显示器为例。在激烈的战斗中，飞行员根本没时间盯着飞行显示器看，因此无法对有关眼前敌人的重要信息作出判断。头盔式显示器把有关敌人信息的数据直接显示在飞行员的眼前，在飞行员决定采取行动的时候可以节约几秒钟的时间——这几秒钟的宝贵时间可能就决定了飞行员的生死和战斗的成败。

已经证实头盔式显示器技术也可以用于手术，因为医生在做手术的时候有时也同样需要迅速地作出生死攸关的决定。手术时，一架与内窥镜（一种插入手术部位的细长探针）相连的微型摄像机可以把手术部位的图像传输到医生头上戴着的显示器上。例如，一个神经外科医生想把患者大脑里的囊肿抽干，这个头部装置可以满足这个手术所需的精确性。而且，使用这种装置做手术，不像传统的手术方法那样需要拿走一块钱包那么大的头盖骨，而是只需打开一个一角硬币大小的小洞就可以把探针放入患者的头部，因此对头部的侵入性较小。

这正好就是OMI所要实现的IP非与生俱来的跨行业应用潜力的例子。在这个例子中，在事后很容易看出头盔式显示器用于手术的效益。但是这种效益对最先发明显示器的航空工程师又有多明显呢？OMI极大地扩大了IP/IA组合可能产生未来现金流的领域，因为OMI要求卖主承认他能想出来的IP/IA组合的用途可能只占所有可能用途的5%，同时卖主还要承认买主比自己更了解一件IP/IA的潜在价值。

非此地发明症候群

买方这边的问题危害更大。"非此地发明症候群"（"not-invented-here" Syndrome，简称NIH）是指买方持有的一种病态心理，即认为专利或技术如果不是在自己的研发实验室发明的，那么它不是没用，就是不符合公司的商业需求。有的公司就算自己不能开发出自己所需的创意，但出于自大、不信任或某些不良动机，也不会接受来自公司外部的思想。是利用来自另一个公司的智力模块发展一个新的创新产品，与提供模块的公司分享利润？还是自己承担根本就不寻求合作的全部机会成本？哪个更好呢？有的公司认为后者更好，而根据OMI，则是前者更可取。

以朗讯科技公司（Lucent Technologies）为例。作为一家电信设备制造商，朗讯过去的态度一直是在公司内部开发自己所需的尖端产品以及以IP为驱动的产品。这样做更能确保生产线的质量控制和技术标准的一致性。[1] 这当然是个合理的经营哲学。但是以这种单打独斗的姿态，朗讯在光纤网络领域可能会失去什么样的市场机会呢？尽管朗讯是远程光纤网络设备市场的领头羊，但还是被扫出了把光学技术用于地方闭路线——在一个地区或城市由家庭和商业组成的，根据地理范围确定的区域——的市场。光学技术代表了下一个用以技术驱动创新的潮流，因而是一个巨大的市场机会，这一点由朗讯最终宣布与Chromatis Networks合并而得以证实。[2]

如果朗讯继续沿着过去的思路走下去的话，可以猜测出它自己的研发能力是能开发出在城市环境中提供服务的产品的，但是这样做的成本又会是什么呢？不仅要利用所需资源——包括时间在内——开发IP，还要把它们从可申请专利的思想变成成品生产线，这就可能已经失去了多少的收入机会？如果朗讯坚持完全在公司内部建立开发能力，又会发生多少开发成本（开发成本比收入机会的损失还要高）？[3] 在这个案例中，朗讯通过合并解决了一个商业问题，这并不是严格意义上的OMI，但引起集中的OMI实践的工具是相同的。

使顽固的文化远离NIH的意义毫无疑问是深远的。毕竟，雇佣工程师是为了创造思想，而不是要他们来安排取得在别处产生思想的授权的。只有当公司明白，需要根据自己的目标——即从任何地方获取其所需的思想——重新调整助长非此地发明心理的报酬和激励机制，才能摆脱这种制度上的思维习惯。如果一件专利或商业秘密是来自公司外部，那么研发工程师和他／她的老板就得不到发明的荣誉。而且，由于管理者会认为既然好的思想来自外部，研发部门就不会需要那么多资金在公司内部开发思想，结果研发部门的预算就被削减了。在缺乏新

[1] Susan Biagi, "Not Invented Here," *Telephony* (June 5, 2000).

[2] Susan Biagi, "Not Invented Here," *Telephony* (June 5, 2000).

[3] 虽然朗讯选择收购Chromatis而不是租用它的IP，驱动OMI的情形是显而易见的：以创新产品进入新市场的需要和重要的进入新市场的时机问题。IT经常在进入新市场的过程中付出代价，贪婪的Cisco系统公司就是个很好的例子。

的激励和报酬机制作为可靠方法的辅助，来激励这个获取创新的新途径的情况下，到外部获取知识产权的任何策略都会遭遇强大的阻力，这是很自然的。

假如买方组织成功地转向以这种进步的思维方式思考问题，那么就会和卖方一样，面临不通畅的交流环境和较高的搜索成本。同样，买方也会拼命地利用全球链接的电子市场。

市场时机

OMI试图缩短公司把创意发展为有销路的创新的时间，虽然它对政府在批准这些创意享有产权时承受的沉重负担毫无影响。

只有当公司经历了少见但又重大的市场条件突然变化之后，才会真正实现上述周期的缩短。例如，在2001年9月11日美国恐怖袭击事件发生后，紧接着在邮政系统发生了炭疽热杆菌恐慌。作为邮政技术与设备的制造商，必能宝公司(Pitney Bowes)认为自己的生意受到了威胁，用不了多久客户就会来询问有什么产品创新能帮助他们探测到炭疽热杆菌或其他威胁生命的生化剂。果然，必能宝公司突然就接到了无数公司打来的电话，寻找保护人们免受这种危险物质伤害的方法。[1]

一组工程师找来了很多可能解决这个问题的创意，既有在邮件打开时能产生强烈的向下气流，过滤邮件周围空气的机器，还包括必能宝公司实际开发的产品和服务：在探测到可疑邮件时能发出警告的扫描和成像系统，以及指导客户公司建立安全的邮件收发程序的服务。[2] 通过积极地与外部联系，必能宝公司找到了解决客户问题的办法。

说句离题的话，市场状况的突然变化引起的这个创新难题小看了OMI和必能宝公司的研发能力。在危机出现的时候，必能宝公司已经有了一个成熟的研发管理部门，叫做先进概念与技术实验室（Advanced Concepts & Technology），[3] 其所属的概念工作室（Concept Studio）负责把IP研

---

[1] "Open-Market Innovation," p. 3.

[2] "Open-Market Innovation," p. 4.

[3] Pb. Con/cgi-bin/pb.dll/company/pb_group_company_detail.jsp? groupCatName=Our+ Company & groupOID=8003&local =US & language=ENG.

制成创新产品。这个概念工作室通过与MIT合作，识别新出现的客户需求——这是创新的关键元素。[1] 而且必能宝公司还有个组织思维习惯，这就是为了实现公司以IP为驱动的商业目标，在必要时会四处搜索IP。

例如，公司研究出一种能在纸上印上漂亮标记的Informating Paper的设计。为了研制这个产品，该公司考察了摩托罗拉(Motorola)的无线电频率ID(Radio Frequency ID，简称RFID)技术的效用。[2] 面对经营环境出现的无法控制的重大变化，该公司作出了有针对性、迅速、有效的反应，这是因为公司具有承认哪都能产生有力思想的文化基础。必能宝公司的经历说明，OMI是对优秀研发实践的改进，而非替代。

研发成本

研发成本就像牙疼一样吸引着管理者的注意力，而OMI则有可能缓解这个迫切需要解决的问题。美国药品研究和制造商协会(Pharmaceutical Research and Manufactures of America)的成员在2002年投资了约320亿美元——约占研发产品国内销售量的18.2%——用于研究开发新的疾病治疗方法，研发费用占销售额的比例比美国其他所有行业都要高。[3] 现在平均要花掉80 000万美元才能开发出一种新药。

前面说过，财务报告一般不把研发像物质资本或金融资本一样计作资本，而是立即记作费用，因而直接降低了财务绩效。虽然根据某一特定公司的巨额研发投资、将来有望研究出创新的前景以及因此带来的利润率，投资者可能会把赌注押在该公司近期的大致财务状况上，但是管理人员还是不由自主地把用于研发的经费当作对收入的冲减，在投资的历史回报一直比较低的时候更是如此。研发的成本是巨大的，因为研发投资是固定的而非可变的，并且不能马上实现(如果真能实现的话)。而且，支付给从事研发工作的劳动力或者说是人力资本的报酬也越来越高。据国家科学基金会(National Science Foundation)估

[1] Pb. Con/cgi-bin/pb.dll/company/pb_group_company_detail.jsp?groupCatName=Our+Company & groupOID=8003&local=US & language=ENG.

[2] Pb. Con/cgi-bin/pb.dll/company/pb_group_company_detail.jsp?groupCatName=Our+Company & groupOID=8003&local=US & language=ENG.

[3] Pharmaceutical Research and Manufacturers of America, phrma.org.

计，用于一个研发科学家的成本在过去的25年里至少增长了一倍，一年约为190 000美元。[1] 对优秀的科学家值得付这么多钱，但是这个价值判断并不能消除公司在试图将思想变成收入时所面临的财务现实问题。

现在已经出现了很多解决研发成本问题的方法，包括联合开发和外包安排。在半导体行业，就有很多芯片制造商合作研发，开发出的IP成果由所有合作者分享。而医疗设备行业则在收获来自外包研发的赢利。

公司联合开发和外包研发工作有许多与OMI相同的动机，其中之一就是降低成本。实际上，研发可能是一个公司最不会考虑外包的内部业务了。在企业的其他所有领域——应付工资总额、设备的管理、IT、技术支持窗口等——可能都已经因为外包而大幅削减了成本。创新市场化不过是管理研发投资的另一个方法。

研发经费的节制

现在再回到朗讯的例子。由于电信业不景气，朗讯着手实施了一项削减20亿美元成本的计划，这项计划涉及组织的每一个部门，包括贝尔实验室。这个实验室可能是世界上最有名的研发实验室了，在其非凡的成就里有好几个获得了诺贝尔奖，此外该实验室还参与了电子晶体管、人造卫星、传真机和VCR等的发明。

在过去的几年里，朗讯把20世纪90年代中期3亿5千万美元的预算水平总共削减了1/3。[2] 外界认为贝尔实验室应当做纯研究工作，而对朗讯来说不变原则是应用研究（即研发今天为朗讯做了些什么？）。现在，朗讯寻求把研发费用与市场成功更加紧密地结合起来。某一流科技大学的校长曾学究似的把贝尔实验室的命运称为是国家的悲剧。[3] 只能说这对除朗讯的股东以外的所有人

---

[1] National Science Foundation, as published by the Aerospace Industries Association, aia-aerospace.org/stats/facts_figures/ff_99_00>Ff99p143.pdf.

[2] Dennis K. Berman, "At Bell Labs Hard Times Take Toll on Pure Research," *Wall Street Journal* (May 23, 2003).

[3] Dennis K. Berman, "At Bell Labs Hard Times Take Toll on Pure Research," *Wall Street Journal* (May 23, 2003).

来说都是个悲剧，而朗讯的股东却从更有针对性、更受财务规则约束的研发活动中获益。

削减研发成本的需要不是刚刚出现的。早在20世纪70年代，日本成为世界经济强国，工业的全球化基本开始之时，公司就越来越强烈地意识到研发是一种资本投入（即使研发在账簿上仍被计作费用！），作为稀缺资源的投入就应该像所有资本投资一样，要有投资的理由——也就是说，研发投资要有回报。[1]于是，由公司资助的研发实验室进行的各种性质的调查突然间就受到了财务责任的约束。但是，虽然研发工作可能变得更受约束，并且与商业目标更紧密地结合（这种情形与IT现在的状况没什么区别），公司仍不愿意采取下一个合乎逻辑的步骤，即在重组后的研发能力仍不能满足公司未来所需时，从组织外部获取专利和技术诀窍。从由直接、高效、独立进行研究的研发实验室尽自己的最大努力从事研发工作，到采取在自己的研发能力不足时从外部寻找自己想要的产品，这种混合模式已被证明是一种飞跃。

专利等于创新吗？

专利等于创新，这个想法好像根本就不需要特别提及，但实际上是需要提一下的。这种想法显然是让人们对创新市场化感兴趣的主要激励之一。贝恩公司（Bain & Company）曾对200个高级主管作了一项调查，其中有80%的人认为要获得成功最优先考虑的是如何“变得更有创新性”，而近70%的人承认自己完全没有开始从事为公司引进创意的创新市场化实践。[2]这项调查反映出人们的一个一致的思想，这就是创新等于未来利润，而且必要时从组织外部获取思想是取得未来利润的一个途径。

假设支持OMI潜在价值的论据成立，需要回答的一个重要问题就是：专利是否真的能转变为创新？这个问题看起来就像

[1] 引自与yet2.com的执行副总裁Tim Bernstein的会谈（May 27, 2003）。

[2] “Open-Market Innovation,” p. 4.

是在问雨水是否有助于花草的生长这么简单，但要回答起来可就有点复杂了。最近就该领域所作的一项调查显示，专利本身影响的是创新的方向而非速度。另有研究显示，创新能让创新者比模仿者先进入市场，这表明仿制品最终也在没有侵犯原创产品产权的情况下进入了市场。[1] 如果说根据经验很难看出专利与创新之间的联系，那么这种联系就是凭感觉感知到的。

OMI 最终可能是证明此种联系的最佳管理趋势，可以解决有关专利与创新之间因果关系的任何问题。它是如何解决的呢？买方通过许可取得专利的行为，表示他们在对专利中所包含的技术诀窍进行评估后，至少认为租借这些潜在能力可以帮助他们生产出更引人注目的新产品。

从纯理论的角度看，虽然一些产生于OMI的许可安排注定不能带来想要的结果，公司还是完全出于改革生产线的目的而对租用专利感兴趣。如果OMI在多数公司里都能成为规范的程序，单凭经验就能证明OMI许可安排和创新之间的因果关系。公司内部的研发能力，有时要靠偶然的发现、机遇或者是突发奇想才能研制出可以申请专利的技术决窍。与此不同，已经发明出来的专利和技术诀窍使买方首先就避免了与资产创造有关的风险。通过充分理解一项专利或商业秘密真正的技术价值——这正是OMI所能提供的——认识到一个创意产生创新的可能性，即便不能确定，也可以极大地帮助公司了解，是否能把这个创意转化为可产生利润的产品。这样公司就可以把精力放在理解该创意，以及制作样品、生产、营销和销售这些最终能在市场上获得成功的创新产品所需的工作上。OMI 首先推定这些能力是存在的，因为 OMI 并不是价值产生过程中这些关键元素的替代。不过，不正是因为买方只在已知需要的领域，就已经知道是可供租用的适合专利开发产品，专利转化为创新的成功率才增加的吗？

这个问题只能由时间来回答。不过，在 OMI 的舞台上寻找创意的公司将会了解市场需求，知道什么样的专利能满足市场需求，还能在一定程度上确信自己已经做好了充分准备，能把创意转化为增加组织收入及净收益的创新，这么说并不鲁莽。图 5–1 中是OMI安排中的一对买方

---

[1] "The DKPTO/CBS Lecture on Intellectual Property Strategy, 2002/2003," Bronwyn Hall, Copenhagen (September 17, 2002).

和卖方。

图 5–1　创新市场化中的卖方和买方——OMI 的意义何在

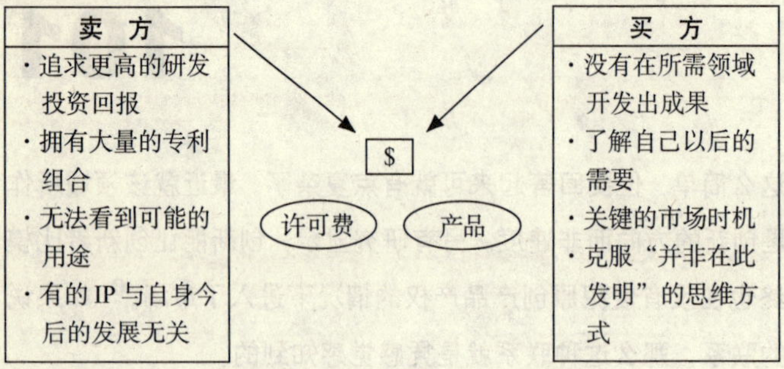

在行业层面影响市场创新化的情形

与在公司层面或者说是微观层面上影响OMI活动的情形同样重要的是，使人们更积极地接受OMI的行业或者宏观现实。围绕几个高层次的行业环境因素理解 OMI 的适宜性，是描绘这个趋势潜在价值的另一个方法。❶ 表 5–1 就是对这几个因素的概括说明。

❶ 引自与 Bain & Company 的主席和零售业负责人 Darrell Rigby 的会谈 (August 8, 2003)。

表 5–1　影响 OMI 的因素

	不利于 OMI	有利于 OMI
创新的强度	低	高
创新的规模经济	高	低
市场状况	可预测	不可预测
累积性创新	少	一般
破坏性创新	少	一般
创新的应用范围	窄	宽
创新可量化的价值	确定	不确定

此资料的采用已取得贝恩公司的同意。

创新的强度

先来看看在不同的行业，创新转化为产品要花多长时间。在软件行业，真正的创新可能只需几个月的时间就能成为软件产品。而创新要变成真空吸尘器或洗碗机又需要多长时间呢？

创新的强度不仅是指竞争者发明产品的周期时间，还指为了推动创新而对开发IP的依赖程度。在软件安全行业，销售额的14%又被投入研发；在制药业，比例是18%；而在轮胎业，则是8%。[1]与轮胎业不同，软件和制药业都把重要的资源再次投入研发，然后研制能形成创新的IP。于是就出现了下面这两种情况：第一，创新在一个行业中所占的比例越高，就越容易过时（毕竟，如果总是有新产品和改良产品出现——比如英特尔公司的产品——上一代产品就会越来越快地失去用处）。第二，一个行业对创新的研发工作依赖程度越高，产生成功创意的能力就越强。这两种情况的同时存在促进了OMI活动。

创新的规模经济

如果规模经济不会对新思想的产生形成障碍，那么这就是最适合OMI的环境。例如，在航空业的所有方面，包括研发，都形成了巨大的规模经济，有些市场几乎就是自然垄断的，如商务客机。但要建立一个软件公司就没有这样的障碍。

在全国各地，一群从事软件开发的20岁的小伙子可能正坐在像车库一样的办公室里发明着下一个了不起的游戏软件。在市场进入障碍也很低的玩具设计行业，也有很多独立发明人一个人工作到深夜，反复琢磨有可能彻底改变市场的设计。在有些行业，很多创意是由很多发明人不受资本投资阻碍发明出来的。这些行业里的固定竞争者最好还是接受OMI理论，这样就能在最小的范围内搜索IP，以紧跟行业动态。

因此，对专利的卖方或者说是许可方来说，发明创新的障碍是比较小的，但在产品的开发、营销和销售方面的障碍却几乎是不可逾越的。IP发明人面对的情况是，在创新的产生上是较低的规模经济，而在把产品投入市场的其他所有因素——设计、制作样品、生产、营销、销售以及宣传——则是较高的规模经济。而买方正好拥有使所有这些把创新推向市场的经营活动得以运转的基础设施。它们简直就是完美的一对。

---

[1] "Open-Market Innovation," p. 8.

市场状况

快速发展的行业需要对迅速变化的市场状况作出反应，而竞争者要做到这一点，惟一可行的方法就是把OMI付诸实践。多变的市场状况意味着考虑市场时机是非常重要的。因为等到竞争对手提出了一项创新以后，再调转研发方向，试图发明出吸取该创意思想的创新就来不及了。

关于市场时机（非OMI）最生动的一个例子是，微软在充分领会Netscape软件的流行所蕴含的意义之后，立刻掉转方向，几个月之内就开发出了自己的Internet Explorer浏览器。观察者认为，微软这次敏捷地调动资源开发新的创新，在公司资本主义（corporate capitalism）的历史上可能是最引人注目的一次了。无论真实与否，这种说法强化了这样一个观点，即很少有公司会因为这么重大的工作而失败，同时如果有可供许可的创意，显然许可最终会是在面临竞争对手挑战时最容易接受的一个方法。

累积性创新

信息技术方面的创新很少会独立地从专利或创意中产生。法律用先有技术的概念来说明这一现象，即要求发明人在申请专利时列出促成该申请产生的在先专利——这在本章前半部分已经有所论述。因为这里所说的创新在很大程度上依赖于在先思想，所以在公司需要较小的IP模块而非伟大的创意，用以借知识开发创新的情况下，OMI活动就会非常活跃。在一些行业中，创新是由相互影响着的创意组成的更大系统中的一部分。

破坏性创新

如果把一项与业务无关的新技术投入市场会使企业彻底失败，那么大公司一般就会放弃这个技术——当年大型计算机公司放弃PC机技术就是一个很好的例子。在PC机普及之前，迪古多公司（Digital Equipment Corporate，简称DEC）的领导人曾经说，一家公司只会需要几台电脑，多了也没什么用。

当受到破坏性思想的威胁时，如果缺乏贝恩公司的Darrell Rigby所称的“内部的不屈不挠”（"internal fortitude"）来发明自己的创新以对此威胁作出反应，那么一个稳定的参与者就不得不从外部引入思想了。因为这个参与者会发现，激励自己的下属以经济学家熊彼特[1]的热情把自己的知识、信念以及为保持自己在所属工业部门的领导地位而辛勤从事的工作进行拆分和创造性的破坏，是相当困难的。这时，从外部获取思想可能是拯救公司的惟一出路。尽管DEC后来从微型电脑制造商变成了一个PC机的原件设备制造商（original equipment manufacturer，简称OEM），但没过多久就被康柏公司（Compaq）收购了。

创新的应用范围

创新的应用范围是指一项创新可以有多少不同种类的商业应用方式。例如，黏合剂制造商的产品可能会用于航空业、家庭用具的维修和尿不湿的生产。创意的卖主无法完全知道所有这些可应用的行业以及用途。而作为一个买主，则可能需要清查组织之外所有可利用的创意，因为他想要的创意可能会来自一个不大可能的地方。

OMI可以使二者结识。软件的应用通常是跨行业和产品类型的。而轮胎行业中的创新就很少能对轮胎制造商之外的人有用。

创新可量化的价值

对于有些创新，财务规则和成本会计规则是完全适用的，即投入产生创新过程的金融资本量是可预测、可测量的，具有相当的可预见性。换句话说就是，公司可以实际量化研发的投资回报。还有可能的是，有的创新被认为是不现实和极端的，没人知道它潜在的市场规模或带来收益的可能性有多大。对新创意的价值越是不确定，管理者中反对的人就越多。这时，需要听取更多专家关于新创意市场潜力的意见。原因很简单，这就是与财务部门相比，市场能更好地确定创新的价值。

---

[1] 奥地利裔美籍经济学家。——译者注

在生物工艺行业，有时一项创新由于其所具有的不确定性和风险，因而全部经济价值都是未知的，所以需要听取更高水平专家的意见。

如果在科学家和工程师的研发工作进行到一半的时候，财务部门抱怨说投资没有回报，并提议中途停止研发工作的话，这时能否更深刻地认识一项创新的经济价值就变得至关重要了。不止一次，纷争都是这样开始的：某人相信一个创意能成功，但最初为研发提供资金的公司却不这么认为。于是发明者离开这家公司，另起炉灶，建立一家新公司继续开发创新。（如Robert Noyce、Gorden Moore、Andrew Grove，他们都离开了Fairchild半导体公司，创立了英特尔公司。）在很难把研发的投资回报与特定创新联系起来的时候，OMI是个有用的方法。公司可以通过OMI策略把还没完成的研发成果放入市场，以备以后许可这个成果，并把市场反应作为是否继续为它提供资金的标尺。

不再缺少的元素

OMI活动只有在开放的环境里才会活跃起来——开放的环境是指卖方随时愿意分享创意，买方随时愿意从外部获取创意。不过能使OMI更加活跃的一个关键元素，就是有中间人能使渴望销售和渴望购买的公司之间的交流变得通畅。

正如福特公司为了激起他人对其IP组合的兴趣，突然改用直邮方式发出广告，这种寻找合适合作者的搜索成本并不低。卖方与买方试图寻找对方的过程，就像两辆货车在浓雾中擦肩而过，除非一方按了喇叭，否则根本就看不到对方，要不就是与对方相撞。反正不是偶然碰到，就是相互错过。

当产品或服务的供给方与需求方努力寻找对方的时候，就会面临这个问题。因为市场其实主要是关于信息的，所以说，如果无论如何都要实现OMI，就需要有一些机制，使与创意的供给和需求相关的信息流畅通起来。

网络使OMI成为可能

尽管早期对推动OMI所需的有效市场安排所作的观察并不一定是认真的，不过人们也应该能看到这个有效市场的基础已经存在了——这就是网络。很多企业已经开始相信，使知识产权的买主和卖主达成以许可安排为主要形式的市场交易，能为他们创造价值和盈利。

虽然OMI更多地是关于公司在满足创新需求的方式方面的态度和操作变化，但也只有出现了中间人，为作出取得或销售创新的明智决定提供必要的信息，OMI才能加速发展。在线中间人的成功，不仅能在OMI已经成为规范的经营程序时加速OMI的发展，而且还能证明到外部寻求产品开发所需的关键专利或是增加研发投资回报的想法是合理的。市场信息的电子化并不是使OMI运转起来的必要条件，但是围绕该战略建立商业模式的中间人确实能使OMI得以有效和畅通地运转。

推行OMI概念的在线企业有好几种形式。如Big Idea Group，在玩具、家居和园艺、办公用品以及电动工具等行业充当发明人和寻找新创意的公司之间的看门人。首先由发明人提交自己的专利或技术诀窍供专家分析；再由Big Idea Group决定是否代表发明人预定买家；然后这个中间人会举办巡回展览，类似投资银行吸引他人对其所提供股票的兴趣时所作的工作，只不过是发明人把摊位摆在了专家组的面前；最后Big Idea Group会把那些得到专家肯定的创意展示给可能的许可伙伴。Big Idea Group的商业模式强调，OMI不会因为发明具有潜在价值的专利的组织规模不同，而对他们进行区别对待。[1] 正如前面已经提到的，伟大的创意可能产生于投资了1亿美元的研发工作，也可能是来自独立发明人像车库一样的办公室。软件业可能是最能让人想起这一事实的行业了。

读到这里，读者已经对创新市场化的基本原理有所了解，下一章将举例说明这个已经运作起来了的知识产权管理潮流。在下一章中，一家中间商充当把知识产权的买方和卖方介绍到一起的电子经纪人。

---

[1] 有关Big Idea Group的资料收集自其官方网站bigideagroup.net.

本章要点

- 创新市场化是“优于IP/IA许可”的。与许可这种过去采用的特定方法相比，创新市场化能使组织从其IP/IA组合中更有效、更加训练有素地萃取价值。OMI还代表着对专利的一种态度上的改变，即从把专利当作一种消极产权，到成为IP/IA的买方和卖方之间互利安排的基础。

- 有很多商业情形使OMI适合于买方和卖方。这些商业情形包括：市场时机的考虑、存在增强买卖双方联系的网络，以及显示研发费用更高回报的需要。

- 贝恩公司发现，有很多能够显示何种行业可以从OMI中获益的宏观经济状况，即具有较高的创新强度、较低的创新规模经济，以及对投入大量资本所得创新的最终价值高度不确定的行业。贝恩公司的分析说明，这些经济因素可以作为样板，用于企业确定自己是否适合OMI的决定。

- 互联网的出现可以看作是为提高OMI的绩效提供了动力，因为OMI虽然可以脱离互联网而存在，但是就没那么有效了。本书的下一章会证明这一点。

第六章

可靠的经纪人——一个重要的OMI元素

yet2.com是一个位于波士顿的在线交易所，专门为智力资产许可以及或多或少地为知识产权许可建立经济安排。yet2.com由知识产权管理咨询公司QED所有，市场目标是为可供许可的创意以及为支持商业目标而寻找好创意的公司的需求提供更清晰的认识。yet2.com是.com衰败之后剩下的惟一一个纯粹的IP交易市场，此前，据yet2.com的估计，想以这种方式盈利而建立的公司还有20多家。

现在，yet2.com网站的访问者（其中有1/4是财富500强企业）平均每15分钟就会搜索知识产权100 000次，约有18家公司已经达成了许可协议，还有2 000家公司正处于交易的不同阶段。虽然yet2.com没有试图把公司变为以创新为驱动的组织（它也没这个能力），不过一旦该网站的高层领导明确要求创新是在网站上操作的必要条件，yet2.com就会极大地加速这一目标的实现，从而有望成为创新市场化的公开市场。

卖方机会

yet2.com的一些用户已经把OMI的原理制度化，而且还实施了实现OMI潜力所需的管理策略，不过这样的用户还是少数。更多的情况是，组织至少是凭直觉感觉到大幅增加对外许可所具有的价值，但又缺乏战略指导，所以才登陆yet2.com。yet2.com为这些寻求对外许可收入的公司提供专业的指导，使公司感受到高水平的知识产权管理方法。这些管理方法是以今天的商业管理文献和课程内容为基础的，但又确实具有创新市场化的趋势。

为识别这些无形资产的创造现金收入的机会而对它们进行管理的第一个步骤，就是以重要性为顺序排列IP/IA资产组合。以下涉及卖方在战略和战术上需要考虑的管理事项（这些事项对IP/IA的获取方同样适用）。

步骤1：筛选、分割和组织

拥有上百个（暂且不说上千个）专利组成的资产组合的大组织并不少见。但是由于资源上的限制，即使每项专利或商业秘密都具有可销售性，公司也不可能把他们都拿到OMI市场上销售，因为如果这样，公司最终就会变成一个专门销售IP的机构，反而没有时间销售自己的产品了。因此，公司必须找出那些最有可能产生现金流的专利，以平衡提高研发投资回报的需要与为获得成功而从事其他日常工作的需要之间的关系。但是要按优先顺序排列IP组合，公司首先必须使用分类法或分组法把IP组合组织和分割成有意义的IP群。

有些公司会根据专利代码进行分组，有的则根据负责研发技术的业务部门来分组。例如，杜邦公司（DuPont）根据化学反应的类型将其组合进行了跨业务部门的分割——由于其专利组合是以化学制品为定位的，因此这种方法非常实用。

当有意义的结构形成之后，组织就可以围绕几个关键因素对其IP组合进行更深入的分析，从而辨别出具有最大收入潜力的专利。这些因素包括：

竞争对手专利发明活动的走向

竞争者认为技术会带动市场走向何处，他们就会将发展IP的精力放于何处。那么竞争对手们都将精力放在哪了呢？举个例子，QEC曾为一个炼油设备制造商提供咨询业务，就该公司的情况收集到的情报提出了几个重要问题。这就是：公司是否应该在勘探和炼油技术上花费更多的时间？如果所有的竞争对手都在投资开发有关炼油的IP，那么为什么这家公司也要这么做？仿效竞争对手对公司是否有利？是否应该再研究出一个新的策略？

竞争对手的专利发明活动曾一度成为组织未来战略方向的导航仪。虽然上述问题完全是由行业动态决定的，但对竞争对手的专利发明活动进行分析还是非常具有启迪作用的。

假定对竞争对手的专利活动进行的分析能让公司知道它可以许可或销售什么样的技术IP，那么在提出上述战略问题之后，公司就可以开始考虑是否想进行OMI活动了。这家发现了新勘探技术的制造商也许会决定把这项技术授权给尽可能多的竞争对手，这样可以通过尽可能多的买者——即石油公司——购买含有这项技术的设备来推广该技术的应用。公司不准备通过销售含有该项创新的产品来与竞争对手不含这项新技术的产品竞争，因为它认为如果把这项技术授权给他人，使勘探行业的所有参与者都靠使用它一家制造商的IP赢得交易，自己就可以从许可收入中赚得更多的利润。当然，前提是竞争对手都愿意取得一家市场参与者的专利授权。

刚好在石油勘探业，石油公司都希望他们购买的设备使用的是标准化技术，因此如果某家炼油设备制造商发明了壳牌（Shell）和埃克森（Exxon）非常想要的重要新IP，那么竞争对手基于OMI描绘的原因可能就别无选择，只能购买或租用这项创新了。IP所有者可能会依靠把创新授权给他人控制整个近期的竞争市场，直到出现另一项创新，打破这种控制，开始新的控制。

专利引用分析

很多新专利都含有作为其发明基础的其他专利，如模块。例如，QED就把自己帮助访问者在其网站上寻找信息的技术检索创新方式申请了专利。QED引用了几个检索技术的在先专利，这些专利是由多年来一直在试图提高知识库检索能力的英国电信（British Telecom）、宝洁（Procter & Gamble）等公司申请的。

可以通过专利引用分析推测出公司正在考虑许可的IP的潜在市场利益。如果卖方的专利在其他公司的专利申请中很少被引用，那么即使这项专利所有者决定把它置于OMI的机制之中，可能也不会有多少人对它感兴趣。

对专利引用的纯数量分析是存在争议的，因为不同技术部门的引用行为之间缺乏可比性，而且刚批准和申请的专利也不太可能被引用。但是，行业专家对引用所作的定性评论仍是对卖方的IP组合进行充分分析的一个重要组成部分。根据这类评论，卖方可以确认哪些新的行业部门和公司正在利用类似的技术。

市场的关注

以网络为基础的交易场所——买方在这里寻找潜在的创意——为评估和测试卖方的全部资产组合提供了基础。每月约有6万多个独特的用户访问yet2.com。yet2.com瞬间就吸引了全球对特定技术至少是部分的普遍关注。这种来自买方市场的信号显然对卖方具有非常大的价值，因为过去卖方只能依赖工程师通过与同事谈话得出的模糊概念来判断一项专利与技术的市场潜力。

这里介绍一个例子来说明准确市场信号的力量。在过去的几年里，yet2.com网站上最受关注的领域之一，是用于起重机和推土机等大型设备运动控制的电磁传动装置技术，这是对液压系统进行改良后得到的技术。一家名叫Advanced Motion Technologies（简称AMT）的小公司从yet2.com的检索统计资料中发现有人对这种技术感兴趣，随即就在yet2.com上贴了有关这项专利的广告。随后，Caterpillar和Curtiss-Wright Flight Systems取得了AMT创新的授权，目前正在分别评价该创新在大型设备和军事方面的用途。

此外，yet2.com还可以对照自1999年网站创建以来在任何时段里采集到的、受到过买方关注的技术，对卖方的全部专利组合进行模拟管理。对于还没为真正实施OMI活动作好准备的公司，以及那些还没有把自己的专利组合置于这种公开的审视之下，但又想了解其市场潜力的公司来说，这是非常有用的。这个模拟过程对市场兴趣进行估计，就好像卖方的整个专利组合都是向公众公开的一样。这样得出的结论远非科学的结论，但是yet2.com相信该种结论有效地代表了卖方资产组合的可销售性或是赢得买方兴趣的潜力。

通过较高层次的分析，卖方对自己拥有的哪些创意可能适合OMI有了一定的了解。进行完这种分析，就可以开始第二个步骤了。

步骤2：评估价值萃取潜力

根据专利发明活动的走向、专利引用分析和市场状况因素从专利组合中筛选出一组潜在的OMI候选对象之后，还要对专利组合进行更严格的分析，即由具有许可知识的特定技术领域专家对每项专利的具体权利要求进行审查。专利发明活动的走向可能已经揭示了市场对燃料电池和毫微技术领域的技术诀窍的高度关注。但是乍一看好像是非常有望成为OMI对象的专利，会由于要求保护的权利范围太小或是已经过时，而失去价值。这时专家就会得出这样的结论：市场不会对该专利有多少兴趣。

通过权利要求审查这道严格程序，可以确认专利组合中的特定专利或技术诀窍是否确实就是满足初期市场兴趣点的潜在创新。就像下一个例子中的公司所发现的，专利的权利要求书对OMI的机会有重要影响。

一家总部位于欧洲的食品加工公司，拥有一种关于把家禽加工成食物产品的技术诀窍。该公司以前只把用于加工小鸡的技术诀窍列入了申请专利保护的范围，而用于其他家禽（如火鸡）的技术诀窍可能最终却成为他人的晚餐——即被他人所利用。专利权利要求的范围限制了卖方进行OMI的机会，原因是专利只对小鸡而不是更大范围的家禽进行保护，而对火鸡等其他家禽只能是通过技术诀窍加以保护。由于专利权利要求保护的范围太窄，技术诀窍的所有人在火鸡加工行业有此需求时只能把加工技术作为商业秘密授权给他人使用。不过与以专利形式的许可相比，这时的使用费和期限要少得多。

QED向该公司指出了这个错误。如果公司在申请专利的时候把要求保护的范围写得稍微宽泛一些，现在就可以把技术授权给更多的食品加工厂。专利的权利要求书的写作可以说既是一门科学又是一种艺术。在OMI的背景下，QED和yet2.com向客户展示了这句话是多么的正确。[1]

一旦一项专利或商业秘密的广度和范围被牢固地确定下来，这一OMI机会分析的参与者——

---

[1] 引自与yet2.com的执行副总裁Tim Bernstein的会谈。

QED的专家会同公司的专家——就能勾画出被筛选出来的每项专利或技术诀窍所处的市场环境可能会是怎样的。要回答的重要问题包括：这个市场的规模有多大？这个创意可能引起关注的市场共有多少个？这个市场会继续扩大吗？各行业的市场是否有助于创意的许可呢？

在这一阶段更多的是定性分析而非定量分析，因为上述问题只有在技术被投入市场，且特定当事人显示出兴趣的时候才能得到确定的答案。谈判的经济条件由买方利用他人创意时所处的商业环境所决定，如市场规模、产品创意和竞争前景。尽管如此，通过将第一步和第二步的结果结合，公司仍可以对其权利要求与竞争对手相比的优势以及市场潜力形成合理的认识。

QED在第二个步骤里可以利用的另一个战术是一种“头脑风暴法”（brain dump），也就是邀请发明IP的工程师以及其他高级主管参加圆桌会谈，一起讨论该IP的未来价值。QED有时会发现，并非每个人都能完全领会所讨论的IP/IA中所蕴含的力量。一旦圆桌会议的参加者完全理解了该种产权，立刻就会出现各种各样关于在组织内部如何利用IP/IA的好点子。曾经有一次，一个工程师因相信某诀窍能在更大的、畅通的市场上产生现金流而把它挂到网上销售，但是市场反应并不佳。这时公司的一位主管突然充分理解了该诀窍的价值，因而希望在公司内部对其进行开发，工程师立即就把自己的这个发明从OMI渠道上撤了下来。我们由此得出结论：沟通无限。

步骤3：评估技术的价值（技术鉴定）

假设某组织有25种以商业秘密或专利形式存在的技术构成了其资产组合的精华，但遗憾地发现有些技术出于先前提到的原因，不具有巨大的OMI潜力。不过，QED还可以协助资产组合所有者确定是否还存在其他萃取价值的机会，而不是将它们闲置。实际上，除许可之外卖方还有好几种萃取价值的方法，主要包括：

利用产品的使用价值

这种情况在前面提到过。最终的OMI候选对象被抽了出来，因为优先排序程序让组织对核心技术诀窍有了更深入的了解。公司突然发现，这个OMI的候选技术对公司来说成了生产产品的机会。

一家阻燃剂技术的制造商把创意挂在yet2.com的网站上之后，出现了意想不到的情况。该制造商对市场潜力进行分析后认为，根据这项技术创意生产出来的产品不会带来什么收益，但又认为这个IP是有用的，没准有人会需要它，于是就把这项技术贴在OMI版块上。结果收到了40条需要含有该技术的产品而不是该技术的回复。根据这些早期的市场信号，公司把这个创意从板块上撤了下来，开始生产产品。

虽然这并不是yet2.com的经营目的，但它建立起来的市场已被用于检验根据创意生产产品的这个公司已经放弃的想法。在公司认为根据这个技术诀窍研制出的产品没什么价值，已经准备把该诀窍授权给他人的时候出现这个结果，真是个莫大的讽刺。

销售

如果公司认为某专利并非公司计划的核心，同时又没有其他的内部技术诀窍，就会把专利（不是创意）销售出去。买方由于已经在实施这项技术了，希望能受专利权的保护，或者是为了将来保护的目的，所以会希望马上购买。

例如，QED的一个客户在特殊电子领域的业务越来越多，而自己所有的专利又很少，所以准备购买专利。这个客户断定，将来会有人以专利权被侵犯为由将他诉至法庭，要求它支付许可费。为了防止这种可能性的发生，这家公司建起了一个专利“栅栏”，作为将可能发生的谈判中的商业筹码。

赠与

如果能够确定一项专利或技术的货币价值，那么把它们赠与大学或者是非营利性的研究机构，会获得税收优惠。但是，这种赠与的方法也不是无可争议的，而且税法也会根据一些非常知名的IP赠与活动而有所调整。

保存

一个公司可能会因为一项专利或是技术的开发并不会给公司带来最大利益，而决定暂时不使用它。不过公司可能也不想采取 OMI 的策略，因为这样潜在的竞争对手就能开发它。

例如，一家基于薄膜技术生产产品的液晶屏幕制造商，通过自己的研发发明了一个以等离子体为基础的创新。这家公司并不想为了适应一项有竞争力的技术的生产而完全重组自己的生产能力，即使这项技术非常具有创新性。公司也不想把技术授权给竞争对手，进而放弃基于不同技术平台的同种产品的市场占有率。由于该创新没有在内部开发的潜力，而外在潜力虽然很大，但最终对公司可能是有害的，于是这个液晶屏幕制造商至少是在近期内把这项创新保存了起来。

放弃

当一项专利20年的有效期接近终止，而市场信号显示这项专利不会带来什么利益，这时惟一的选择就是放弃。只是把该IP留在资产组合里，即使它作为一项无形资产并不需要像资产设备一样进行维护，也不是一种明智的选择。因为要登记 IP 使其合法的管理维护费就要花去上千美元。实际上，一项专利在有效期内的管理费约为 200 000 美元。[1] 放弃是在充分考虑所有其他选择后没有办法的决定。据QED说，它的几个客户的经历已经能够证明对降低IP维护费能节省多少资金的资产评估咨询费是值得支付的。据它的客户估计，为其现有产品提供技术支持的专利只占到专利组合的 10%～20%，因此有大幅削减专利的空间，这样能为公司节省大量资金。

只有当 OMI 首先是个值得采用的策略时，公司才会从事这种知识产权优先排序的实践，因为这完全是在为公开销售 IP 组合做准备。虽然上述因素中有很多其实就是知识产权管理文化的一部分，但对那些刚刚接受为获取更多的利润，值得好好管

[1] 引自与yet2.com的执行副总裁 Tim Bernstein 的会谈。

理 IP 组合这个观念的组织来说，还是相当吸引人的。

到了这个阶段，公司已经为公开展示自己的珍品做好准备，只等买方来观看了。现在我们就把注意力转向买方，即正在搜寻下一个伟大创新的公司。

买方机会

基于各种各样的原因，潜在的被许可方决定不在组织内部解决未来的创新需要，因而想到外部去寻找。"并非在此发明"的病症被征服了，或者说至少是被控制住了。文化上的变迁使公司接受了一系列采纳外部思想的管理原则，尽管速度很慢。

Yet2.com 目前还无法说服那些由于方法上的错误而认为 OMI 没有价值的公司。但是，它有能力而且愿意帮助说服那些反对技术进步的人，让他们相信 OMI 的力量。光顾 Yet2.com 的公司很少是像 CED 客户这样的大型组织，这些组织会把 OMI 断然作为一种经营上的需要。通常都是一些小公司的主管看到 OMI 未来价值的蛛丝马迹，但又面临说服同事的问题，于是来到 Yet2.com。完全是因为需要一个能帮助达成交易的有效销售策略，Yet2.com 强烈地意识到，如果 OMI 的拥护者能有几次经历，迅速地获取收益，为运转 OMI 建立了必要契机、改变了态度，OMI 就能获得最大的成功——这实际上对买方和卖方来说都是正确的。但由于买方一方存在顽固和僵化的NIH，可以论证的是，买方更需要改变公司文化。

如果选择了 Yet2.com，买方会采取与卖方相同的先期步骤——按重要性对现有的 IP 组合排序。但是，买方在明确其未来价值的潜在来源的同时，还要了解自己在通往创新之路上的缺口在哪。

只有在公司尝试调整商业战略目标与有可能实现这个商业战略的创意之间的关系时，才会出现缺口问题。如果商业目标是从上市不到两年的产品中产生一定比例的年收入，公司应该能确定自己的 IP 组合以及研发项目是否能让公司实现这个目标。上述调整的需要，将使公司通过排序程序，集中地认识到有哪些创新需要从公司外部取得。

这是实现 OMI 必须的第一步。Yet2.com 发现，把自己的 IP 组合放到公开市场上的公司，既包括具有优秀智力资产管理实践的公司(这类公司的各个部门都能认识到按重要性对创新排序的需要)，也有刚刚摆脱“并非在此发明”症状，但还缺乏审查可获得的创意或建立许可交易所需的专业技能的新手，什么类型的都有。虽然Yet2.com能够为刚刚摆脱封闭思想束缚，即刚刚开始考虑这些策略问题的公司提供指导，不过它对OMI买方最大的影响，则是为买方提供的许可机会比其所能想像的广泛得多。

这个交易场所为IP的可能用途提供了更深入的了解，扩大了卖方取得收入的范围，同时通过向买方展示所有可供许可的创意，同样增加了买方的选择（如果不是巨大的，那么也是逐步地）。这些创意可能会以买方永远想像不到的方式彻底解决他的问题。

多好的一个选择！

技术间谍为公司侦查竞争对手的研发活动——如果有的话——一直不是件难事。专利证书的语言经常很含糊，目的就是掩藏IP的真实本质（因为专利档案是公开的，越来越能被所有人查阅），但作为相关领域专家（subject-matter experts，简称SME）的工程师和研究人员仍然能够理解所主张的财产权、IP的创新之处、研发的方向，也能知道如果竞争对手把该IP转化为人们喜欢的产品会对市场带来什么影响。但这并不意味着刚好就能从它的发明者处得到IP许可。问题是，通过关系网搜寻创意的方式可能会把搜索者限制在自己的行业圈子里。买方也许能幸运地找到刚好是他所需要的IP，而IP所有者也愿意以合理的条件授权给他使用。不过更有可能的是，买方既找不到他需要的IP，卖方也不愿意授权。

当一个工程师被介绍进入一个不断扩大着的交易所的时候，他的反应就像是走进了一个百货商场，惊讶地发现每件他想要的东西都有10个品种可供选择。对于IP商品来说，10个品种可

能是高了些，但买方的反应是一样的。一旦买方发现有这么多机会能及时实现其战略目标，OMI的激励作用就显示了出来。❶

Yet2.com曾为一家销售额不到1百万美元的小型制造商提供服务。这家生产直接喷入式强制通风二冲程发动机的制造商相信，如果把助燃系统的创新用于发动机设计，就能在客船和货船等大型机器之外开辟出新的市场，于是开始寻找与有3个汽缸的二冲程柴油机一起使用的助燃系统。这家制造商找到很多汽车公司和铁路发动机制造商，看看他们有没有这样的设计。结果找了很长时间也没找到。因为公司已经确定自己没有能力通过内部的研发程序发明这个创新，于是就在yet2.com上贴了一个TechNeed（需要技术）的帖子，几乎立刻就收到了回复。他想要的这项技术是由一家为NASA工作、拥有卫星的火箭发射系统方面专业技术的公司在4个月前发明的。虽然两家公司都生产发动机，但买方从来也没想过要到这么个不可能的创新来源去寻找自己想要的东西。

这家火箭发射公司在看到挂在yet2.com网上的需求之后，回复说它有关于燃料供给系统的技术诀窍，可能正是买方所要找的。买方对这项技术诀窍进行了1个月的分析和考察，之后就开始就许可谈判。如果双方没能建立起联系，yet2.com也许会直接介入最初的谈判。不过，两家公司的关系进展得非常好。由于两家公司都没有这方面的交易经验，yet2.com充当了可靠经纪人的角色，为如何构建交易安排的细节提供建议。

一家资源有限的小型制造商，从它能想到的有限创意来源之外的公司那里发现了符合自己技术需要的IP，这时OMI向买方展现了成功的希望。取得一个发动机设计创新设计图的授权，能让这家制造商着手进行未来的产品计划。它得到的不仅是一项授权，还是个战略。

---

❶ 怀特兄弟（Wrights brothers）的经历，虽然失败了，但可能是市场创新化的第一个买方的例子。在1903年12月实现历史性飞行的前一年，怀特兄弟证明了他们的无引擎飞机设计是适于飞行的。在那个淡季里，兄弟俩询问了大约10家发动机制造商，寻找能为他们的创新提供飞行动力的推动器可行设计。很多制造商都生产轮船的发动机。但让怀特兄弟失望的是，没有一个发动机设计被证明适合他们的需要。最后还是由怀特公司位于俄亥俄州代顿市的自行车商店的一名员工负责设计了这一开创飞行时代的发动机。

文化变迁

有人在看到这些关于创新市场化的分析后，也许还会奇怪这是什么了不得的分析呀，这个有关无形资产管理策略的概念看起来就像是小孩都应该知道的常识。可是仍有很多公司还没实施过OMI。这是为什么呢？

一方面，公司经营活动所处的文化环境会对OMI的成功与否产生重大的影响，而且为从事OMI实践重新定位公司文化也很困难。在卖方一方，需要改变专利是属于公司内部的、不可侵犯的，即使毫无用处也不能与他人分享的观念。而在买方一方，则要承认公司现有的IP组合中缺少促进收入和利润率增长的必要元素，因此必须从外部租用创意。

这些观念最初可能会让一些公司感到不舒服，特别是那些勉强承认自己需要去捕获IP但又被NIH思想所束缚的公司更会排斥这些观念。不过随着OMI的能量在越来越多的公司那里得到了发挥，那些反对OMI对改善无形资产管理的战略和战术要求的公司，应该会发现OMI在帮助他们实现目标方面的价值。

重组公司文化的难题在根据OMI策略的目标重新调整员工的绩效指标时最明显地暴露出来。Yet.com有一家客户公司，为每个业务部门领导的许可费收益和损失都规定了一个标准。这个绩效指标无疑为理想的OMI提供了支持，因为管理者要想取得许可收入，就必须留意资产组合中那些适合OMI的IP。一个公司如果能为员工成功地制定与OMI促成的结果挂钩的合理绩效指标，那么它就已经走上真正的公司文化再造之路了。公司如果为OMI的行为提供了奖励，那么员工肯定就会认真对待它。

这个论点在yet2.com那里得到了有力的证明。Yet2.com曾为一家化学制品业的客户公司举办了一系列研讨会。这家公司的CFO经过广泛测试之后，宣布公司研发部门花掉的经费远远超过了该部门研发出来的产品所产生的收入。[1] 公司于是要求内部研发部门把全部精力都集中在能产生竞争差异的项目上，其他创意可以从外部购买。Yet2.com帮助公司的一个高级主管从已经受到OMI影响的员工那里了解到OMI的好处。从这种宣传活动传回的情报反映出一个并非不合理的担忧：要研发人员实施OMI，即当产品不属于战略性目标的时候，购买而不是开发产品创意的思想，与用于评价研发工作人员业绩的指标之间相脱节。工作人员会想："对将来那些不具有战略性、但又能创造价值的产品，我应该去购买而不是开发创意，可我过去这二十多年的工资却又直接与我的发明能力挂钩。只有开发出受欢迎的产品创意，我才能获得报酬。"

Yet2.com告诉每个试图向员工宣传OMI的组织，管理层不能只是宣传OMI的思想，还要执行其领导能力，重新制定出能反映公司寻求新的IP利用方法的激励机制，否则努力的结果只能是一些口头交流而已。这是常识吗？OMI的力量让人这么认为。

为什么非要为OMI而烦恼？

本书用了两章的篇幅集中分析创新市场化，把对另一个IP管理方法的简短探讨特意留到了最后。上一章曾经提到，专利的理论基础是赋予所有者消极产权。例如，如果史密斯太太对某项发明拥有专利权，那么琼斯太太就不能从同一发明中赚取利益。"同一发明"是这句话里最重要的一个词。假如琼斯太太把她的设计加以调整，使它不会减损史密斯太太创意的主要价值，而由于发明的最终形式不同，不会引发法律问题，又会怎样呢？

这个问题能被一些公司的高级管理层一天问上上百次。这种方法被称为"规避设计"(design-around)，其历史都跟专利本身差不多长了，是个避免研发沉重负担的老套办法。如果一个组织坚持一定要向市场推出能比得上竞争对手的创新的产品，那么从事规避设计的行为也可以看成是默认了自身研发的失败。在某专利上加个钩子或螺旋状的东西，使改变后的专利不会侵犯原专利权，

[1] 引自与yet2.com的执行副总裁Tim Bernstein的谈话。

这样做没有一点明显的违法之处。在有着巨大的市场、很多新的市场竞争者都想加入的行业，如汽车零件和半导体行业，以及创新率很低、一件产品的微小改变都能带来竞争优势的成熟行业，规避设计是相当常见的。[1] 不过要是选择这种途径，那么引发更多诉讼的可能性也会随之增加。由于有些知识产权律师认为这种IP管理策略——如果能被称为策略的话——已是越来越流行了，诉讼似乎也就成了一些公司愿意承担的适当风险。[2]（买卖规避设计的交易场所是不存在的。）

在一个案例中，一个家畜牧场主得到了一项关于旋度为360度的遥控手电筒的专利，这种手电筒能让他在晚上从卡车里巡视他养的家畜。沃尔玛公司（Wal-Mart）想通过它的仓储式超市（Sam's Club）销售这种手电筒，但是被牧场主拒绝了，因为他担心这样会破坏他已经建立起来的销售关系。[3] 此后不久，沃尔玛把手电筒稍微作了一些改动，也就是加上了一个小塑料片，使光线的旋度稍微低于360度，然后就开始在超市里销售这个款式的手电筒了。虽然售完供应的货物后超市就停止了销售，牧场主还是决定向法院提起诉讼。最后，位于丹佛的一个联邦法院判决被告支付发明人近500 000美元的损害赔偿金和诉讼费。在这个案例中，如果有 Yet2.com 和创新市场化的加入，事情会朝什么方向发展呢？

我们假设发明人因为对授权他人使用不感兴趣，不愿意把他的发明挂在yet2.com上，而沃尔玛又很想立即把这类发明投入市场。但是如果yet2.com上有个专利形式的创新，沃尔玛就能通过获得授权避免专利侵权了。牧场主可能不管怎样还是会起诉；OMI 也不一定就意味着能避免侵权诉讼。但是，yet2.com的市场上如果有这么一个专利，沃尔玛的非法规避设计手段就有了一个合法的替代策略，而零售商也会在法庭上获胜。

像 yet2.com 这样的 IP/IA 交易场所以及 OMI 的价值在于，当组织需要一种快速的方法把具有竞争力的创新投入市场时，

[1] Timothy Aeppel, "Brothers of Invention: Design-Arounds Surge as More Companies Imitate Rivals Patented Products," *Wall Street Journal* (April 19, 2004).

[2] Timothy Aeppel, "Brothers of Invention: Design-Arounds Surge as More Companies Imitate Rivals Patented Products," *Wall Street Journal* (April 19, 2004).

[3] Timothy Aeppel, "Brothers of Invention: Design-Arounds Surge as More Companies Imitate Rivals Patented Products," *Wall Street Journal* (April 19, 2004).

它们有可能成为规避设计的替代方案。Yet2.com面临的挑战是，提供足够的选择，以满足对创新的任何需求，这也是包括易趣在内的每个交易场所都面临的问题。假设一项挂在yet2.com网上的专利满足了一家公司的特殊需要（这当然是个重大的假设），我们只能这么想：如果这家公司无论如何还是要选择规避设计的手段，那么它其实就是不想为他人的劳动成果支付使用费，和/或它觉得为得到创意而进行的谈判程序会拖延产品投入市场的时间。这两个动机都不能成为规避设计的理由：关于第一个动机，企图通过他人得到合法批准的创意受益不是美国人的做事习惯；至于第二个动机，如果真的很想得到一个创新，应该很快就能达成协议。卖方一般不会想拖延谈判，因为它在yet2.com上公开创意的目的就是希望达成交易——yet2.com的工作不仅是为买卖双方指路，还包括要让他们尝到甜头。

结论

不应低估创新的重要性——尽管这么说让人费解，因为CEO和顾问们至少是以小时为单位滔滔不绝地说着这个词。创新并不是个新生事物。谷登堡（Johannes Gutenberg）[1]、马可尼（Guglielmo Marconi）[2]，贝尔（Alexander Graham Bell）[3]和爱迪生（Thomas Alva Edison）[4]都是创新者。有所改变的只是对创新的迫切需要。创新力已经从组织追求的重要目标变成了组织生存必需的基本要素。[5]

---

[1] 1398～1468，德国金匠，发明活字印刷术，包括铸字盒、冲压字模、浇铸铅合金活字、印刷机及印刷油墨，排印过《42行圣经》等书。——译者注

[2] 1874～1937，意大利物理学家，实用无线电报系统的发明人，首先在大西洋两岸实现远距离无线电信号的传送（1901），获1909年获诺贝尔物理学奖。——译者注

[3] 1847～1922，美国发明家，发明电话，并对聋人的可见语言研究做出贡献，曾任波士顿大学发声生物学教授，获专利18项，包括电话、电报、航空飞行器、水上飞机等。——译者注

[4] 1847～1931，美国发明家，获得白炽灯、留声机、炭粒话筒、电影放映机等1 093项发明专利权，创办世界第一个工业研究实验室（1876）。——译者注

[5] Lev, p. 14.

热切关注创新的例子随处可见，甚至在公共政策领域也有。来自哈佛商学院的Michael Porter以及来自MIT的Scott Stern为竞争委员会（Council on Competitiveness）建立了评估一个国家创新力的创新指标。[1] 这个创新指标以高等数学为基础，包含了几个两位教授认为是驱动一国或政治集团（如地区或州）创新的关键衡量标准，或者说是绩效指标。这些指标包括：

- 全部研发人员；
- 全部研发投资；
- 私有企业投资的研发比例；
- 大学机构实施的研发比例；
- 花在高等教育上的经费；
- 知识产权保护的力度；
- 国际竞争的公开性；
- 一国的人均GDP[2]。

对于有条件培育私有部门创新的政府人事部门和政策制定者来说，这个创新指标是一个基准工具和导航仪。正如Porter和Stern都指出的那样："历史告诫我们，私有部门是创新的龙头。"[3]

现在的公司都会定期制定与创新有关的目标。比如为上市不到四年的产品或上市刚刚一年的产品销售百分比制定指标。这些指标一直以来都是3M的确定销售目标。[1] 创新力作为组织关键能力的重要性是毋庸置疑的。创新为何如此重要是个有趣的问题，它帮助解释了为什么无形资产已经代替物质资产成为了价值创造的源泉。

工业时代的公司拥有大量的物质资产和有形资产，如设备、机器和房地产。在这个时期，组织发现生产的规模经济是获得市场竞争优势的秘诀。低成本的生产者纯粹通过范围和规模的扩大就可以在行业中获得优势。不过这些公司同时也都是体积

❶ Michael Porter and Scott Stern, The New Challenge to America's Prosperity: Finding s from the Innovation Index (Washington, D. C.: Council on Competitiveness, 1999), p. 3.

❷ Michael Porter and Scott Stern, The New Challenge to America's Prosperity: Finding s from the Innovation Index (Washington, D. C.: Council on Competitiveness, 1999), p. 5.

❸ Michael Porter and Scott Stern, The New Challenge to America's Prosperity: Finding s from the Innovation Index (Washington, D. C.: Council on Competitiveness, 1999), p. 13.

❶ Michael Porter and Scott Stern, The New Challenge to America's Prosperity: Finding s from the Innovation Index (Washington, D. C.: Council on Competitiveness, 1999), p. 61.

庞大，机构臃肿。他们通常都是纵向联合体，即成品的每一个零件都是由一家公司控制或制造的。例如，据说福特（Henry Ford）甚至养了好几个羊群，专门用来生产车座用布。

不过经济学家已经证明，规模经济也不是没有限度的。虽然规模经济曾为组织带来竞争优势，不过早在任何单个公司能够占领市场之前，规模经济就达到了极限。[1] 几个寡头最终控制了市场，就是因为规模经济在一个组织能够控制整个市场之前就被彻底耗尽。这完全是因为公司太臃肿了，难以进行有效的管理。

既然竞争优势不是来自生产的经济规律，那么又是来自何处呢？答案是来自创新。

后来公司发现，竞争优势的新源泉在于发展生产新产品或是改善原有产品的能力，使每种产品都比以前的好，甚至可能比竞争对手的产品还要好。不过一旦每家公司都在发展这种能力，创新也就不再是一种战略能力了，而成了承认从“发展创新，毁掉对手”到“创新，还是死亡”的代价。

从通过拥有物质资产所有权获得规模经济从而赢得竞争优势，到发展创新力的这个战略焦点转变，其实就是鼓励无形资产大量进入组织，占领它们现在所占有的显著地位。不难看出它们为何会拥有这样的地位。[2]

突然间，价值创造的驱动因素变了，机器过时了，出现了创新所需的互补元素。这么多互相依赖的元素变得至关重要，而所有这些元素正好都是无形资产：人、知识、IT、研发能力，独特的组织结构和合作联盟。生产活动以及为生产活动提供支持的物质资产成为可以并且应该外包的商品。

这些经济力量突出了IP/IA作为可持续经营的创新源泉的重要性，以及OMI作为获取和利用这些无形资产的工具的重要性。下一章将论证知识——可以看作是能调整和处理成IP/IA的原材料——管理的有关问题和解决办法。

---

[1] Carl Shapiro and Hal R. Varian, *Information Rules: A Strategic Guide to the Network Economy* (Boston: Harvard Business School Press, 1999), p. 179.

[2] Lev, p. 12.

本章要点

陷入创新市场化困境的公司应当注意以下问题：

- 首先必须彻底、准确地组织和评估公司现有的IP/IA组合，如在本章中提到的QED使用的方法。不理解以下问题，任何OMI策略都无法实施：IP/IA组合的外部特征是什么？作为创新的工具，它们能否让管理层看到公司前进的方向？有大量这方面的资料和专家可供参考和查询。

- 完全了解IP/IA组合有助于组织回答下列基本问题：考虑到永远存在的预算和时间限制，能否在组织内部实现创新？目前在手机制造业就存在这个问题。过去，诺基亚、摩托罗拉等手机制造商就是在组织内部发明用于手机的软件。Symbian和微软这些软件创新者在手机市场上的出现，促使手机行业在对纵向联合反思之后，转而采用PC硬件由OEM代工生产／软件由微软授权的合作模式。虽然这种情况并不属于纯粹的OMI，但这一潮流促使手机制造商提出的问题正是OMI要求公司提出的问题，这就是：继续在组织内部开发手机操作软件的优势是什么？自己是否拥有能满足消费者预期未来需要的IP/IA组合？对运行自己产品的软件取得授权，会让我们失去什么？又能得到什么？

- 公司文化是相当无形的一种无形资产，但又极大地影响了一个组织通过OMI获利的能力。最概括地说，创新性的公司要么具有技术文化（如波音），要么就是具有管理文化（如通用电气和宝洁）。不过，欲取得OMI成功的公司更需要的是管理文化而不是技术文化。因为并不存在改变公司文化的神奇模版，所以公司最好还是先启动一两个OMI项目，不论是充当卖方还是买方都可以。

■ 对工程师来说的一个好消息是，为成功实施OMI，工程师将承担桥梁作用的重要责任，即在可以利用的IP/IA的技术价值和把他们变为成功产品的商业策略之间搭建桥梁。拥有深奥技术知识的工程师，可以清楚地说出可利用的IP/IA如何能够实现战略性目标，从而赢得来自产品开发、业务和营销部门的工作人员以及决定OMI政策的任何其他人员的高度关注。

第七章

缺乏知识管理是危险的

什么是知识？字典里对知识的定义是：知晓的状态；通过经验获得的理解；关于某一事物的专门信息。随着经济的发展，公司逐渐意识到，雇员掌握的技术诀窍、经验技能和信息是值得以某种方式管理其价值的真正资产，对“什么是知识”这个问题的解答，也就随之从认识论的层面迅速落到管理者的身上。

既然管理者把知识概念化为资产，那么就要寻求编码技术和原则，以便用于知识的管理和利用。要进行知识管理（Knowledge Management，简称KM），必然就要对这一特殊的无形资产给予管理上的尊重，而且还要提供一个可靠的价值萃取方法。

定义上的难题

对于知识管理，即管理这种被称为知识的无形资产的一组规则，我们能说些什么呢？从某种角度来讲，可说的多得是。如果在Amazon.com上把“知识”作为检索词，能搜索出不少于844本书，[1] 而就开胸外科手术这个主题则只能搜索出31本书。这让我们想起一位英国官员对二战期间希特勒无能的外交部长Ribbentrop的评价：“他说的话又臭又长，比我见过的任何人说的都多，也比我见过的任何人说的话都没意义。”[2]

---

❶ 2003年8月29日的搜索结果。

❷ From Michael Bloch's *Ribbentrop* (1992), as reported in *The Atlantic Monthly* (September 2003), p. 138.

既然——或者是因为——这类书太多了，似乎是有多少尝试解释知识管理的书，就有多少个关于知识管理的定义。而定义越多，就越混乱。以下是几个具有代表性的定义——到底选哪个就看读者的了。

知识管理考虑的是面对突变的环境，有关组织适应、组织生存和能力等重要的问题……主要包括追求IT的数据和信息加工能力与人类的发明和创新能力之间增效结合的组织流程。❶

KM是一个流程，组织通过这个流程从其智力和知识资产中创造价值。❷

知识管理是控制知识的创造、传播和利用的一组流程。❸

知识管理涉及辨认和分析可利用的和必需的知识资产以及与知识资产相关的程序，以及为了实现组织目标，随后对该资产和程序的开发所采取的计划和控制行动。❹

我们采用的定义是：知识管理是指使智力和信息资源回报最大化的策略和体系。由于智力资本的存在形式既有内隐形式（教育、经验和专业技能），又有外显的形式（文件和数据），KM依赖于创造、收集、分享、重组和再利用知识的文化和技术过程。其目标是在增加创新和提高决策制定能力的同时，通过提高个人和集体的知识活动的效率和效用来创造价值。❺

同样，要是在搜索引擎中检索“知识管理产品”，就会搜索到内容管理软件、数据可视化工具、安全的协作平台、信息科学应用程序、数据挖掘程序以及研发管理软件。❻ 如果搜索的是“开胸外科手术产品”，结果就不会这么混乱。但是众所周知的是，软件销售商经常在自己的产品上贴上标签，好把它们归到某类特定的软件程序中，即使这种产品与这类程序中更有名的产品在功能上只是稍微有些相似。这里的问题在于，任何与信息有关的都是KM。

KM的实践者坦率地承认不存在通用的KM定义，所以说这也不是什么坏消息。但是，对于正在考虑从知识管理这种无形资产中萃取价值的管理者来说，同时有这么多定义是值得注意

❶ brint.com/km/whatis.htm.

❷ cio.com/research/knowledge/edit/kmabcs.html.

❸ Km-forum.org/what_is.htm.

❹ 爱丁堡大学的人工智能应用研究所，www.aiai.ed.ac.uk/technology/knowledge management.html，不妨看看世界上共有多少定义。

❺ destinationkm.com/articles/default.asp? ArticleID=949.

❻ 正如读者可以看到的，我喜欢用搜索结果来说明问题。这些结果正好准确地反映了支持具体观点的各种情况和现实。

的，因为存在这么多各种各样的观点，说明缺少可靠、有根据的和普遍接受的方法，可以赋予任何管理规则以合理性。同时，对包括KM在内的管理规则缺乏有客观标准的、普遍理解的认识，可能也是危险的。做开胸手术是为了解决一系列问题，KM同样也能用于解决很多问题。

当然二者的主要区别是，做开胸手术是为了解决那些生死攸关的医学问题，如动脉阻塞、肿瘤、瓣膜复位，包括一组每个心脏外科手术师都能理解的严格技术和经验方法。至于KM就不是这样了，因为组织实现商业目标的方法——相当于动脉阻塞、肿瘤、瓣膜复位的方法——有很多种，和要解决的问题一样多。组织应该知道，关于知识管理，并不存在结构严密的知识体系。在任何既定时间讨论这个问题的人都能定义KM战略。这是一个解决定义混乱和无力定义的方法。

这并不是因为KM本身是无效的。事实已经证明有一些成功定义KM的例子。知识管理作为一门学科，能帮助更好地利用知识这类无形资产，不过组织经常会陷入定义知识管理的困境。而管理者在实践六西格玛和平衡记分卡的时候就不会遇到这样的问题，因为这些工具已经有了明确的定义。管理者首先要解决的问题是，需要确定要把组织的未来系于上述哪一个KM的定义上。这既是关键的一步，又有可能会分散大量的时间，成为一个动量杀手，也是通往KM策略成功之路的第一处弱点。选择什么样的KM定义，将会影响到KM战略、战术和KM的执行。

Delphi Group的负责人Nathaniel Palmer是随时帮助公司建立和执行KM战略的管理顾问，同时也帮助一些组织解决KM失灵的问题。据他估计，积极的KM活动一般都是由于采取了两种极端的方法而失败的，一种是以纯理论的迂腐态度从事KM，最终在定义的过程中迷失了方向；而另一种则是采用过于战术性的投资回报方法，因而限制了KM在战略上的效力。以下是两个相关案例。

机械的方法

纯理论的迂腐方法面临的是定义知识的困惑。这些意识到需要利用策略来管理知识这种无形资产的人，发现自己陷入了一场关于KM是什么而非能做什么的争论。由于目前文献中存在多种KM的定义，自然就会引发这场争论，并会在试图把知识概念化为独特的、比信息更重要的东西的时候爆发。下面来看一下表 7–1。

表 7–1　定义知识创造的尝试

数据	信息	知识
在过去的 30 天内某一网站的客户及其所购产品的原始清单 →	分组显示的购买信息表，主要包括客户姓名、根据产品分类的月 / 年购买量和客户的总收入、为每位客户支出的可变成本 →	分组显示的客户清单（根据边际收益分组） ↑

在这个纯理论的分析中，知识被视为转换数据和信息后的价值增加结果。有关企业经营情况的数据经过处理后，被转化为优于数据、对知识这个最终产品的产生更有用的东西。第二个步骤是生成知识过程的关键阶段，因为在这一阶段中，本身就是有用的重要信息变成了战略战术决策的依据。

由于最后一步中的信息用公司行话说是“可用的”(actionable)，❶ 所以说它们已经不再是信息，而是知识了。在这个例子中，有关客户获利能力的信息成为了知识，可以作为众多涉及营销、客户服务和呼叫中心业务（这里只列举了三个业务领域）的决策制定依据。在这里要注意的是，根据这个案例的逻辑，信息可以成为知识，但是知识却不仅仅是信息，而是附加了更多的东西。

❶ 这是对这个词的习惯性错误用法，其本来意思是“可控诉的”。

这是一种机械的思维方式，因为思考者试图给讨论强加一个机械的、生产因素模版。但这并不是关于知识资产的错误思维方式，并且可以证明的是，它反映了管理者为了解无形资产的本质及其管理方法而付诸定义无形资产的努力。不过 Nathaniel Palmer 根据经验认为，这个模版只能被视为一种思维试验，因为它并不是一个十分有用的KM战略实施方法。那么这个方法有什么问题呢？

首先，该方法对信息和知识的区分过于随意，对问题的解决有阻碍作用。把信息看作与知识有一步之遥，因而不是“知识”资产，不能成为KM的一部分，这种想法减损了本身就是知识的信息的重要性。在这个例子中被称为信息的东西，也许同样可以容易地从产品的受欢迎度而非边际收益的角度转换为一条知识。

表 7-2 定义知识创造的再次尝试

数 据	信 息	知 识
在过去的 30 天内某一网站的客户及其所购产品的原始清单 →	分组显示的购买信息表，主要包括客户姓名、根据产品分类的月 / 年购买量和客户的总收入、为每位客户支出的可变成本 →	分组显示的最受欢迎产品清单 ↑

在表7-2中，数据被转换为与表7-1相同的信息，但价值附加过程把信息转化为不同的知识。这条根据产品的受欢迎度组织起来的知识，可能会影响到一系列有关设计、生产、供应链、营销和销售的内部资源分配决策。这时管理者可能就要依照一组全新的决策行事。

如果信息不是知识，作为通常归档和保存知识的物质空间的知识库里是不是就不能加入有关客户和产品的信息分类表？如果信息不是知识，这条具体的信息是不是就不能再用于创造新的知识？在这两个表中，我们看到反映某网站活动的同一个信息表是怎样变成了两条没有关系的知识——第一个是根据边际收益建立起来的客户信息表，第二个是最受欢迎的产品分类表。还有可能再变出 5 条信息来。

这种信息和知识的可互换性带来了有关机械方法的第二个问题。由于不同的背景会产生不同的知识，管理者最终会发现自己无力再尝试把信息转变成知识了，因为转化后的知识可能根本就没用。例如，钢厂的工人都知道，劣等矿石是钢这种产品的生产要素。但是对于作为生产投入的数据和信息，使用者能发现多少种用途，就能得到多少种结果。对于一条转换为知识的信息，知识管理者怎么可能在利用知识之前就知道这条信息所有可能的用途呢？采用指挥与控制（command-and-control）的方法管理知识，即预先想好要得到什么知识，再指引信息的转化过程，与从实用角度反向转化的有效知识管理实践，基本上是冲突的。

生产要素法同样没有考虑到，公司的价值转换过程并不是把数据变为知识就结束了，只有当劣等铁矿石变为钢时才算完成。把原始数据变为知识，只是人们利用知识生产产品或服务这个漫长旅途的第一步（总共有20步）。任何采用机械方法和遵循生产要素逻辑的人都必须承认，知识实际上只是生产的初期要素，而非最终的要素。

另一个与构建KM的机械法有关的问题是，管理者认为，既然用于萃取价值的知识是如此的宝贵，因此应该有自己专用的物理空间，应该与组织中全部硬盘上的所有其他数据和信息分离，不能受到他们的污染。于是就把知识当成库存一样地处理——分散地独立装箱，要有自己的目录和子目录以便正确存取。而事实上，知识放在哪里并不重要，重要的是知识的内容是什么，对工人有什么用，还有通过适当的搜索工具能被搜索到。

在一个案例中，一个组织通过审计活动，为记录下来的已知知识和内隐知识（存在于雇员大脑中的知识）分别建立不同的知识库。这个组织要求每个雇员通过经内部的相关专家组调整的程序把自己的知识放到在线数据库里。SME则负责收集属于自己领域的每个已知事实，然后把它们加进这个特殊的在线信息索引。

KM项目负责人为雇员制定的知识转储规则，暴露出一个对知识管理错上加错的理解。来自Delphi Group的Palmer曾亲眼看到，一家公司居然真的让所有雇员倒出他们所知道的一切，以求记录下这些专门知识，作为KM项目的一部分。这就像是小型零售商为了调整用于来年的账目，在年末人工盘库。其结果不会是最佳的。而且这样做之后，知识无论有多么清楚的范围，势必都会被物质、空间及定义上的局限性所限制。结果，管理者往往会把可能是非常有用的信息排除在知识库之外。

更有效的知识归档方法或许是给信息贴上适当的标签并加以分类，这样使用者就可以直观地选取信息了。为知识附上合适的描述词以便检索工具能够快速、高效地找到它，远比知道这条知识是储存在伦敦办事处的服务器里而不是放在楼下机房里重要得多。这是个很多公司多年来一直都在努力解决的问题，同时，建立需要在检索工具中键入的有效信息导航标签，其中的技术问题并不小。（出现了XML，成为网络信息的超定义方案。HTML[1]只表述网页中的内容，XML则能告诉我们这个网页是什么。）

上述机械的思维倾向把知识概念化为价值的物质储备，就好像金条一样。只有金子才能放到储备里。记录产品受欢迎度和客户获利能力的客户清单完全可以看作是银子。可他们虽有价值，却通不过安检。

要节约成本

另一个极端是把KM看作是一种节约成本的战术，完全不考虑KM作为一种无形资产手段可能为战略目标作出的贡献。当管理者初次面对某个"知识管理"程序包，围绕有关KM战略必要性的讨论建立在技术基础之上时，这种思维习惯特别普遍。如果在考虑KM时只关注技术而不是战略，那么注意的焦点都集中于成本节省、成本－收益分析、回报以及技术投资评估中出现的所有其他经济价值术语，也就不足为奇了。

战术法大概是这样的：通过实施KM活动，我们节省了25%的纸。自动化、数字化和电子通道代替纸张成为交流和文件整理的工具。因此，我们的组织就节省了多少多少的钱。

一般说来，能节约成本当然好，不过这样的目标忽略了通过更有秩序、更有针对性地管理知识，公司所能利用的KM战略影响。是不是用的纸少了，组织就发生了有意义的变化了？产品设计的效率比以前提高了吗？因为使用电子交流工具代替纸张，公司对机会的反应就更敏捷了吗？这些都是合乎逻辑的问题，但在KM只被用于节约成本时却没有考虑到。施乐（Xerox）等文件管理公司就把KM完全作为节约成本的手段，在他们看来，用他们生产的扫描仪把文件数字化至少也是KM的一个内容。[2] 把自动化管理和文件管理当作KM活动，对施乐公司是有利的。既然现在有这么多KM的定义，谁又能反驳他们呢？

---

[1] Hypertext Markup Language, 超文本链接标示语言。——译者注。

[2] "Moving Beyond Information Technology to Knowledge Management," Xerox advertising supplement (2000).

有效的KM

对于知识管理的全部潜力，可以用一个对组织产生了很多战术和战略影响的项目来说明。这里有必要再来说说本书第六章提到过的yet2.com。我们的这个OMI朋友正好就是在把一种KM软件包卖给寻求从知识产权组合中萃取更多价值的组织。yet2.com并没有明确地把这个产品列入知识管理的范围，考虑到目前管理规则的混乱状态，从销售和营销的角度看，这样做对它是有利的。yet2.com把它称为智力资产管理或者是知识产权资产管理，但如果把这个项目称为知识管理项目，就会被知识管理的实践者接受。这个小小的案例研究表明，最优知识管理有望成为管理一种重要的企业无形资产的方法。

Yet2.com预计，既然有那么多公司想与外部合作从事市场创新化活动，那么也会有很多公司希望在内部取得同样的经营效益。于是，Yet2.com就发明了一种叫i-4C知识引擎的程序包，具有Yet2.com这个能公开进入的交易环境所具有的大部分功能。这个内部程序的目标是，让业务部门更加明确公司的资产组合中有哪些专利、商业秘密、技术诀窍，其发明人是谁，怎样能联系到他们。以下是i-4C为一家大型航空公司工作的过程。

这家航空公司的工程师A发现，他所参与的飞机设计项目需要一种更耐用、更节能的新型照明设计，但他又没有能力马上设计出来。于是利用i-4C在公司内部贴出内部照明技术的需求。没过多久，另一个分支部门的工程师回复说，他的团队刚刚完成了一个内部照明项目，并且提供了有关这个技术的文件。这两个工程师互相并不认识，但很快就约好了会面时间。

买方（工程师A）确认这项创新可以满足自己那个项目的特殊技术要求之后，就安排雇佣该分支部门的工程专家来提供几天的咨询。请来的专家不仅提供了有关该技术的图表和设计图，详细解释了相关的技术细节，而且还向工程师A展示了如何将创新加入设计说明书中，帮助辨认了合作供应者的最好零件，并指导他如何提高这一重要飞机零件的产量。

这个看起来相当简单的雇员问题解决办法——向同事咨询一下就解决了问题——实际上暴露了大型组织显然不得不面对的编制压力。在一个拥有几千名雇员的公司里，需要技术的工程师搜索技术的成本可能是相当大的。i-4C只让工程师A花了几分钟的时间就找到了自己想要的技术，但他要是采用询问的方法了解公司里是否有这项技术和相关专家，可能就需要好几天甚至更多的时间，因为他需要解决以下这些问题：能去哪找这项技术呢？怎样才能找到自己这个项目正好需要的专家？他有没有那么多的时间去搜索？在像这家航空公司这样等级森严的组织里，一名雇员要是独立帮助另一部门或关联组织的雇员，会不会有什么负面的政治影响？在生产复合产品的大型组织里，工程师显然会经历各种各样的技术需求，而且研发人员不断地为这些需求寻找解决答案显然也降低了生产力。更糟糕的是，工程师甚至可能根本就懒得去搜索，而是从头开始开发新的照明技术。"并非在此发明"的症状又一次冒出头来。

这个飞机制造商的经历非常具有启发性，它向我们展示了KM方法如何实现了下列潜力。

- KM展示出战略性的影响：照明技术专家不仅为工程师A详细解释了他所需要的技术，还为如何最好地吸收技术思想并把这个思想变为飞机的必要零件提供了宝贵的专家意见。照明技术专家有效地改善了工程师A关于关键产品开发问题（包括第三方来源及生产）的学习曲线。任何经认可的合作，只要能改善创新程序，就都是KM大放异彩的战略场所。
- KM强调经验性的知识：Palmer认为，一个组织所能利用的最强有力的知识并不是档案中记载的知识，而是公司雇员的专业知识及其难以量化的"智慧"（"wisdom"），本案例就是一个生动的例子。这种"智慧"（Delphi Group喜欢这么叫）往往很难在文件中找到。在机构内部搭建的交易平台，促进了雇员间的交流，为需求方在咨询和合作的环境中从所有人处取得这种经验性的知识提供了场所。照明技术专家可能早就已经记录下了教给工程师

A 的知识，但他不可能事先就知道一个关联公司的同事会迫切需要新的飞行照明技术——在需求实际出现之前就花时间把所有建议都写在纸上也不现实。经验性的知识指的是隐藏在一个雇员的大脑深处，直到其他人提出需要时才会显露出来的知识。实际上，大多数人都是等到需要解决某一难题的时候才会知道自己具有某方面的知识。此外，是需求推动了供给，而不是相反。

■ KM让使用者能够迅速找到需要的东西：yet2.com有专门的检索技术和内容展示结构，可以用清晰的语言组织IP和技术诀窍组合，再加上指引需求方寻找有关资料（包括研发建议和权威报告）的指示标，能让工程师迅速地把注意力集中到他们需要的东西上。

■ KM使知识得以再次利用：有关知识的基本规律是，知识一旦产生，就可以被复制无数次，而且复制的成本几乎是零，并且可以有多种用途，就像文字文件和软件产品等任何数字化的东西一样。与适合的相关专家相连的IP/技术诀窍组合知识库到处都是，这就为下面的这个观点提供了支持：如果存在一种专有知识，那么在重新发明之前把它利用起来是很重要的。

在这个案例中，航空公司建立了以需求为基础的KM平台，IP购买者登录这个平台之后，引发了一连串的事件——联系、咨询、合作、知识的转移和取得——所有这些共同构成了一个KM策略。但如果这家航空公司没有实行这个策略，会怎样呢？假定公司让所有工程师记录下他们的知识，以防万一有人会需要，这要浪费多少时间呀！有效的KM是指供给对需求作出反应，而非相反。

目标推动KM战略和战术

正如我们在第四章中所看到的，电子学习（e–learning）创新的影响一旦与确定的战略战术相关联，就会变得非常具体有形。同样，KM为大型公司由于其规模而面临的问题提供了实用的解决方法，航空公司就是利用这些方法从KM中汲取了价值。Palmer强调，着眼于KM项目的最后阶段——即KM项目将给公司带来哪些战略性的影响——是把KM作为一项管理原则来实施的最有效的方法。其他人也同意这个观点。[1]

在这个小案例里，航空公司通过削减为技术问题寻找解决方案所需的搜索成本提高了工作人员的生产力，通过避免知识产权的重新发明减少了大笔成本的发生，通过专家与同事分享自己的经验知识改善了创新程序。工程师A所经历的这么一件事并不足以衡量KM本身，但是如果同样的场面出现在所有公司，那么效益肯定是相当确定的。

还是分享知识好

一方面围绕知识管理作为一组管理规则到底是什么的困惑，促使公司沿着不明智的方向发展，另一方面，有效知识管理的另一个因素经常被完全忽略——即管理者如何才能鼓励雇员把自己的知识积极地贡献给每个人都能进入的更大的知识储备库？组织在实施知识管理战略时，首先假设的是雇员会毫无保留地贡献出他们的专业知识。这个假设不仅是太大了，而且可能还是危险的。

破坏知识共享的原因包括，缺少能让知识分享变得容易的技术平台、阻碍雇员与自己所在部门之外的人交流的封闭式管理，还有就是完全由于惯性的作用。不过，最重要的原因是，人们在认识到知识本身的价值后把知识作为取得个人利益的工具。

雇员辛苦得来的专业知识和技术经过长期的积累，成为他们在公司里为自己建立的一种重要

---

[1] Leigh P. Donoghue, Jeanne G. Harris, and Bruce A. Weitzman, "Knowledge Management Strategies That Create Value," Accenture Institute white paper (1999).

名誉资产。掌握他人不具备的知识或技术成为区分一个雇员才能的标志，雇员发现可以以此作为对自己有利的工具。知识就是力量，而要让雇员放弃对知识的独占，组织就得想方设法地对贡献者贡献的价值加以承认。为公司利益着想的想法肯定是有限度的，特别是在功能失常、管理严密的组织里，来自基层的思想传统上一直都得不到采纳，其他成绩也得不到有意识的适当承认，这时这种想法更是有限。

为知识库不断地输入有效知识管理所要求的知识的需要，与鼓励贡献出KM所需知识的适当激励机制，这二者之间的关系如何协调？现在来看几个解决知识分享问题的方法。

数豆豆

20世纪90年代晚期，国际公共关系公司Hill & Knowlton（简称H&K）建立了一个能容纳很多信息的公司门户，包括各领域专业雇员的简历、客户案例研究、顾问的报告和文章。❶ 当公司建立这个门户的时候，在多伦多办公的首席知识官（Chief Knowledge Office）Ted Graham认为需要一种能够加速知识贡献的方法。正当H&K考虑这个问题的时候，一个客户带来了一个聪明的解决方法。

Beenz.com是一个即使失败也是具有高度创新性的新建网络公司。它试图在数字经济时代做S & H Green Stamps曾在20世纪60年代成功做过的事：充当价值代表和可供选择的支付机制。只要参加该网站组织的问卷回答、填写个人简介表、从某个在线商人那里再次购买产品等活动，就能得到网豆（beenz）奖励❷。积累了足够的网豆之后，就能从参加活动的商人那里把网豆换成商品。这种商业模式面临的一个问题是，经营这个网站的公司不能找到很多有实力的零售商加入，这样就限制了它的吸引力。大量吸收名牌产品的电子商务活动，对于公司吸引客户是十分重要的，但一直都没有实现。不过这种想法在理论

❶ 我在发表在*InternetWeek*的一篇名叫“Employees Cash in on KM”（2000年5月22日）的文章中第一次写了有关Hill & Knowlton的故事。我于2003年9月上旬进一步就同一主题与Ted Graham进行了会谈。

❷ 网豆是一种在互联网上流通的虚拟货币。——译者注

上确实有重大的意义。

Beenz.com 曾是H&K 的一个客户。根据这个网站带来的启示，Graham 的同事建议启动一个项目，这就是只要向公司新的局域网门户提供知识，就奖励给网豆。IT 研究公司 Gartner 的前分析家 Clark Aldrich 把这种安排称为“小型经济”，并把它视为KM 发展进程中的一个重大事件。Graham 越想就越觉得这个建议有道理，网豆没准就是解决知识贡献问题的踏板，于是就和同事一起为知识贡献者和使用者建构了网豆奖励制度。它们相信这个奖励制度能够帮助公司门户加速积累有用的相关信息。H&K 先用现金换网豆，然后再把它们放入一个虚拟银行，用于分配给雇员。表 7–3 描述了 H&K 为知识管理的使用方建立的网豆奖励项目。

表 7–3 Hill & Knowlton 的“小型经济”激励机制

使用知识的活动	奖励的网豆数	奖 励 原 因
浏览一般内容	10（一次） 浏览内部主页	H&K 希望鼓励在向别人发邮件寻求帮助之前，为了节省时间“先检索”一下。这是要鼓励自助
浏览特殊内容	25	这样可以确保人们阅读指定信息。例如，假如 H&K 变更了公司标志，就会希望雇员在网页上看到这个变化
高级检索	30	雇员通过高级检索可以知道先前创造的能被用于他们目前工作的相关内容。内容如果合适就可以再次利用，这样可以避免重复创造，同时也提高了生产力
预阅更新内容和检索工具	40	这样做能使浏览更新内容的知识使用者保持忠诚——一旦局域网中加入了新的内容，或是有人检索了一个特殊的词，就会向订阅者发送通知

Graham 认为，为知识库中各种内容的利用提供小小的激励，能让雇员容易接受这个导航计划，同时还能慢慢养成使用习惯，从而确保知识的不断利用，提高工作的效率和业绩。另一方面，由于只要有值得利用的信息，收益就会增加，因此Graham和同事还为知识的贡献方建立了奖励计划。见表 7–4。

为与知识相关的特定活动奖励的网豆，其绝对价值的重要性低于每项活动相对于另一活动的相对价值，这在知识的使用方和贡献方都是如此。在贡献者一方，如果提供的是在某家企业或职业团体所做的演讲报告，那么得到的网豆要比只是提供自己的职业传记多两倍。因为起草和提供

表7-4 Hill & Knowlton的“小型经济”激励机制二

活　动	奖励的网豆数	奖　励　原　因
贡献一个传记	50	这是所有顾问必须参加的活动。但是，有些顾问会把传记存在当地的服务器而不是全球局域网上。这种激励会帮助克服这个障碍
填写一个履历表	75	填写有关工作经历、参与过的客户项目和其他技能等更详细的信息。这样雇员就能迅速找到适合提供相关工作建议和指导的同事
贡献一个案例研究	100	这比其他活动都费时间； 预计需要做一些研究以显示影响； 在得分批准之前必须确认是可提交给客户的
加上一段演讲报告或文章	125	超出了工作范围； 邀请他人分享自己的个人见解

演讲报告或是在专业杂志上发表文章超出了雇员的工作范围，需要雇员付出相当大的努力，可能还会对这条信息的具体使用者带来极高的价值。因此Graham对这种贡献确定了相对较高的奖励。

虽然雇员们很喜欢这个方案，但还是出现了意想不到的事。Graham原以为雇员们都会兑现网豆，用来购买接受这个虚拟价值储备的各种产品。但是在对公司账目进行检查之后发现，并不是所有网豆都被兑现。有的雇员用网豆订杂志或CD，而有的则把网豆攒了起来，用以夸耀。在有些雇员看来，网豆的数量代表了他们在组织中的相对价值。雇员在聊天时会互相问：“你得了多少网豆？”

可惜的是，H&K仅仅因为beenz.com终止营业就放弃了这个网豆项目。公司原本可以通过使用其他的价值代表，如以信用卡为形式的积分项目，来继续这项工作，不过网豆模式吸引人的地方是它作为新型支付机制以及便于管理奖励方面的新奇性。雇员只要一上局域网，不是在使用知识就是在贡献知识，这种奖励就是在这种网上提供的。给雇员分配网豆以及整个项目的跟踪都是由Beenz.com办公室里的IT设施操纵的。Graham最后提出这个问题：一个更繁琐的奖励制度管理起来是否能像网豆项目一样省力。以奖励为基础的知识分享项目管理，不能超出运作全球KM项目所需资源的范围，因为分享知识只是其中的一个内容，尽管是很重要的一个内容。

在这个项目启动4年之后，Graham还会在行业聚会上提出这个有关小型经济的思想，与实务人员谈论这个问题。H&K这次经历的教训是，没完没了地奖励贡献知识的行为可能反而达不到预期目标，因为雇员最终会把贡献知识的奖励看作是一种权利，结果奖励就成了贡献知识的首要条件。这实在是个危险的后果。理想的状态应该是，随着时间的推移，雇员发现他们得到的和贡献出来的一样多，而且如果通过利用知识库，雇员的工作变得容易或生产力更高，那么在一个不用说就知道是以物易物的安排下分享知识就有意义了。不过像H&K在网豆项目中尝试的这种激励手段也算得上是一种开始KM活动的手段。

建立市场

鼓励知识分享并且有望成功的另一方法是，根本就不考虑知识的分享。

经济学家一直都认为，市场是预测事件和趋势的绝佳场所，而且组建市场的花费也不是很高。为什么不能在公司内部组建一个预测事件在将来能否实际发生的市场，作为一种优化决策的方法呢？惠普公司（HP）就是这么做的。

惠普在公司内部建立了一个逐月预测未来销售额的模拟市场，雇员可以在这个市场里购买、销售股票。虽然在3年的时间里，只有几十个雇员参与了这个市场活动，但预测结果比官方在同时间段预测的销售额还准75%。[1]

最有名的非专业期货市场可能就是爱荷华州立大学商学院于1998年建立的爱荷华州电子市场（Iowa Electronic Markets，简称IEM）。这个市场向所有的人公开开放，使用真实货币买卖以政治选举结果为基础的期货合同股份，金额从5美元到500美元不等。这个市场被看作是教授研究市场行为的方法，同时还可以让学生了解市场在决策制定中的力量。这个交易场所的精确性非同寻常。在1988年、1992年、1996年和2000年的美国总统大选中，美国在同一天里就选举作了600

[1] James Surowiecki, "Decisions, Decisions," *The New Yorker* (March 24, 2003), p. 33.

种不同的民意测验，其中IEM当天的市场价格比75%的民意测验都更接近实际的选举结果。[1]

一个建立在公司内部的市场是如何运作的呢？公司可以设立奖金作为某商业事件的支出，比如100个单位的真实货币、专门的货币或积分，用什么形式都可以。任何未来事件，只要公司对于其结果的预测感兴趣，如销售额预测、收入、季末市场份额的增长以及存货的脱手等都可作为这个市场的候选对象。比如，一家公司关注于预测一种新产品所占市场份额在一个季度里的增长情况。它的雇员可以就赢得这100分的合同权利进行买卖，赌市场份额在季末是否能增长5%或更多。奖励和合同条件都是事先确定好了的。在市场开始交易的时候，雇员可以根据他们对市场份额确实会超过5%的判断“买进”期货合同。如果用50个积分买进100个单位的奖励，就是打赌市场份额增长5%甚至更多的机率为50%，也就是在用50个积分的赌注再赢得50个积分。

这些赌注与知识管理又有什么关系呢？答案是有很大的关系。上述期货合同在既定时间的价格，是市场活动参与者集体判断的综合。个体参与者的知识反映在他的投资决定中，而市场投资价格就是所有参与者的集体智慧。雇员很自然地就分享了他们的专业知识，而且我们完全可以相信这是雇员所能给予的最佳专业知识，因为每个参与者对市场操作的结果都有股份（在赌注是真实货币的时候更是如此，就像在IEM的案例里一样）。其分享知识的行为与H&K的网豆实践只是在组织形式和表现形式上有所不同而已。

经济学家把通过市场获得集体智慧的过程称为决策市场或意见集合。KM的实践者则称其为知识分享，尽管此时专业知识的贡献本身并不是目标，而是实现从市场上赢得收益这个目标的手段。

市场能作为在公司内部运作的决策制定工具吗？在没有这个市场的情况下，管理层所依赖的预测结果是由统计人员和商

[1] James Surowiecki, "Decisions, Decisions," *The New Yorker* (March 24, 2003), p. 33.

业分析人员作出的分析。有了内部市场之后，市场参与者的集体判断能胜过这些专业人员的分析吗？有些市场在预测上的准确性是不可否认的，其内在特征也是引人注目的。首先，团体的智慧总是要超过这个团体中最聪明的人的智慧。其次，市场是民主的。独特和非正统的观点不会因一致性和以不想引起混乱为由而被排除在这个市场之外，因为公司已被灌输了“集体思考”的思想，这种思想已经成为当今很多企业决策的特征。这些原因可能也正是市场没在组织内部流行的原因，因为这需要公司的高级管理层承认，不是只有他们自己才独有智慧。

有用的知识不只是董事会才能发现，它可以在可能想得到的任何地方产生。最能体现这个观点的市场就是好莱坞证券交易所（Hollywood Stock Exchange，hsx.com）。在这里，参与者无需交费就能注册，通过买卖证券预测近期上映电影的票房收入，证券价格与电影首次发行后前4周的票房收入预测结果挂钩。目前已经有约一百万人注册，这个网络交易所可以说代表了这1百万人的集体判断。[1]

由于为新上映的电影建立期货市场仍是个新奇的思想，所以制片厂的管理人员现在仍把市场调查、焦点人群的意见或直觉作为电影投资决策的主要驱动因素。不过他们正在密切地关注着这个市场。据一位研究这种市场的哈佛营销学教授说，与制片厂决策层使用的任何其他标准相比，1部电影在发行前的最后交易价格才是未来票房价格最准确的衡量标准。该市场与实际票房收入的出入只有16%上下。[2]

虽然这个期货市场的预测价值远非完美，不过人们还是可以通过它知道电影公司所依赖的传统调查手段和其他信息来源有多糟糕。如果随着时间的流逝，该市场证明了自己的价值，制片厂的管理人员就可以在他们根据风险调整的电影资本投资回报模型里很容易地把这些预测加进去了。

除了利用市场策略对知识管理进行改善的方法之外，还有什么知识重要价值的其他利用方法？在过去几年里刚好出现了一个全新的方法，恰当地弥补了企业内部记录的需要，也许可以帮

---

❶ Norm Alster, "It's Just a Game, but Hollywood Is Paying Attention," *New York Times* (November 23, 2003).

❷ Norm Alster, "It's Just a Game, but Hollywood Is Paying Attention," *New York Times* (November 23, 2003).

助知识管理解决一些问题，这也是本书下一章所要讨论的主题。

本章要点

- 有关知识管理的定义实在是太多了。定义太多，就等于没有定义。有人争辩说，这对一个不成熟的管理方法来说是很自然的事情，以后一定会出现经过检验的一系列方法，能够最终构成知识管理的框架。不过就目前来说，管理人员还是应当挑选出最能满足他们特殊职业需要的定义，以及他们希望利用这个定义解决什么问题。
- 想要有效地对知识进行管理，就要坚持一些概括性的原则。如从战略性影响的角度考虑KM策略——把注意力集中于经验性知识（存在于工作人员大脑里的知识），为雇员提供快速得到所需信息的通道，了解再次利用已有知识的可能性。
- 知识就是力量，是雇员用以标明自己在组织中地位的手段。假设雇员愿意与他人分享自己来之不易的专业知识，特别是知识占有者在正式工作职责范围之外投入大量时间和精力才获得知识的情况下，他们愿意分享知识的假设，是不可靠的。
- 市场安排的方法也许永远都能为知识管理作出贡献，可以成为一种具有娱乐性、鼓励知识分享以及为某一战略战术目标利用经验性知识的有效方法。
- 知识共享是KM的基础，但怎样才能形成知识的共享呢？市场运作方法对知识管理来说还是一种相当陌生的方法，但是如果设计得当的话，在鼓励知识共享方面会有非常大的潜力，因为市场本身就是分享信息的地方。在知识管理的背景下利用市场机制，就是要集合众多雇员的智慧。对市场运作方法感兴趣的公司可以先在销售部门（如HP）、IT部门做试验，或者开展几个预测技术项目ROI的竞赛作为实验案例，看看市场结果与现实的出入有多少。关注这个主题的大学，为了增加研究成果，也许会愿意提供有关市场设计的专业知识，可能还会愿意验证交易结果的有效性，以换得内部数据。如果市场预测的结果多次证明与实际的结果相差不远，那么组织就可以把市场机制作为决策制定的基础。

第八章

全新的知识管理方法

最近出现了一种基本有效的新方法，管理者可以在知识管理实务中加以利用。这个由位于圣何塞市的咨询公司Future Knowledge Group发明的方法叫做知识目标理论（Knowledge Object Theory，简称KOT），可以在谓词逻辑、网络图、图形知识塑模中的原则里寻找到它的根源。虽然KOT没有从概念层面上重新定义KM，也就是说管理者仍需要确定KM对企业的影响，但KOT的确在几个方面显示了它在战术上的用途。[1]

知识目标理论概况

KOT基本上是基于这样一种见解：世界上的一切客观存在都可以始终用一种固定的结构表述出来，就像在图8–1中表示的结构。[2]

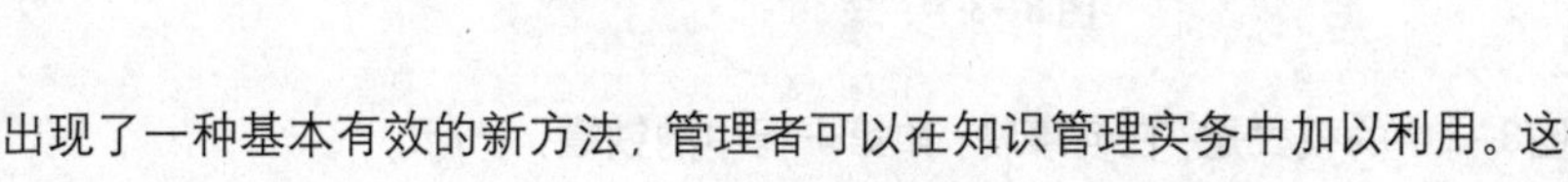

图8–1

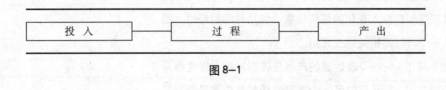

❶ 为源于KOT的所有观点分别作注释，这项工作对我来说太繁重了，对希望知道KOT更多细节的读者也没有帮助。本条注释经过KOT的发明人Michael Cahill的同意，是对KOT理论基础在全球普遍使用的注释。读者可以登录futureknowledge.biz，上面有白皮书、背景情况、技术文件等很多与KOT有关的资料。

❷ Michael Cahill, "Using Knowledge Objects for Analysis," The Future Knowledge Group Inc. white paper (2002).

现在来看看这个简单的概念在真实世界中的应用，见图8–2。

投 入	过 程	产 出
铁 罐	比利踢铁罐	铁罐移动
1和1	相 加	2
太阳从地平线上升起	地球转动	太阳落山
将石头扔向窗户	石头砸到窗户	窗户上的玻璃被打碎

图8–2 图解投入–过程–产出

栽树苗	10年过去了	树

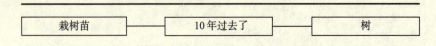

图8–3

出现在图8–2中的模式是，任何事物，如第一行中的铁罐，或者是以下几行中的数字1、太阳、扔出去的石头，经过一定的过程之后都会产生一个结果。

要理解知识目标理论，首先要理解这个被称为三元组的投入–过程–产出（input–process–output，简称I–P–O）程序（在第四章讨论信息技术的无形影响时介绍过）。三元组是解释世界上任何客观存在一致的、有组织的固定结构。三元组是一致和有组织的，是因为知识是用投入、过程和产出这种方式来表述的；三元组结构是固定的，是因为它是有规律的。正如上述范例所显示的，投入的是任何客观存在或是有关宇宙万物的任何知识。过程是引起投入变化的任何现象，包括时间的经过。图8–3就是一个与时间相关的三元组。

在图8–3中，I–P–O表达式的产出是过程对投入发生作用后形成的新知识。三元组的另一个重要性质就是很容易看出其中包含的因果关系。（因果关系及其影响在本章后半部分将有详细论述。）时间的流逝过程使某一客观存在（栽树苗）发生变化，以新知识的形式得到了产出结果（一棵树）。

意图是关键

理解知识目标理论的下一步是揭示知识的意图，即知识表达的目的，这是非常重要的一步。知识目标理论中含有一个意图指示（Intent Indicator），称为 ii 或 eye，见图 8-4。加入意图指示的知识表述三元组，被称为知识目标体系（KOM）。

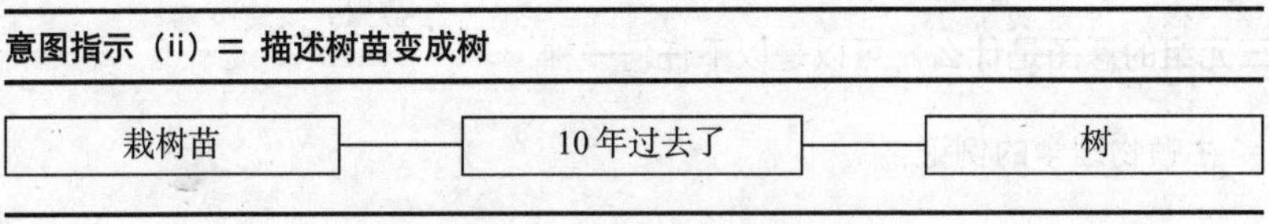

图 8-4　知识目标体系

这是一个非常普通的KOM例子，其意图指示也是非常宽泛的。由于设计人为三元组（栽树苗→时间的流逝→树苗长成树）提供了一个意图指示（明确表达这个三元组是关于什么的），我们因此知道设计这个KOM的目的是为了解释随着时间的流逝一棵树苗是怎样变成了一棵树。这个KOM只是告诉我们这样一个事实，即一棵树苗几年后最终会长成一棵高度不确定的树。这种知识目标方法使指示表达式的设计人在描述知识时，可以想宽泛就宽泛，想具体就具体。

将理论付诸实践：研发科学家的方案

假设一家园艺公司或是林业产品公司正在研制一种具有创新性的新肥料，想知道它对红枫树生长的作用。与同类产品相比，这种新肥料能让植物和树木长得更快，而且对疾病有更强的抵抗力。几个月来，一个研发小组一直在拼命地研究这个项目。图 8-5 中的KOM概括描述了这种新肥料的使用情况。

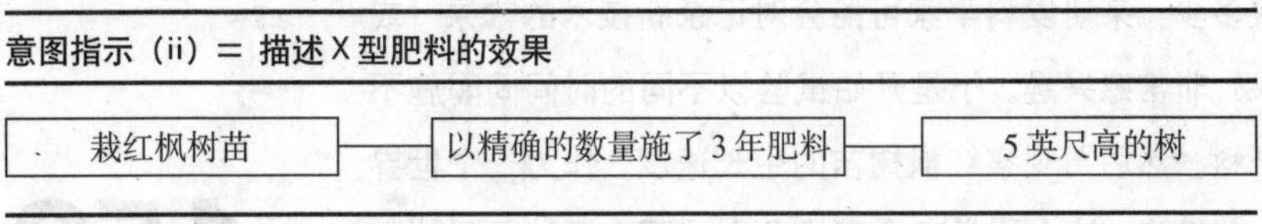

图 8-5

图8–5中的知识意图是证明一种新类型的肥料对红枫树苗生长速度的作用。取得知识的意图是非常重要的，因为如前所述，知识具有灵活性和可互换性，可以用于多种目的和情境之中。为了彻底理解意图指示的重要性和背景，现在再来看另一个踢铁罐的例子，见图 8–6。

意图指示（ii）＝ 这个三元组的意图是什么？		
铁　罐	比利踢铁罐	铁罐移动

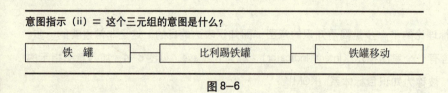

图 8–6

这个三元组的意图是什么？可以是以下任何一种：

- ii ＝ 牛顿物理学的例证；
- ii ＝ 新鞋上市的广告设计；
- ii ＝ 描述儿童的游戏；
- ii ＝ 比利不良行为的例证。

以上意图中的任何一个看起来都可能是描述比利踢铁罐这个三元组的意图，因为我们从图8–6中只能知道铁罐被踢后移动了。另外，三元组的意图，也就是它的设计目的，取决于什么人在什么样的背景下制作了它。那么在知识管理原理的背景下设计一个具体三元组的动机是什么呢？现在再回到红枫树苗的例子。

图8–5描述的是肥料创新对红枫树苗的施用过程，但同样没有提供很多有关肥料效果的细节，只是告诉我们施了 3 年肥料。为了确定新肥料使红枫树比起不施肥或是施公司以前的产品长得快多少，某研发科学家可能会对记录新技术的效果（或没有效果）非常感兴趣。于是开始试验以不同的时间间隔施不同量的肥料，然后再观察红枫树苗的生长速度。作为一个世界级的树木栽培家，这个科学家会安排 3 个课题来测试不同的肥

料溶剂量，并研究其影响。研究结果见图 8–7a、8–7b、8–7c。

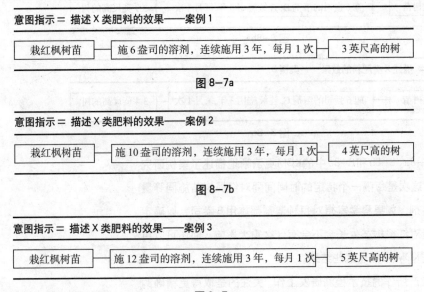

意图指示＝ 描述 X 类肥料的效果——案例 1

栽红枫树苗 — 施 6 盎司的溶剂，连续施用 3 年，每月 1 次 — 3 英尺高的树

图 8–7a

意图指示＝ 描述 X 类肥料的效果——案例 2

栽红枫树苗 — 施 10 盎司的溶剂，连续施用 3 年，每月 1 次 — 4 英尺高的树

图 8–7b

意图指示＝ 描述 X 类肥料的效果——案例 3

栽红枫树苗 — 施 12 盎司的溶剂，连续施用 3 年，每月 1 次 — 5 英尺高的树

图 8–7c

以上每个案例研究涉及的都是以不同的时间间隔给红枫树苗施不同量的肥，以检测这项技术的效果。为了方便理解，这里刻意把案例做得简单一些，排除了气候、土壤成分以及从事这项研发活动的科学家可能会有兴趣检测的其他变量。所有这三个KOM都显示了红枫树苗在以不同的频率施以不同的溶剂量后的不同变化（树苗在试验刚开始时的高度当然是一样的），同时每个KOM都有反映各自三元组特殊目的的意图指示。在科学家以后测试某类产品时会用到的全球知识库里，这些 KOM 成为其中的元素。这个科学家发现，增加肥料的施用量和施肥频率能产生最佳的结果。

现在我们来给案例增加点难度，假设科学家分别以不同的浓度——溶剂 A、B 和 C——施肥。这位科学家关注的是记录下不同浓度溶剂的性能及其与红枫树苗的快速生长、对疾病更强的抵抗力之间的关系。这个案例在增加难度之后，进一步证明了 KOM 和 KOT 方法的实用性。为了使案例保持简单，假设溶剂 A 用于案例 1，溶剂 B 用于案例 2，溶剂 C 用于案例 3。新的 KOM 见图 8–8a、

8-8b 和 8-8c。

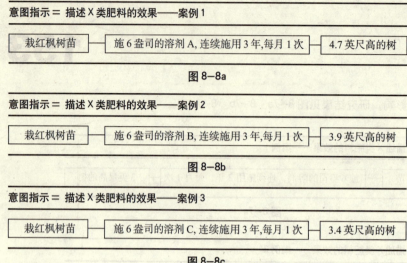

意图指示 = 描述 X 类肥料的效果——案例 1

栽红枫树苗 — 施 6 盎司的溶剂 A, 连续施用 3 年,每月 1 次 — 4.7 英尺高的树

图 8-8a

意图指示 = 描述 X 类肥料的效果——案例 2

栽红枫树苗 — 施 6 盎司的溶剂 B, 连续施用 3 年,每月 1 次 — 3.9 英尺高的树

图 8-8b

意图指示 = 描述 X 类肥料的效果——案例 3

栽红枫树苗 — 施 6 盎司的溶剂 C, 连续施用 3 年,每月 1 次 — 3.4 英尺高的树

图 8-8c

图 8-8a、8-8b 和 8-8c 中的 KOM 更清晰地描述了案例研究的结果，这次是每隔一个特定的时间间隔对红枫树苗施同等量的不同溶剂。如果科学家想对每种溶剂都施用 8 盎司，以确定增加的量对红枫树苗生长会不会有什么重大影响，他还可以再制作一些 KOM 来描述这些结果。

为投产所作的技术检测研发工作，关注的是取得更精确的知识细节。因此，在为知识目标机制的因果关系结构描述的结果建立数据库时，科学家决定再设计一组 KOM，用于描述三种化学制剂以某种方式结合之后分别得到溶剂 A、B 和 C。虽然 KOM 程序可以适用于所有被测试的溶剂，不过我们在这里只列出溶剂 A 的图表说明，见图 8-9。

意图指示（ii）= 化学制剂 1、2 和 3 组成溶剂 A

化学制剂 1、2 和 3 — 化学制剂混合并发生反应 — 溶剂 A

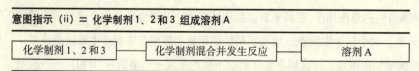

图 8-9

在图 8-9 中，科学家记录下化学制剂 1、2 和 3 被用于生成溶剂 A。当他利用 KOM 方法捕捉有关这些溶剂进展情况的信息

时，肯定还会想要记录下这些制剂在生成溶剂A的过程中所发生的特殊化学反应的性质。见图8-10。

意图指示（ii）＝ 描述用于制成溶剂A的制剂之间的化学反应

投入 ↑	过程 ↑	产出 ↑
科学家记录下三种化学制剂被混合在一起的量，作为本KOM的投入	科学家根据他在化学、生物化学以及生成溶剂A所需的任何科学方面的专业知识，描述这些制剂的特殊化学反应	产出是对特殊化学反应的描述

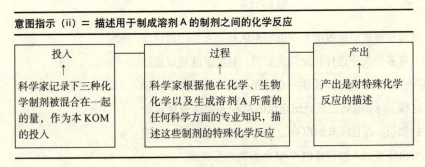

图 8-10

这实际上仅仅是对这种可用于商业性产品的技术——溶剂A建立知识库的起点。为了充分利用知识目标理论在建立知识库方面的价值，科学家还要设计很多与描述溶剂A效果的案例1有关的KOM，同时还要为溶剂A和溶剂B建立同样多的KOM。读者已经看到，这个科学家先是设计了一个表述得相当概括的KOM，陈述他正在研究的一种溶剂将被用于红枫树苗，这棵树苗在将来的某个时间会长成一定高度的树。然后，他又设计了几个KOM，更详细地解释用于红枫树苗的溶剂的性质。接着，科学家更进一步地描述了加速树苗生长的化学反应，这些化学反应是在构成溶剂的制剂之间发生的。在新肥料的研制过程中，不断改变溶剂的不同成分，是个分解的过程，这个过程使知识创造者得以了解对分析对象发生作用的主要力量。在本案例中，多种力量（即制剂）在最高浓度时被制成一种帮助树苗长成树的肥料。

现在假设土壤成分是影响溶剂效力的一个因素。科学家可能还要把土壤成分作为影响树苗生长速度的变量，描述相关知识。假定试验田中有很多不同的土壤类型（类型1、类型2等），科学家将设计出固定的KOM，描述它们对树苗生长的影响。见图8-11。

科学家可能会测试溶剂A对很多种具有不同pH值的土壤的效果。如果愿意的话，科学家可以设计一个KOM，描述构成溶剂A的制剂与土壤中的酸性物质、碱性物质或其他养分之间的特殊化

意图指示（ii）＝ 描述溶剂 A 对土壤类型 1 的效果

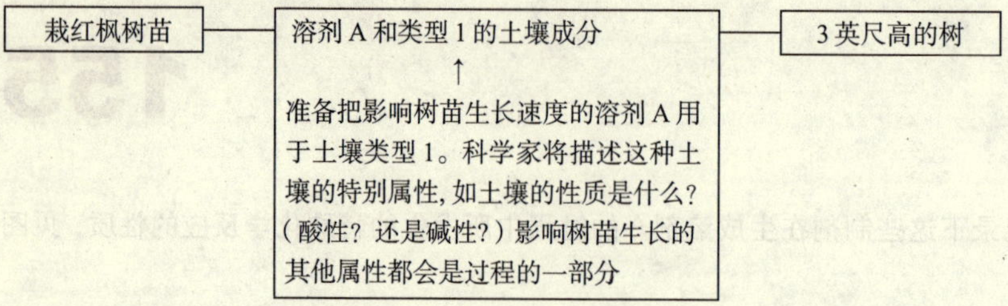
栽红枫树苗
溶剂 A 和类型 1 的土壤成分
3 英尺高的树
准备把影响树苗生长速度的溶剂 A 用于土壤类型 1。科学家将描述这种土壤的特别属性，如土壤的性质是什么？（酸性？还是碱性？）影响树苗生长的其他属性都会是过程的一部分

图 8–11

学反应，就像他描述引起溶剂 A 中的制剂之间相互作用的特殊属性一样。有多少关于这种新肥料的知识，科学家就可以设计多少个KOM，并为每个KOM提供一个意图知识，描述特定KOM的目的。这样，科学家通过设计出连续的KOM获得了有关这个研发工作的知识，而且所有的KOM之间都能建立超链接，以便使用者能看出所有加入知识库的KOM之间的相互关系。

将理论付诸实践：营销方案

现在假设研发小组的艰苦工作结束了，溶剂 A 的效果明显好于市场上的其他同类产品。于是，公司准备把这个我们称为 BestGrow 的产品投入市场。那么营销主管将会设计什么样的 KOM 呢？

她可以先设计一个概括的KOM（见图 8–12），描述新产品 BestGrow 是由创新溶剂 A 发展而来。

意图指示（ii）＝　描述最终形式的新产品

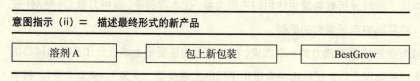

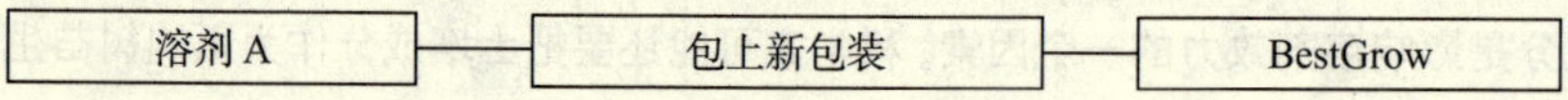
溶剂 A
包上新包装
BestGrow

图 8–12

最概括的表述就是溶剂 A 将被装入一个包装盒，再贴上标志，就成了 BestGrow。现在设想公司为了节约资金，同时为了

使其品牌保持一致，决定选择标准包装盒用于整个生产线。不过，新产品包装盒上贴的标志是新的，因为营销主管希望清楚地表明这个产品与所有竞争品牌相比是多么具有创新性。图8–13本身并没有显示出多少信息，但它却是考虑产品定位的起点。在构思营销计划时，这个KOM将作为分析重要因素的起点。

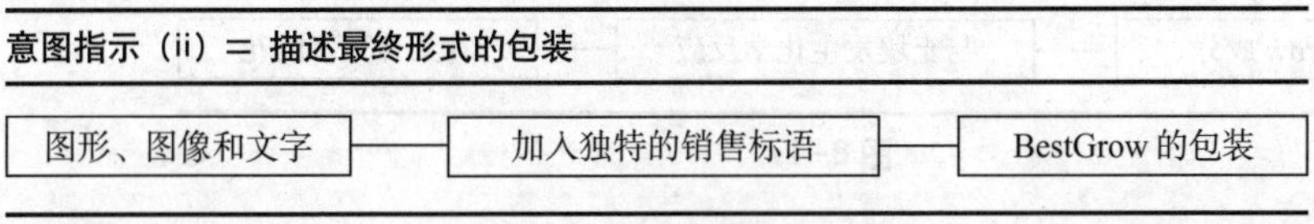

图 8–13

图8–13描述了营销小组如何采纳将用于标志设计的视觉和文字元素，如何加上一个赞美BestGrow优点的独特销售标语。这个KOM显示，研发小组需要一个描述BestGrow特征的独特销售标语。这个问题即使KOM没有显示出来，研发小组显然也应该知道，但是利用KOM记录下营销计划的元素，可以使计划过程更严谨，同时促使战略负责人清楚地考虑如何吸引市场的注意，以最大限度地增加销售新产品的可能性。图8–14是一个开始深入研究市场定位战略细节的KOM。

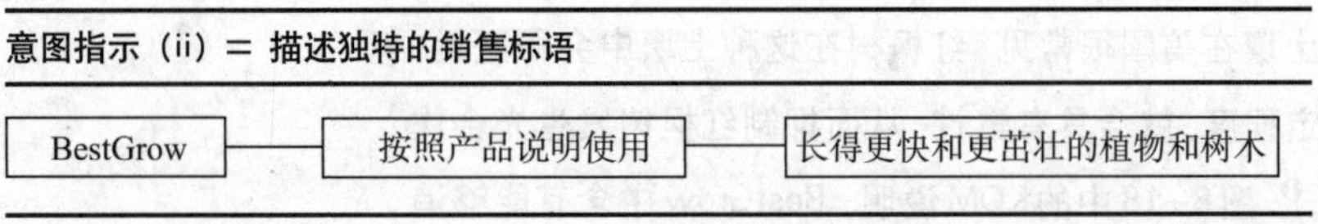

图 8–14

营销主管现在想分解这个独特销售标语的组成成分，以回答这些问题：到底是什么使BestGrow成为市场上最好的植物肥料？我们想传达有关这种产品的什么信息？利用KOM的分解过程（见图8–15、图8–16和图8–17），是分析这个独特销售标语的一个方法。

在这三个KOM中，营销主管需要使用统一固定的方法，根据为BestGrow准备的营销活动所需的详细程度，清楚地说出这个新肥料溶剂的优点。如果营销小组需要的话，主管可能还要从第三

意图指示（ii）＝ 描述产品区别1

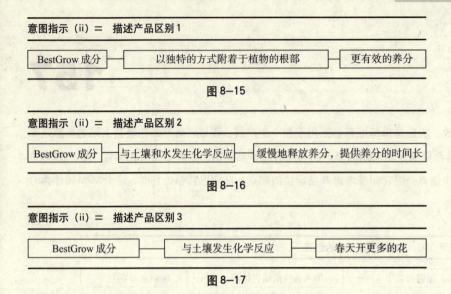

BestGrow 成分 — 以独特的方式附着于植物的根部 — 更有效的养分

图 8–15

意图指示（ii）＝ 描述产品区别2

BestGrow 成分 — 与土壤和水发生化学反应 — 缓慢地释放养分，提供养分的时间长

图 8–16

意图指示（ii）＝ 描述产品区别3

BestGrow 成分 — 与土壤发生化学反应 — 春天开更多的花

图 8–17

个产品区别（见图8–17）中再分离出一个KOM，更详细地解释为什么惟独BestGrow能让红枫树长出更鲜艳的花。通过分解图8–17中的KOM，展示了这些细节（见图8–18）。

意图指示（ii）＝ 描述为什么能开出更鲜艳的花

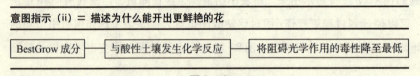

BestGrow 成分 — 与酸性土壤发生化学反应 — 将阻碍光学作用的毒性降至最低

图 8–18

酸性土壤在美国很常见，红枫树在这种土壤中会积聚锰，积累到一定程度，就会具有毒性，从而抑制红枫树发生光合作用的能力。[1] 图8–18中的KOM说明，BestGrow中含有能够消除这种毒性的成分，这当然就是营销活动希望强调的一个产品特点。由于营销总监设计了一个全面的营销计划，所以为了进行分析可能还需要建立其他KOM，如竞争对手的产品、BestGrow的价格战略、为BestGrow投入市场进行宣传等方面的KOM。

知识目标理论不是要证明，不利用KOT就设计不出使肥料

[1] http://abstracts.aspb.org/pb2003/publish/H06/0584.html.

创新的潜在收入最大化所需的营销策略。KOT的设计目标其实是促使营销管理人员更清晰地思考与营销计划有关的一些商业问题，如这项创新是什么？它为什么比其他产品更好？人们为什么要买BestGrow？根据因果关系思考商业问题——即拿起一个事物，把它放入一个程序，再想像一下结果——可以使知识创造者更深入地思考、了解手头的问题，因为这种方法要求设计者以作用于现象的因果力量的结构形式安排知识。这种创造和分析知识的方法正是一个始终有固定结构的方法。

以通用的语言为目标

KOM 特有的意图指示使它能被全球的知识设计者和使用者普遍理解，并可以反复利用。营销主管可以从一个由KOM组成的全球数据库中很容易地找到前面提到的那个研发科学家的工作成果，以用于自己的工作。虽然营销主管可能并不理解发明BestGrow所用的具体科学知识，但是意图指示可以告诉她设计这个KOM的目的是什么：科学家想要展示些什么？为了用于BestGrow的营销计划，营销主管想要了解的这些KOM是关于什么的？

意图指示可以告诉使用者这是一条关于什么的知识，这样使用者就能马上判断出它与使用者进入知识库想要解决的具体问题是否相关。如果某个KOM是以技术为导向的，营销主管在遇到不懂的问题时可以与研发科学家作交易。对于科学家制作的这个解释肥料创新化学属性的特定KOM，营销主管怎么会感兴趣呢？她可能是想写一份白皮报告或详细的产品说明，提供给美国的核心园艺专家——在美国有很多这样的专家——或是对这项创新的技术细节感兴趣的专业园艺公司。

意图指示的背景性质是KOT方法中的一个关键元素，因为知识能被别人获得并理解是异常重要的，否则任何知识管理努力注定都要失败。在BestGrow的案例中，除了那个营销主管外，还有没有人会对科学家体现在KOM中的工作感兴趣呢？CEO正要召集董事会议，准备根据这一新产品系列的情况更换董事会成员；CFO已经为研发拨了500万美元的款，正希望了解科学家的工作进展；营销总监已经开始草拟开展营销策略的方法，整个团队都需要了解她的想法。

无论是概括的知识目标理论，还是具体的知识目标机制，都没有忽略这样一个事实，即对知识的理解对于任何知识管理战略都是非常重要的，而理解知识的关键元素就是表述知识的目标——意图指示。通过意图指示，表述人可以清晰地描述KOM的目标，使用者也可以迅速了解某个具体的KOM与自己的需要是否有关系。

其他特点和需要考虑的因素

以上内容是对知识目标理论这个表述和分析知识的新方法作了一个初步的介绍。这两个关于园艺公司科学家和营销主管的虚构小故事，向我们展示了有关概括的知识目标理论和具体的知识目标机制的很多问题和现实情况。为了让读者彻底理解，还需要再解释一下。

发现你所不知道的

读者可能注意到，图8–10和8–11没有写出三元组过程部分中的具体现象，图8–9也没有描述何种化学制剂在发生了什么化学反应后产生了溶剂A。这样写是有原因的。因为笔者并不是很了解园艺行业的研发特点或产品特点，也不是土壤或研究化学反应方面的专家。设计这两个故事的目的，并不是要保持情节的完全准确，而是要让读者了解知识目标理论的力量。尽管如此，仍要确保故事的质量。原因如下：第一，我不想歪曲陈述园艺行业的研发程序，尽管本章的目的是让读者对可作为知识管理战略工具的KOT有个基本的了解，而不是解释公司是怎样研制肥料的。举例也是出于说明的目的。

第二，这个案例暗示，任何尝试建立KOM库的人，如果在用这个方法要解决的问题领域里不是专家，那么他们建立KOM的能力很快就会达到极限。如果想让KOT有价值的话，很明显就需要立刻着手深入研究有关这种肥料及其生长的现象，获得更多这方面的专业知识。这是因为KOT如前所述主要是一种在进行战略计划和风险分析时使用的工具，可以用于包括战争和反恐活动在内的很多背景之下。KOT的设计方式迫使领域专家对需要更详细说明的情况进行仔细、深入的思考。作为一种分析和表述知识的方法，KOM所表达的因果影响，只有在领域专家建立他们的意义上才是有用的。

把KOT作为知识管理工具的使用者在分析他们所研究的议题时，总是会发现他们的专业知识和理解力是有限的。这正是KOT方法的重要特色，虽然可怕，但又十分有用，并且有益——即可以帮助人们意识到都有哪些是他们所不知道的。承认自己的无知，正是启蒙和智慧的开端，因为学习能力是在现代社会获得成功的必要条件。

在BestGrow的例子中，只分解了两层就超过了我的能力范围。科学家和营销主管很可能会以不那么戏剧性但更微妙的方式在分析的某个阶段中在各自的领域碰壁，虽然他们都是这些领域的专家。出现这种情况是很正常的。在分析一组复杂化学反应的原因时，科学家可能会发现，他对为什么一种制剂会以一种特别的方式与其他制剂结合并不完全理解。而营销主管则可能会发现，她不是很理解一个竞争对手的市场份额优势。如果KOM使用得当，三元组中的因果关系就会非常婉转地指出他们在分析上的漏洞。

建立知识的有效性

利用知识目标理论揭示未知的因素，与另一个问题紧密相关。目前的各种知识管理方法都毫无例外地假设：人们所管理和支配的知识或信息是正确的。也就是说，这些知识是无懈可击的，是对某一现实情况的准确描述。在多数情况下确是如此，但并非在所有的情况下都是这样的。对于新的管理手段控制之下的智力资产，其质量控制根本没有被纳入知识管理的宽泛定义，除非组织中有人明确为确保知识具有最高的品质负责。知识会过时，会失去启示或分析的价值，还有可能是完全错误的。而KOT和KOM即旨在解决这个问题。

根据KOT，KOM共有三种：无效的、有效的和完全有效的，见以下几个图表。由于大部分读者和我一样，都不是园艺产品的专家，所以我在这里没有用BestGrow的例子解释这个问题，而是用了人人都能理解的石头砸窗户的例子。

意图指示（ii）＝ 描述窗户如何能被石头砸破

投入	过程	产出
将石头扔向窗户	石头砸到窗户	窗户上的玻璃被打碎

图 8–19　有效的知识管理机制

图 8–19 是一个有效的 KOM。为什么是有效的呢？因为这个三元组可能是正确的。把一块石头扔向一扇窗户，窗户上的玻璃就碎了。但石头很有可能是被轻轻地扔了过去，只是碰到了窗户，并没有把玻璃砸碎。或者还可能是窗户玻璃是由特殊材料制成的，石头根本就砸不碎它。因此这个KOM的设计者必须将它解析，以确定这一知识表述的正确性。

然后，这个知识创造者又将研究稍稍深入了一些，发现图 8–19 中的 KOM 原来不是有效的。因为它是不正确的，所以无效。图 8–20 向我们揭示了原因。

意图指示（ii）＝ 描述窗户如何能被石头砸破

投入	过程	产出
将石头扔向窗户	石头砸到窗户	窗户上的玻璃被打碎
↓		↑否

意图指示（ii）＝ 描述玻璃的材料

玻　璃	分析成分	3 英尺厚的树脂玻璃

图 8–20　无效的知识管理机制

对于图 8–19 中 KOM 的元素之一玻璃，图 8–20 分析了它的成分。知识设计者发现玻璃是由很难打破的树脂玻璃制成的。火箭有可能打破树脂玻璃，但石头可不行。没有人规定他不能故意把一个错误的或者说是无效的KOM放入知识库，也不会有独立的 KOM 警察来逮捕这个无效知识的表述者。

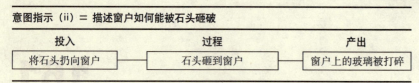

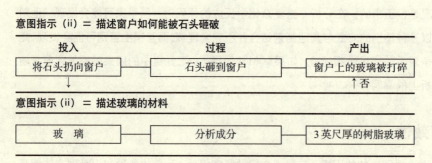

但是，如果 KOM 设计者想让他的工作有用，对形成所有以KOM为基础的知识表述结构的因果因素，就需要进行准确的

分析。如果对KOM的准确性有所怀疑，设计者就要再作一些独立的研究工作——如请教同事、购买报告、阅读商业杂志上的文章，或者是自己对现象进行观察——以确保其有效性。如果我们得知正在讨论的这块玻璃是由普通材料制成的，而石头有一磅重，那么图8-19中的KOM就是完全有效的了——这可能是真的，也可能不是。假设一个目击者告诉知识设计者，他看到窗户破了。这样，这个KOM就是确定有效的。[1] 由于知识目标理论对设计者的分析有严格的要求，因此对知识管理的质量控制是它的一个内在特征。

知识目标机制作为其他类型知识的补充

公司储存的全部知识都应该转化为KOM的观点，既不实际，同时也不是KOT的目的。因为这样做不仅会给公司带来额外成本，而且还会降低以传统形式保存的知识——如幻灯片图像、电子数据表、备忘录、电子邮件或文件——的价值。谢天谢地，KOT并不纠缠于知识是什么。不过这对任何陷入知识管理困境的人来说实在是个失败的主张。

任何有分析价值的信息都可以作为KOT方法的对象。不过，对散布在公司各处、非以KOM为基础的大量信息，通过KOM来提供线索，对公司来说可能是最有帮助的。那个为解释BestGrow创新而设计了好几个KOM的科学家，可能有10种与该创新有关的不同文件。在KOM与为建立KOM提供支持的非KOM信息之间建立异常分支和超链接，以这种方式构建知识库，对公司来说并不困难。困难的是分别从基本结构的角度（文件没被移到另一个轨道上）和关系角度（文件仍能恰当地为某个特定的KOM提供知识和信息）确保链接是有效的。因此，保持以KOM为基础的知识资产更新所需支出的监管费用无法避免。人们发现不以KOM为基础的知识管理活动同样也有更新的要求。

---

[1] 这里再加上一个简短的注释，以消除疑惑。这个KOM并没有目击者来宣布KOM的正确性。为使KOM有效而妥当地收集信息，是我正在试图了解的标准。如果一组描述竞争对手市场优势的KOM是根据一个有竞争意识的情报收集顾问的报告制作的，仍有可能是错误的。不过他们也不是不准确的，因为制作者没有以适当的注意验证他们的准确性。她可能买了昂贵的报告，指望着这个报告提供的信息是准确的，并以此为基础制作了KOM。如果信息不准确，警察可能就要介入了。警察不会关注KOM的错误，不过会对欺诈感兴趣。

KOM 提供新的检索能力

想像在公司的内部网上检索一个特定的主题时，根据的是投入、过程、产出或意图指引，而不是短语或关键词。一个以KOM为基础的知识库使这种检索不仅成为可能，而且是必然发生的。科学家也许会决定首先检索在不同溶剂的制作过程中发生的所有成分组合过程，他正是在这个过程中取得了重大的突破。科学家可能还想检索特定类型土壤的所有产出结果、与土壤对溶剂C的吸收有关的所有意图指示。所有他需要知道的知识他都可能会查询。

以KOM为基础进行检索并没有任何创新之处。尽管如此，KOM的固定结构仍使检索具有了上述这些特征。正是出于这个原因，使用者得以以更传统的关键词检索方式做不到的独特方式浏览企业知识库，而关键词检索方式只能检索到杂乱的信息集合。根据意图指示进行检索有可能极大地降低检索成本，因为知识目标的确定定义是使用者能够更快地确定该条知识是否与特定需要相关。实际上，在构建支持知识库的数据库结构时，意图指示本身就可以是数据定义格式的一部分。

知识目标理论用于企业的潜力

知识目标理论在知识管理实务中是根本性的创新吗？因为这种方法才刚刚开始使用，所以现在做肯定的回答还为时过早。任何管理方法如果在现实生活中经过检验得出有效的结果，那么它就是有价值的。不过用于设计KOT的研发成本是相当大的，包括约5年的规划和测试工作。当然，公司在用于管理知识这种企业无形资产的工具组合中加入KOT的可能性还是存在的。再次根据知识管理贡献价值的各个方面——就像在第七章通过Nathaniel Palmer的经历和yet2.com的内部市场方案讨论的——可以概括出KOT的潜在价值。

■ **KOT展示出战略性的影响**：KOT固有的分析能力表明，

它不仅是组织信息的另一个方案，还是一种帮助管理者为组织中的任何商业问题寻找根源的方法。三元组和I-P-O对分析的严格要求迫使员工认真考虑向自己和别人表述知识的方式，如果这种严格分析能够改善决策的制定和资源的分配，那么KOT就与企业的绩效联系起来。

- **KOT强调经验性的知识**：KOT不区分技术备忘录形式的外显知识与不适于整理成文件的经验性的知识或员工智慧——例如前面提到的那个航空工程师的例子，他帮助同事制定了从飞机照明设备设计一直到成品的一系列计划。没有任何文件可以显示出这个工程师具有的极其宝贵的、同时又为同事所需的生产知识。要求员工通过大脑转储（brain dump）的方法在Word或PowerPoint里保存他们所知的一切知识可以作为一种消遣，而以KOT的结构形式表述知识则很可能会帮助雇员传达这种内隐技术知识，为他人所用。假如前面那位航空工程师，根据他掌握的将新型飞机照明设计用于生产所需的专业技能，以KOM为基础建立了一个关于生产战略和设计的知识库，那么这些从未以其他形式描述过的秘密经验知识就会以KOM的形式表现出来。由一系列分析航空公司生产能力的KOM组成的内容丰富的知识库，无疑会向人们展示优先选择的生产厂商。那个需要照明设计的工程师可能就是通过这种方式得到所需的专家意见的。当然，这个猜测是假定首先建立了一个这样的知识库。

- **KOT让使用者能够迅速找到需要的东西**：在意图指示中明确的知识表述目的，确立了知识的使用背景，即这条知识与使用者想知道的是否有关？用意图指示进行检索同时也加快了使用者寻找想要得到的信息的速度。

- **KOT使知识得以再次利用**：使用者通过意图指示可以知道一条知识是否有可能适合于他。KOM中的超链接和指示可以帮助确定非以KOM为基础的信息的方位，从而使各种知识的获得变得容易，同时也增加了使用者从已有文件中“窃取”他们所需知识的可能性，这样就无需再重新创造这些知识。信息经济的现实情况——即先期工作的高成本，而复制成本几乎是零——迫切需要知识管理对这些现实加以利用，从而推动组织的经营效率。

结论

知识管理的定义危机意味着，要获得普遍证实的实践和原则更是难上加难，管理者花费过多的时间讨论知识管理是什么而不是知识管理能用来做什么是在冒险，而销售商则极有可能利用这种状况（所有的软件销售商正是这样做的），主张与竞争对手的产品相比自己的产品才是正统的。这种状况并不表示知识管理活动不会成功，而是要求管理者必须把注意力集中在组织希望从这种无形资产的利用中得到什么样的利益上，不要让知识管理的种种定义和随之产生的软件控制了工作的方向。（这一点在本章结尾的要点中有更多的论述。）

知识目标理论在帮助克服知识管理的现有弱点方面，可能是一个重要的知识管理创新。首先，KOT 根据因果关系描述知识，比起用可作广泛解释的英语逐条描述知识——如Word形式的建议、PowerPoint 形式的战略地图等——更有条理。其次，知识目标体系加强了知识的交叉功能——由业务和营销部门建立的KOM可能对财物或产品开发部门的人同样有用。跨部门的利用是知识管理的一个重要特征。最后，建立KOM的严格要求，促使设计者确认知识的准确性，降低了知识库中有不准确知识的可能。

KOT 与任何知识管理方法都有的一个缺点是，暗自假定员工肯定会分享自己来之不易的智慧，以便为他人提供指引。这种研究方法的使用背景将是关键。如果工作人员发现KOT是个非常有用的分析工具，能够改善他们日常工作的生产力和效率，那么他们可能会把KOM无偿地放入某个全球知识库，以便让别人能得到。但是，如果员工以某种方式被灌输了以知识管理的光荣名义建立KOM是非常复杂的思想，那么不仅结果达不到预期，而且员工可能还会保留他们的全部劳动成果，除非建立适当的激励机制，补偿相关的繁重工作。KOT 基本上是一个理解商业问题的不寻常的方法。它的潜在效果不会为每个人所理解或欣赏。因此，只能由发现这种方法是多有用的分析工具的人来创造知识（即KOM）和分享知识。一旦KOT成为一个不可或缺的商业工具，知识就会随之产生。

本章要点

打算进行知识管理活动的组织应当考虑以下问题：

■ 把知识管理看作是鼓励信息在整个组织内部流动的体系，并记住以下这些主要的原则：

1. **可获得性：**是不是组织内部的所有人都可以得到信息或知识？这主要不是指信息或知识所处的物理位置，而是指通过利用耐用、便利的检索能力，能找到信息或知识。

2. 重复使用：知识的内在价值是可用于很多不同的背景环境。知识一旦产生，就可以在其他地方被利用（例如，策略备忘录多半也可以用于销售计划）。虽然知识是难以精确量化的，不过工作人员不需要依靠全新的资料重新创造知识，而是可以利用他人为自己开辟的道路，从而随着时间的推移掌握改善生产力（即如何使工作变得容易）的经验信息。

3. **相关性**：决定什么信息或知识可能会有用或者没用的这种专制的监管方法，反而达不到预期目标，应该避免使用。一个有10年历史的销售业绩表能为新产品或服务计划提供历史背景资料，可能刚好就是管理者要找的资料。员工是判断在某一时间什么信息或知识是相关的最佳人选。

4. **相互作用：**因为重要信息可能是保存在其所有者的大脑里，而不会出现在某个知识库里，所以同事之间交换思想应该是任何知识管理方案的运作目标。有些行业在文化上适合这种操作方式（如商业储备是思想的专业服务咨询公司）。至少有一个信息技术调查公司希望它的分析人员记录下他们与媒体交谈的时间，因为与新闻行业搞好关系对公司来说是一个重要策略。同样把要求同事间交换思想作为知识管理工作的一部分的组织，也会鼓励员工记录下与同事之间当面或电话交流思想的时间。

第九章

无论如何也要获得客户？

从严格意义上来说，客户并不是无形资产。客户不像管理者无法看到的知识或知识产权那样无形。客户是相当有形的，既能看到他们慷慨地购买产品／服务，也能听到他们打投诉电话尖声抱怨。他们既不受组织控制，也不归组织所有，每当客户穿过马路走向竞争对手那里的时候，这个事实就越发真实。

客户不符合无形资产的定义。然而没有哪个企业会认为客户不是真正值得管理的资产，无论从言辞还是感觉的角度都是如此。一些实体投资者无疑是把公司的交易对象和客户关系的强度独立于边际收入或收益，作为预示公司未来发展潜力的重要无形资产来评估的。评估者也会在公司兼并和合并的时候确定客户名单的价值。由于承认客户是资产，客户有时又被称为“关系资本”。

一想到可以通过客户这类资产的表现证明对企业资产组合中所有其他资产的管理是有效的，那么在把客户作为一类无形资产进行管理时大胆地运用一些技巧也就不会太过偏激了。客户的市场行为是对争夺生意的企业的客观判断。组织实行的知识管理是否使专业知识在组织内部得以流通，从而使我们以更敏锐的洞察力始终如一地管理客户关系？信息技术的冲击是否提高了我们鉴别客户、赢得客户、为客户提供服务的能力？我们的知识产权和创新管理战略是否使我们以快于竞争对手的速度生产出了真正具有创新性的产品？

虽然对这些问题有最终发言权的是损益表和资产负债表，然而很多管理者都知道，客户在很大程度上影响了财务报告在任何特定时间的内容。因此，客户是一种无形资产，对已经出现的客户优化管理技巧方面的发展值得加以说明。

由于影响财务绩效的几个客户价值特征已经开始引起很多公司的注意，所以说把客户纳为一类无形资产也是有充分根据的。所有有关客户的文献，所有教你怎样诱导客户购买产品/服务的高级营销技巧，从西尔斯百货公司（Sears，Roebuck and Co.catalog）于19世纪末为乡村客户提供邮购服务从而拉开现代商品销售的序幕，一直到现在积累的所有有关客户行为的经验证据，这一切都说明我们已经拥有了相当多的客户信息。从种族、种族划分关系、偏好、宗教、邮政编码、性别、年龄、职称、教育程度和收入等各个角度对客户都有所描述。但是企业是怎样利用这些信息的？根据这些信息所显示的内容，他们有没有最大限度地加强客户管理工作呢？这些信息真的包含了企业所需的所有信息吗？

现在出现了两种管理方法，值得我们探讨一下他们在全方位客户战略中的可行性。

一种管理方法是测量客户的边际收益或终生价值。这不是新出现的概念，只是最近才把它用于客户战略。第二种管理方法其实就是更清晰地思考人力资本对客户行为的影响，即雇员与人力战略之间可计量的联系，以及人力资本如何影响与客户的交易量。虽然这在理论上也不陌生，但还是有很多公司不知道如何将人力资本并入有效的客户战略。

客户的获利能力是以终生价值和客户边际收益这些即使不定期跟踪也能充分了解的概念为中心的。特别是在企业间进行交易的环境中，有些公司不仅了解一个客户过去在公司消费了多少钱，而且还知道在扣除所有为该客户提供服务花去的可变成本之后，客户对净盈利额的净贡献。这种数据的占有会影响到三种客户管理决策的制定，即：

1. **为客户提供支持：**公司如果了解客户属于哪个获利能力区段，就可以结合这些区段为客户提供不同等级的服务。有较高价值的客户比低盈利的客户得到的支持和服务投资相对更多。

2. **客户的维系与忠诚：**公司如果了解获利能力区段，就可以更明智地决定优先考虑留住哪些客户，以免流失。能留住所有的客户当然最好，但考虑到竞争市场上资源的稀缺性，还是要采用更实际的方法。

3．**发展客户**：有的客户既可能对利润作出较高的贡献，也可能获利能力极小，这些客户在正确的激励下可以变成更高获利等级的客户。他们在客户级别中处于最差到最好之间的某个地方，要提高他们的价值等级首先要知道他们是谁。

面对更加迅速的信息流、新型的供应链安排、客户从未有过的讨价还价能力，再加上公司有限的产品／服务定价能力，所有这些都对公司的利润率形成了无比的压力，因而要求更加深入地理解客户对公司利润的贡献。图 9–1 描述了这种方法的价值主张。

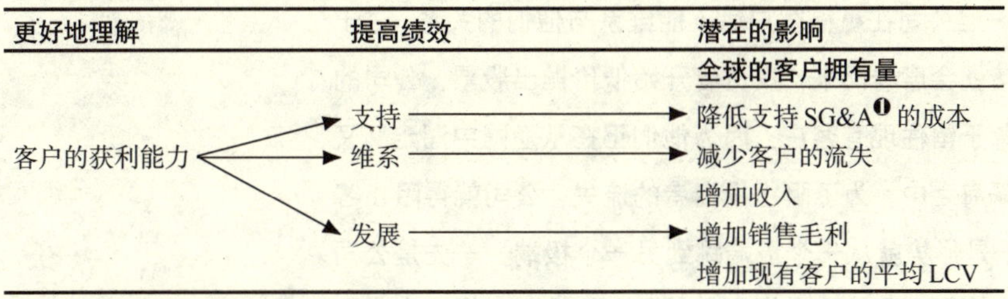

图 9–1

新的管理潮流和技术能使客户的哪些无形性变得更有形呢？很多企业在管理客户时，就好像所有客户都有同样的获利能力，而情况显然并非如此。而且，直到现在，人力资本战略和客户行为之间的因果联系还主要是靠猜测、预感和一些定性分析得以了解的。

已经出现了新的方法，为企业理解雇员以及支配雇员的政策和程序对客户购买倾向的直接影响方式，提供了严格的分析手段。更深入地理解上述因素，并且针对这些因素所揭示的客户情况致力于改善企业实践，可以去除同忽视这些客户情况相连的神秘性和无形性。如果说不能测量即不能管理，那么忽视了的当然也就无法测量。

---

❶ Selling, General & Administrative Expense：销售和管理费用。——译者注

把管理的焦点以这种方式集中于客户，可能还会对投资者产生影响。正如前面提到过的，拉拢客户的行为是投资者作投资决定时要考虑的一个重要趋势，是显示管理效率的晴雨表。但是，《穿越鸿沟》（*Cross the Chasm*）一书的作者、著名的咨询顾问杰弗里·摩尔（Geoffrey Moore）在唐·派柏斯（Don Pepper）与玛莎·罗杰（Martha Rogers）合著的《一对一，企业对企业》（*One to One，B2B*）一书的前言中断言，投资者对公司客户管理实践的反应起伏不定，先是精力过于旺盛，然后一下子就会变得莫名其妙地悲观起来。如果某家公司成功地留住了客户，投资者就会高估客户群的实际价值，向这家公司过度投资。这反过来又促使企业继续疯狂地捕捞客户，就好像他们是渔网里的金枪鱼，因为不管获得每个客户的成本有多高，只要能拼命地拉拢客户，股票的价格就会抬得更高。而这正是投资者想要的！

然而一旦公司在赢得客户后不能维系与他们的关系，过于悲观的情绪就会席卷而来，投资者开始低价抛出股票，公司的反应则是急于留住现有客户，因为他们正在从渔网中溜走，又要游回到深海之中。为了阻止投资者的流失，公司就得阻止客户流失。于是形势就从一个极端跳到另一个极端——先是公司捕获客户，投资者紧随客户增长，然后客户消失，投资者也紧跟着消失。

更富洞察力、更公平的客户管理方法能不能对这个市场情绪紊乱的情况起到作用呢？可能的一个方法就是，承认对很多公司（也许新成立的公司除外）来说，纯粹为了赢得客户和市场占有率而赢得客户，不是成功的战略。

嗨！客户——你今天为我做什么了？

公司很少会公开提出这个问题，但私下里这种态度却越来越能为人们所接受，因为它刚好就是相信客户永远是正确的、应不惜一切代价赢得客户的一代管理者所公认的、不容置疑的信条。有的公司已经意识到需要用更巧妙的方法来提高收入和利润，对这些公司来说市场占有率开始变得没那么重要了。把客户从竞争对手那里挖过来固然重要，不过增加与现有有利客户的交易量也同样重要。

在开始讨论本章重点之前，先加上一段有关如何计算边际收益和客户终生价值（lifetime customer value，简称LCV）的评论。这是一些在测量客户获利能力的背景下很容易理解但又十分重要的概念。

理解客户的获利能力[1]

客户终生价值（LCV）是一种度量标准，是更有效地分配内部资源的战略基础。

假设服装零售商的客户乔和萨利在一年里购买了相同货币价值的商品。尽管二人的购买额相同，但公司通过进一步研究发现，他们的客户终生价值完全不同。这是为什么呢？

首先计算每个客户购物带来的总利润。然后用销售额除总利润得出总利润率。总利润率在帮助确定哪个客户最能产生利润方面，是个很好的指数。总利润率在不同的时间可能会有变化，但为了便于分析，它在这里保持不变。

这家服装零售公司通过审查交易数据了解到，在四个季度里，乔购买服装带来的总利润分别是：60美元（销售额200美元）、15美元（销售额50美元）、45美元（销售额150美元）、30美元（销售额100美元）。很明显，不同服装产品的利润也不同。此时总计500美元销售额的总利润是150美元，这表明利润率为30%。

有关萨利的交易情况如下：80美元（销售额200美元）、20美元（销售额50美元）、60美元（销售额150美元）、40美元（销售额100美元）。萨利在该公司也购买了500美元的产品，但她的LCV是以40%的利润率为基础的。

为了计算LCV，需要确定乔和萨利的边际收益（contribution margin，简称CM），在这里是销售总利润减去因二人购买公司产品发生的所有可变成本。假定每个季度为乔和萨利花费的可变成本都是10美元，那么当年萨利的CM就是：80−10=70；20−10=10；60−10=50；40−10=30。计算乔的CM同样简单。

[1] 改编自我于2001年5月和6月为《网络周刊》（*InternetWeek*）撰写的两篇专栏文章。我把两篇文章的最佳部分合为一篇有关什么是LCV及其测量目标的简短材料。感谢当时是Mainspring顾问公司主任的Julian Chu对计算过程所作的检查。Mainspring后来被IBM收购。

然后确定CM在每个财务季度的净现值（net present value，简称NPV），把这些数值相加就可以计算LCV了。我们使用把资产成本和通货膨胀考虑进去的NPV计算法（可以用Excel计算），其实就是CM × NPV系数。使用Google这样的标准检索工具，可以检索到好几个展示NPV系数计算表的网站，会根据不同的时间段和贴现率提供适当的NPV系数。在我们的这个例子中，四个季度的NPV系数都是4%。

在四个时段中，萨利的NPV分别是：时段1为70（这一时段无折扣）；时段2为10 × 0.925（0.925是第二时段的NPV系数，折扣率是4%）；时段3为50 × 0.890；时段4是30 × 0.855。把四个NPV值相加就得到149.40美元的LCV。如果这家零售商与萨利的关系为10年，管理者可以计算出40个季度的LCV，这样就能更好地审视与萨利做生意的长期价值。

乔的LCV可以通过同样的程序很容易地计算出来。

在计算LCV时应注意以下问题：

- 从营业额开始测量LCV没有什么价值。这是很多公司在.com繁荣时期所犯的一个重大错误。想要通过LCV洞悉具有最大获利能力的客户，管理者必须首先计算边际收益。完全从定义的角度，边际收益等于销售额减去可变成本。在互联网极度风行的时期，营业额的增长推动了公司股票价格的上涨，这段时间用营业额计算LCV的情况最为普遍。然而实际推动市值增长的是利润，真正推动利润增长的则是边际收益。

- 从营业额开始测量LCV可能会使数据有出入。假如高收入的客户购买了利润较低的产品组合，那么一年间购买了1 000美元产品的人，其LCV可能比购买量为500美元的人的LCV还要低。

- 较高的总利润率在衡量哪个客户最具获利能力方面，是个不错的早期指标，不过不是最终的指标。有时可能会出现这种情况，即有着较低利润率的客户却有着较高的LCV，原因是围绕该客户发生的部分可变成本——获得客户、留住客户以及为客户服务的成本——可能低于那些利润率高的客户。

- LCV始于丰富的数据。客户终生价值的准确计算要求有详尽的数据组，能够确定与某一客户有关的成本。要尽可能精确地跟踪这些数据，掌握有关赢得客户的成本以及正在进行的维系、营销、支持和维护成本的数据，是进行准确测量的首要条件。

- 了解贴现率能够加强LCV的说服力。在和净现值矩阵——即计算未来现金流的今天价值——一起使用时，贴现率是与另一项目相比投资于某个项目的资本成本或机会成本。LCV代表对客户资产投资的新方式，这个思想要比贴现率重要。对客户打分的公司也许会对那些LCV更高的客户投入更多的时间和营销资金。通过对代表较高利润潜力的客户投资，使管理者得以更有效地利用了劳动力和资本。

以前在电脑行业中有个笑话，就反映了这种态度上的变化。这个笑话讲的是，爱克莫电脑公司（Acme）卖给一个客户一台电脑之后，这个客户的电话顿时就如潮水般地打到公司，一会儿咨询琐碎但又耗时的技术支持问题，一会儿又抱怨他比朋友买电脑花的钱多，而且他还不喜欢这台电脑的颜色。Acme分析了呼叫中心的记录，并大致计算了行为成本，结果发现为该客户提供服务的成本远远高于平均值；这笔交易的利润率不仅低，而且还在持续下降，因为客户每多打一次电话，就会给组织增加10～15美元的成本。由于对这个麻烦的客户不知如何是好，一个客户战略主管干脆说："咱们给他买台戴尔电脑好了。"

虽然这个故事的有些细节可能不是太真实，但基本意思没有错。对有的客户值得投入内部资源，有的则不然。虽然大部分客户都不会这么麻烦或是无利可图到避之不及的程度，但公司还是逐渐认识到需要知道谁是最有获利能力的客户，谁是最有发展潜力的客户，因为他们相信未来的收益能力就来自"客户消费占有率"（share of customer example），也就是说要跟踪客户的长期购买情况，目的就是让该客户经常光顾。在上面这个极端的例子里，一个电脑公司甚至花钱摆脱某个从长期看是不能带来任何利润的客户，因为公司推测，为了留住这个客户，在将来可能发生的成本，比起为摆脱这个客户而花费的先期成本（买一台戴尔电脑的成本）还是要高。

评估获利能力可以降低客户支持成本

几年前，在呼叫中心的业务领域，出现了加强识别根据客户等级分配内部资源的需要的建议。金融服务业再一次证明了自己就是坐在班里最前面那个自称无所不知的学生，不停地举手回答问题，因为他知道所有问题的答案。

金融服务公司拥有非常细化的客户资料信息，可以使客户的得分与呼叫中心提供服务的接线员的等级相匹配。呼叫中心的来电显示（Caller ID）技术可以让公司知道谁在给公司打电话，根据公司确定的客户价值得分，划线机就会把电话转给特定的员工。例如，Flush Frank 在公司拥有 250 万美元的资产，并且在 5 年内有增加投资金额的趋势。Helen Hotshot是公司雇员中最有经验、最有教养的接线员之一，可以由他来处理Flush Frank 打来的电话。而拥有 1 万美元的市场基金、在两年内没向公司投过一分钱的 Johnny Gypo 打来的电话则由Novice Ned 应答。

这样做的用意很简单，即把自己拥有的最佳资源分配给最佳的客户。客户的获利能力得分为这种结合方式提供了合理依据。

这种做法在金融服务业已经变得相当普遍，评估资料会影响到是否免收透支费或向信用卡收取利息等的每一个公司行为。有一家银行每天早上都会向分行经理发送一份报告，告诉他们哪个客户在前一天晚上被退票以及所确定的罚款金额。过去，支行经理决定是否罚款时靠的都是给客户的感性知识——如他是个好人，或是隔壁邻居，等等。现在银行则从获利能力的角度给客户打分，然后在透支报告中显示评分结果。是否执行罚款仍需要由管理人员作出判断，这个决定是无法自动作出的。不过现在能做的是免收高分客户的透支罚金，只向低得分的客户收取罚金。这样做可以达到两个目的。首先是向高分顾客表示感谢，这远比偶尔说几句"谢谢"

更实际。其次，对于低得分的客户，这个政策有实际增加他们获利得分的附加效果，虽然可能只是提高几分。相对于补偿退票发生的真实成本，银行收取的透支费是相当高的，是个高利润的业务。

飞行常客里程积分卡（Frequent-flier miles）就代表了这种思想：更好的顾客——即那些经常乘坐一家航空公司飞机的顾客——可以得到额外补贴，而其他客户则没有。不过，即使是这种思维方式也发生了新的变化。如德尔塔航空公司（Delta Air Lines）宣布调整它的飞行常客里程积分卡项目。根据这个调整方案，购买全额机票的客户，比起在Expedia旅行网站上以二五折购买飞往同一目的地机票的客户，能飞更多的英里数。我们再一次看到，客户给组织带来的价值与为该客户提供服务的内部资源之间的优化结合。德耳塔公司的政策改变是如此的有意义，我们不禁要问：为什么等了这么久才得以执行？其他航空公司都干什么去了？

有的公司认为无论失去哪个客户都是无法接受的，因此对即使是无利可图的客户也害怕失去。这些公司应该和威尔豪瑟公司（weyerhaueser）位于威斯康星州生产门窗的部门聊聊。在互联网出现之前，该部门并不知道都是哪些产品批发商对公司的盈亏作出了贡献。后来出现的客户等级评定软件，使该部门得以了解这些情况。之后不久公司就丢弃了一半客户。表面上看，这真是太不像话了。然而，一年后公司门窗的总销售额就翻了一番，达到80万美元。[❶] 这正是客户评分理论的支持者认为可行的价值命题——淘汰对公司获利能力很少或者没有贡献的客户，把精力转而集中于有着相对较高获利能力和未来价值潜力的客户。

有些行业已经开始进行客户获利能力的描述，但从来没有从这些角度考虑过。例如，医疗保险公司利用保险精算学确定为某个公司承保意外伤害险的风险。为意外伤害承保的风险本是非常低的，而保险精算学却说，生老病死是无法避免的，意外伤害也是一样。承保人实际上有两类客户：一类是自己支付保险费的雇主，一类是共同组成公司的雇员。承保人会对涉及雇员的风险业务——如抽烟、酗酒、久坐不动的生活方式——进行分析，然后对这些直接影响健康、但又是可控制的问题采取措施。

---

❶ Marcia Stepanek, "Weblining," *BusinessWeek e. Biz*, Cover story (April 3, 2000).

对承保人来说，这样做降低了风险，属于很好的保险业务实践。承保人真正的想法是，希望把那些不能带来利润的客户发展为更有利可图的客户。教育和健康计划也许是个办法。由于法律禁止保险公司从投保的公司中挑选它想承保的雇员，这使得保险公司的工作变得复杂，不过达到目的的手段是显而易见的。

根据我于2003年初秋在西雅图假日酒店逗留期间得到的启示，我们来做个思维实验，作为本部分的最后一个案例。

假日酒店显然因为顾客偷走印有公司标志的毛巾而损失巨大。在我房间的浴室里，一个塑料牌静静地躺在台子上，上面印有管理人员巧妙构思的信息，主要意思是，顾客们都很喜欢酒店的毛巾，如果是我的话，就会考虑临走时带走一条，假日酒店会说："拿走吧，欢迎拿走。"不过，毛巾不是免费的，它的价格会加到我的房费里。管理者这样做是既想避免面对面的冲突，又不想对一个需要正面解决的严重问题作出妥协，因此想出这种友好的方式向客户传递信息。我现在并不知道假日酒店是在虚张声势，还是真的会这么做。假定酒店是认真的，在描述获利能力的背景下，假日酒店会如何对付一个现实的成本问题呢？

在旅馆业，很容易获得客户及其入住频率方面的丰富数据。如果要把客户的总收入、支付零售价或优惠价而非使用意得网(Priceline)[1] 的频率、偶尔入住的次数等因素（客户是四处搜寻廉价的小旅馆，还是会在登记入住之前点击7-Eleven便利店[2]囤积快餐？）考虑进去，给客户的获利能力打分，对假日饭店来说不是什么难事。

如果毛巾被盗，公司可以放过具有最高LCV的客户，因为公司有理由认为更换毛巾的成本与该客户一年来所带来的利润相比是极低的。对 LCV排在第二位的客户前一两次的偷盗事件也可以不追究，但是如果这个客户最后证明是个毛巾盗窃狂，可能就要向他发出谨慎措词的信函了。假日酒店必须对分出多

[1] 以"用户定价"为商业模式的商业网站。——译者注

[2] 全球最大的连锁便利店。——译者注

少等级的客户获利能力才有意义作出准确的判断。不过客户等级一旦建立起来，酒店就会根据客户在等级表上所处的位置，开始区分差别地处理问题。哎，要是我偷偷地把毛巾塞到行李箱里，毛巾价格肯定就会加到我的房费里，因为毫无疑问我不是任何连锁酒店的绝对忠诚客户，我平时只是找两星半的旅馆住，只有在定期使用Priceline安排住宿的时候才会住好点的饭店。假日酒店可能从来都没听说过有我这么个人。我当然也想不起来在那次旅行之前，最后一次是什么时候住过一个假日连锁店了。

对假日饭店来说，更完善的客户管理方法基于的重要假设是，为增添毛巾而向客户收取费用的这个防御政策带来的问题可能比它解决的问题还要多。忠于假日酒店这个名称的客户可能会对该政策大为恼火，从而使酒店面临失去他们的危险，虽然控制这一真实的经营成本是酒店的权利。（没有哪个旅客会编造借口说自己有权从房间里搬走一台电视机。）只有拥有了正确的数据，能计算出窃贼嫌疑犯的边际收益和终生价值的特征，这个问题的区别对待解决方法才能取得成功。

通过评估获利能力得出清晰的客户获利能力表现资料，可以以此为根据制定适当的政策。拒绝根据获利能力区别对待客户的管理者一定认为，惟一能个性化的是他们提供的产品和服务，而分配给客户的内部资源则不能个性化。这也是目前很多行业的现实情况。

获利能力得分及其与维系和忠诚的相互作用

上述有关假日酒店的思考练习，是在公司对毛巾盗窃这个客户支持问题建立差别对策的背景下提出的。应当指出的是，这里也有忠诚和维系的因素。面对巧妙设计的盗窃指控，客户会作何反应？根据对客户获利能力的评估结果，假日酒店只需关心一部分客户的反应。对只有很低或甚至没有获利能力得分的旅客（比如我自己），如果拿走了毛巾，酒店可以从他们的信用卡中扣除毛巾的费用。而对那些具有较高获利能力的长期客户，则有理由采取完全不同的方式对待他们，因为酒店应当相当关注这些客户关系的维系，即他们在酒店作出要求赔偿偷走的毛巾这个危险但又合理的决定之后，是否会决定终止与假日酒店的关系。

对客户获利能力进行评估，不仅能通过更好地理解客户对盈利的贡献，对他们进行区别对待，从而节省下来服务和支持成本，还能告诉组织如何留住最佳客户。在上面的这个例子里，假日酒店试图通过故意不对偷走的毛巾收费努力留住客户。因为这么做可能不值得。

这种客户忠诚和维系的思想，和乡村小店主以赊账的方式卖给顾客商品一样古老，或许也和友好的酒吧招待偶尔给客户买杯啤酒一样古老。店主赊账卖货是因为他知道买方以后肯定会付账，于是想通过这种方式让客户高兴。酒吧招待会给客户买啤酒，是因为她知道这个客户已经光顾她的酒吧很多年了。在这两个例子里，卖方都是在根据客户的边际收益作出分配资源的决定，尽管计算方法并不科学。以感性认识为基础作出有关客户管理的战术决定，在这些小市场的情况下是没问题的，但当商店是Safeway，餐馆是Olive Garden或Cheesecake Factory的时候，就不能很好地估量了。需要有一个更适合的、更有条理的方法。

莱希赫尔德（Frederick Reichheld）于1996年编写的《忠诚的价值》（*The Loyalty Effect*）是一部具有创新性的著作，因为该书对忠诚进行了重塑，把它从客户资料中一个模糊的无形元素改写为企业财务绩效的有效经济推动力。莱希赫尔德通过有效地证明最忠诚的客户为组织创造了最高比率的利润，去除了围绕忠诚的无形性。他的这个见解使我们完全改变了对客户关系中是什么元素推动了财务绩效增长的认识，同时还向人们指出，公司需要比以前更细致地思考客户管理的作用。

莱希赫尔德所持观点的要点是，忠诚的客户往往会作出更大宗的交易，以更高的价格更频繁地购买产品。随着客户对某个特定公司越来越熟悉，越来越满意，他们会向更多的新客户提起这家公司，更乐意接受交叉销售的建议，公司为他们花费的支持费用也会更少。客户维系显然会对公司的收入和成本结构产生重大影响，因此客户的忠诚在可能的时候就会成为组织重要的战略营销目标，而不会仅仅被看作是客户对产品和服务满意的剩余收益。见图 9-2。

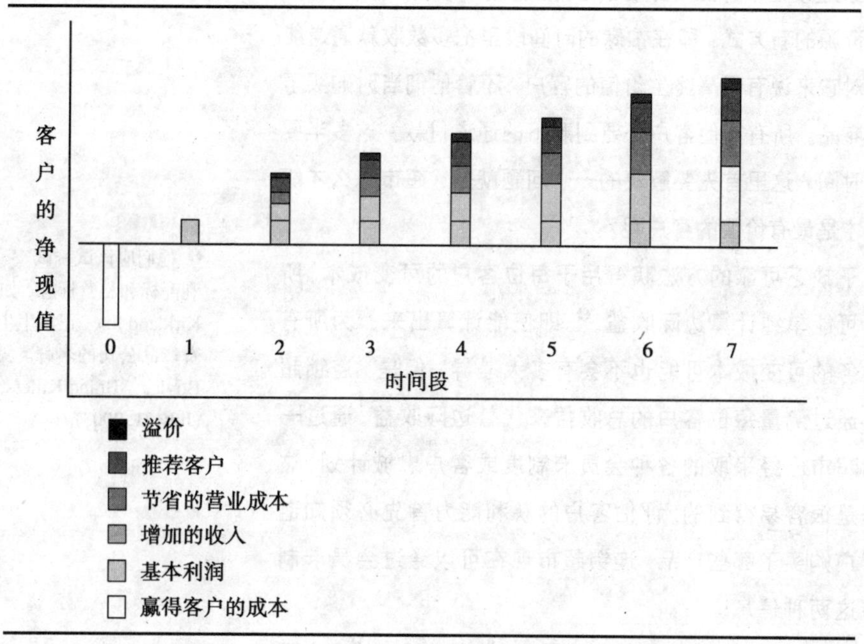

图 9-2

以客户获利能力和LCV为基础实施忠诚和维系战术是有风险的，因为这种方法只有在增加的忠诚大于新政策带来的背叛时才会成功。现在来看下面这个思维实验。

假设在对客户进行调查之后，连锁超市了解到客户去超市买东西遇到的最大问题就是要排很长的队才能付款，这个超市将怎么做呢？超市可以在每个付款通道安置一位收银员以缓解拥挤的情况，但即便如此，客户在周末购物时，付款还是得等很长时间，因为很多人都集中在这时候为家庭采购，结果收银台前就会挤满闹哄哄的购物者。假如调查还显示，如果不缩短付款的等待时间，客户的忠诚就会有危险，该如何是好？

百货商店为购买量最少的客户提供快速结账通道的这种客服组织方式，我一直觉得是完全有违直觉的。快速付款通道只供购买15或10件甚至更少商品的客户专用。在这些客户中，有的可能因为是常客而具有较高的终身价值。有些则不是，他们可能刚好是在串亲戚或是在度假，还可能是其他商店的常客，只是出于需要才来到这家超市购物的。

这家连锁超市为提高顾客的忠诚度，现在决定试验一种组织内部资源的新方式，即在忙碌的时间段里把多数收款通道能力用于对它来说有最高终生价值的客户，不管他们当时购买了多少件商品。所有其他客户都要到剩下的通道付款，这多半要等很长时间。这里首先要解决的一个问题就是，超市怎么才能知道谁才是最有价值的客户呢？

由于缺乏可靠的方法获得用于每位客户的可变成本，所以不大可能单纯计算边际收益。[1] 即使能计算出来，为所有客户服务的可变成本可能也不会有多大差异。但是，连锁超市可以通过测量每位客户的总收益来代替边际收益。通过一些连锁超市已经采取的各种会员卡制度或客户忠诚计划，这些数据是很容易得到的。评估客户的获利能力首先必须知道哪些客户购买了哪些产品，连锁超市现在可以通过会员卡制度掌握这两种信息。

于是，连锁超市开始实施这个项目，持有忠诚卡的客户可以到专用收款通道付款。如果在重要通道上，最优客户1只买了一包洗涤剂，可他排在为约翰・吉姆・鲍勃以及其他家人购物的次优客户2沃尔顿夫妇的后面，半天付不了款，这时又该怎么办呢？

这个问题可以通过技术来解决。一些连锁餐馆多年来一直在使用便携式收银机系统。服务生可以使用手持收银机直接到顾客的餐桌前刷信用卡、找零钱。超市为什么不能雇几个流动收银员处理这些异常事件呢？这样做有成本？当然了，超市必

[1] 他们应该试一试。零售商的专利商标和私营标志，如Costco's Kirkland line，正活生生地吃掉消费产品公司的名牌。见 Matthew Boyle, "Brand Killers," *Fortune* (July 21, 2003)。

须确定为满足调查显示实际存在的忠诚要求是否需要花费额外的劳动力和资本。记住，这个思维实验是假定等待付款的时间对客户来说是件大事。

当目的是留住客户的时候，将内部资源与客户的获利能力资料重新结合并不总是能降低成本。在本案例中，成本反而会增加。不过，实施这个战略增加的成本可能远远低于长期的收益。那么增加的成本是否值得付出呢？如果显示付款问题不解决顾客可能就会到其他超市购物的调查是准确的，连锁超市要在提供更好的服务所增加的成本与失去客户的机会成本之间权衡后，才能确定是否值得付出这部分成本。

如果缩短付款时间对客户来说，和可供挑选的商品、价格、营业时间等一样重要，那么在看到这个新政策实施后付款有多快之后，一些不是会员的"最优客户"也许就会加入忠诚计划，这可是个好消息。接下来的一个问题可能是，如果为了避免排长队，每个人都加入了忠诚计划，又会怎样？这种情况不大可能发生，但如果真的发生了，这家超市可就是福星高照了，因为客户获利能力战略把一大群客户从偶尔购物发展成了常客。(下一节介绍的发展战略还能发展更多这样的客户。) 或者客户本来是忠诚的，但懒得签字成为忠诚卡会员，所以超市无法知道他们的忠诚。超市不应低估把未知忠诚客户变为已知的价值，这是客户发展最明显的收获之一。知道了这些，也就知道了客户的行为和财务表现，从而去除了客户资产的部分无形性。如前所述，很多公司根本就不知道他们的客户是谁——任何精妙的客户战略显然都要求公司首先知道这些。

在本案例中，一家连锁超市为了提高最优客户的忠诚度，重新分配了它的内部资源，同时把未知的忠诚客户或是不怎么忠诚的客户变成了更忠诚的客户。如果不怎么忠诚的客户或稀客因此流失，该怎么办？还是那句话，只有这个政策真正实施以后，超市才能知道收益是否大于成本。结果可能是收益低于成本，不过既然超市想通过一个战略的实施，以更好的服务答谢那些提高了它的财务绩效的客户，就必须承担这种风险。理论诚可贵，但真实世界的结果价更高，任何战略在实施之前都是无法得到证实的。

通过对客户获利能力评分促进客户的发展

领导汽车保险公司(Progressive Casualty Insurance Company)通过电视广告宣传有价格优势的产品。公司的代理人会通知客户，与之竞争的承保人的价格在可比的类型和承保范围上是否更低。不光客户喜欢这种广告，领导保险公司同时也成功地实施了获利能力战略，这个战略的主旨是，如果一个客户完全根据价格的高低决定是否购买产品，那么他/她多半不是个“可发展的”客户，根据客户终生价值的理论，从长远来看实际为她支付的成本可能更多。这是一个找出谁是有发展潜力客户的有效方法。❶

在公司已经面对的各种行业风险之外，再有目的、有意识地引入实际会损失部分客户的新风险，似乎是相当有勇气的，在一些公司看来甚至是在犯傻。但是，如果公司为了未来的发展，利用客户价值资料确定应该向哪些客户投资，不向哪些客户投资，在这个背景下理解该战略，就是相当有意义的。随着时间的推移，承保人就能知道失去更高终生价值的客户对他来说是不是更大的损失了。

在保险行业，客户终生价值的一个关键元素是承保人承受索赔要求的比率和广度。保险业可能恰巧是惟一一个大部分客户并不使用公司产品的行业。那么有着更高发展潜力或更高边际收益的客户是否就是风险很小的保险对象呢？根据大量规则显示，可能并非如此。但如果像领导保险公司这样的承保人从终生价值和发展潜力的角度面向市场，那么列出伤亡记录的因果关系对它来说将是很有意思的。

这个与忠诚和维系密切相连的发展潜力属性，用行话说就是“发展力”(growability)。这是个很糟糕的词，但作为解释公司如何尝试提高客户群终生价值的方式独具魅力。因此，发展主要是指深化与客户之间经济关系的潜力。要求评估客户的获利能力，并不是说只有高、低获利能力这两组客户，在二者之

❶ Lynn Russo, "It Really Is All About Value," *1to1 Magazine* (May/June 2003), p. 4。

间还存在大量客户，他们的获利能力即使不惊人也是相当可观的。组织面临的挑战是，要能想出有效的方法提高这部分客户的获利能力——假设组织能为这些客户提供现实价值。有的公司会从预防客户流失的角度看待忠诚和维系。客户发展则从另一个角度积极追求与现有客户达成更多的交易。

普南投资公司（Putnam Investment）是一家位于波士顿的共同基金公司，拥有2 700亿美元的资产。面对2000年至2001年期间共同基金行业的急速发展，普南投资购买了销售和营销自动化这些客户关系管理应用程序。[1] 作为一个拥有大量共同基金的公司，普南只通过金融专业人士（如顾问、银行、经纪人）销售自己的金融产品，并不直接向投资者销售。为了向客户提供服务，普南不仅在波士顿地区安排了电话销售与服务人员，还雇佣了现场销售人员。

公司旧的模式是销售人员亲自拜访销售伙伴。但是普南预见到，随着与之建立关系的顾问及其销售的金融产品越来越多，这种业务开发模式终将会因不堪重负而失败。只能通过销售和营销自动化来扩大业务，此外别无他法。公司希望通过根据交易量给销售伙伴打分，从而更有效地分配内部资源。通过销售和营销自动化程序捕获到的数据，使普南得以进行客户获利能力评估，通过评估就可以确定，在直接拜访、呼叫中心、网络和传统信件这些渠道中，哪些是与中间人沟通并向其提供支持的最适当渠道。

通过洞悉客户的获利能力，普南不仅得以更有效地分配内部资源，还开始考虑如何才能使具有较低货币价值的销售伙伴变得更有价值。当时，普南刚好推出一个可以延迟纳税的大学储蓄共同基金，这是个很有吸引力的基金。普南密切关注着对这个项目感兴趣的销售伙伴，因为它推测，如果销售伙伴向为子女上大学筹集资金的最终用户大量销售这种金融产品，那么可能对销售公司的股票债券组合也会感兴趣。新产品上市的成败，可以向费心评估客户获利能力的公司传递一些信号，一些关于客户在组织提供现实价值的情况下获利能力提升倾向的信号。

位于多伦多的德尔塔饭店（Delta Hotel）在加拿大共有37处房产。这家饭店建立了一个

---

[1] 摘自我为*InternetWeek*所写的一篇文章"Marketing Automation Gives CRM a Lift" (March 20, 2001).

由客户购买资料和获利能力资料组成的主仓库，把这些资料与中心预订系统——旅馆业的循环系统——畅通地合为一体。[1] 在探查大量交易数据后，德尔塔又把它的最优客户分成了以下几个子集。

- 绿色客户：当时没有加入德尔塔的忠诚计划，但可能想加入的客户；
- 黄金客户：一年内入住 5 次的客户；
- 白金客户：一年内入住 15 次或更多次的客户。

德尔塔立足于基础客户发起了一个直邮广告活动。公司推测，一年在德尔塔至少住过两次的人也许会愿意加入忠诚客户计划，于是把基础客户定为一年至少两次入住连锁店的绿色客户。在此次活动中，德尔塔向客户发出邀请，如果绿色客户在 5 个月的时间里多入住三次，就可以升为黄金客户，而黄金客户多入住三次就可以升为白金客户。接受这一邀请的客户可以升入上一级别，享受所有升级带来的好处。对每一等级的客户，德尔塔都另外提供优惠作为激励，以鼓励客户升级。结果，138 000 位绿色客户中有 9 000 位升级为黄金客户——比计划多出 2 000 人。

如果普南和德尔塔饭店都没有根据客户获利能力得分发起营销和销售活动，还会得到同样的结果吗？从技术上说是可以的。但他们努力的重心是把好客户变为更好的客户，而不是赢得新客户。如果两家组织完全无视其现有客户群对利润的贡献，那么赢得新客户也可以很容易地成为活动的主题——在德尔塔的例子中更是如此。如果组织承认与现有客户达成更多的交易和赢得新客户相比，即使不是更重要，也是同样的重要，那么无论活动成功与否，获利能力评估结果的利用都能使营销和销售努力更加明确，更加有针对性。

[1] "Marketing Automation Gives CRM a Lift" (March 20, 2001).

B2C与B2B

在德尔塔的案例中，应当澄清的一个问题是，要求评估客户获利能力并不是指每个个别客户都能得到特殊的内部资源待遇，而是指客户将被分成不同的等级组，每组都会得到企业认为与该组客户获利能力相应的内部资源。因此，一家知道100 000位客户姓名的公司，如果确定了这些客户的边际收益和终生价值得分，就能了解获利能力的模式，以此作为建立客户群等级的起点。

例如，连接数据仓库的软件显示，一家公司5 000位客户的终生价值是1 500美元。一年后又显示，50 000位客户的LCV是950美元／年，25 000位客户的LCV是700美元／年，20 000位客户的LCV是400美元／年。每位客户都会被归入一个客户群。公司可以把他们分别称为白金客户、黄金客户、白银客户、黄铜客户。这一分类蓝图会带来有差别的支持、有差别的服务和营销手段，构成客户管理的所有其他内部活动都是有差别的。关键是拥有大量客户的公司，在知道客户的姓名、购买历史和获利能力的时候，可以利用统计模型建立客户群，而不必为每个单个客户制定一组特殊的客户管理战术。

不过，在企业对企业（business—to—business，简称B2B）的活动范围，情况不一定是这样的。B2B市场中有很多在消费者市场上不会遇到的问题。[1] 面对消费者的公司要应付的客户不说上百万个也有上千个，而很多B2B的市场参与者的交易对象要少得多。举一个极端的例子，L.L.Bean或Williams—Sonoma对波音公司，只有少数几家航空公司用户。人们乍一看会认为，由于涉及的人数较少，为B2B公司建立获利能力模型不会那么复杂。实际上，正好相反。

B2B公司的销售环境是异常复杂的政治和组织环境。每个用户可能都有独特的复杂性。因为面对消费者的公司具有独特的文化，组织结构也略具独特性，卖方公司因此得面对一大堆难缠的问题，每个问题都需要个别地加以考虑：谁有权购买？谁是我们的宣传者？谁有终止我们建立成功关系能力的影响力？是谁在积极破坏我们在用户组织中所作的努力？我们的价值优势如何适应用户组织的战略转变？在众多决策制定者都有发言权时，我们如何建立赢得一次交易或

---

[1] Don Peppers and Martha Rogers, *One to One, B2B: Customer Development Strategies for the Business-to-Business World*, draft version (New York City: Currency Books/Doubleday, 2001).

预约的契机？

消费者是个性化的决策制定单位，公司则不是。[1] B2B的用户环境并不适于为购买行为的主要趋势统计建模，然后再建立获利能力等级。因此用户获利能力的评估活动更多地要根据每个用户的独特环境量身定做。正是出于这个原因，B2B 环境中的用户获利能力战略，为那些对这一客户管理方法的有关技巧感兴趣的公司提供了更大的知识外包潜力。

下一章开篇就会介绍一个关于B2B环境中有关获利能力得分的客户管理案例。届时，将更详细地探讨忠诚这个直接影响客户无形资产价值的概念。

本章要点

- 客户在很多方面都不符合无形资产的定义，但在多数管理者眼里仍是一类资产。客户可以造就公司，也可以摧毁公司。
- 客户终生价值和边际贡献的思想不是新出现的概念，但是观念上的转变使得从这些角度管理客户变得重要。
- Frederick Reichheld 所著《忠诚的效果》（*The Loyalty Effect*）一书，通过证明忠诚客户群的经济影响力，提升了我们对忠诚的理解，使我们知道正是忠诚支撑了企业与客户之间的关系。
- 更好地理解与组织交易的每个或每群客户的获利档案，可以影响客户的支持、维持和发展模式。

[1] Don Peppers and Martha Rogers, *One to One, B2B: Customer Development Strategies for the Business-to-Business World*, draft version (New York City: Currency Books/Doubleday, 2001). p. 17.

第十章

盈利客户和忠诚的需要

肯沃基（Convergys）是一家经营计费、应收账款管理和客户支持外包业务的公司。该公司位于辛辛那提，营业额达20亿美元，在全球有4.4万名雇员。它的客户有金融服务行业的信用卡公司、保险公司和零售银行；技术领域的硬件和软件公司；以及无限和有限电信公司。你在给你的信用卡或电话运营商的客服中心打电话时，很有可能就是由与运营商签约的某个肯沃基雇员即时答复的（虽然你的运营商并不想让你知道这些）。

针对以下几个现实情况，肯沃基得出的一个主要结论就是它需要重构其营销和销售战略。❶

1．由于每个客户显示的终生价值不同，肯沃基需要排列其销售与营销职能的优先顺序，从而达到内部资源与客户群获利能力之间的优化结合。

2．新客户的获得本身所带来的利润未必能与客户发展战略一样多，因为客户发展战略在单纯地赢得客户上面花费的时间较少，把更多的时间用于通过附加的服务巩固与客户的关系，而为客户提供追加服务是肯沃基完全能够做到的。

3．通过这个战略上的转变，肯沃基认识到其销售人员一直以来的经营原则应当从为产品寻找客户转变成为客户寻找产品。❷

---

❶ 我于2001年6月为*InternetWeek*所写 "Reorganize Around CRM," 一文时采访了很多主管，此处有关Convergys的经历就是以这些采访内容为基础的。采访对象还包括Convergys雇来开发终生价值战略的Peppers & Rogers Group。

❷ 引自*One to One, B2B: Customer Development Strategies for the Business-to-Business World*, p. 18。这正好就是Amazon.com采取的方法。Amazon.com过去在客户与书之间建立关系，现在利用这些关系销售已有客户和新客户可能感兴趣的多种产品。几年前，谁能想到Amazon还会卖衣服和医疗产品呢？

这种思想转变强调在竞争市场上客户是多么的宝贵，因为它说明，与为现有的生产能力寻找新客户相比，获得新的生产能力然后销售给客户要更容易一些。

为客户的价值评分

在上述背景之下，肯沃基设计了一个客户成绩模块，或者说是记分卡，利用财务和非财务手段记录客户的未来价值。这成为公司的秘密教科书，销售工作即以此为中心展开。对肯沃基来说，边际收益虽然很重要，但也只是众多用于计算客户价值的重要绩效指标中的一种。

例如，公司知道，客户终生价值的计算，即来自一个客户未来利润的净现值的计算，不仅应当反映出目前与客户达成的交易量和已经承诺的未来交易量，还要反映出在合同义务之外附加交易的货币价值。肯沃基把现有价值和受合同约束的将来价值称为真实LCV，把附加交易增加的货币价值称为战略LCV——即营销和销售部门在关系已经建立之后争取来的生意。

由于肯沃基提供的服务范围很广，客户可能会需要公司的某个部门再提供第二次或第三次的服务。销售部门会鉴别这里存在的机会，进行有说服力的推销工作，然后达成交易。肯沃基建立LCV模块的目的，就是想为销售和营销主管赢得这类新生意提供导航帮助。

肯沃基看待这个问题的思路是，如果一个客户每年与肯沃基的交易额是2千万美元，而实际上其交易额最多可以达到2.5千万美元，与交易额只有1千万美元但肯沃基相信可达到1亿美元的客户相比，哪个更有价值？两个客户对肯沃基都很重要，但它想把更多的资源用于哪一位呢？公司相信仅仅追求市场占有率（新客户）并不能确保公司将来的利润率，因而通过确定这些客户所显示的最高未来潜在价值，重新分配内部资源来抓住这些有利机会从而深化与客户的关系，成为战略性的原则。那么肯沃基是怎样知道谁有更高的价值的呢？可以通过表10–1显示的客户终生价值模块得知。

表10–1　肯沃基的客户终生价值模块*

指　　数	衡　量　标　准	权　重
平均收入得分	当前和预计的花销	15%
收入变化得分	每年的真实花销	15%
获利能力得分	客户的边际收益	20%
当前的关系	已签合同的时间长短成为客户的总年数	10%
技术锁定	系统整合报告	20%
客户占有率	外包的可能	10%
合作关系	关系等级可推荐未来价值	10%

* 这是肯沃基在1998年和1999年启动客户获利能力战略时制作的原始指数的第二次重述。原始指数发表于*One to One, B2B: Customer Development Strategies for the Business-to-Business World*草拟版本的147页。在这个具体的指数重述中，边际收益一项的权重为20%。该指数注定是一个现实、逼真的弹性指南，与商业目标和环境互补，并不是一组呆板的标准。这个思想要比把CM引入指数更重要。修改后的版本是在我为eCFO（CFO Magazine的增刊，已停刊）写一篇名为“Lifetime Customer Value Value: New Business Is Great, but Generally It's a lot Cheaper to Hold on to Existing Customer”（2001年9月15日）的文章时由肯沃基提供的。

这个指数分析了有关客户资料的7个重要因素，其中有几项与其他项相比更容易理解。

- **平均收入得分**：取客户的当年收入和下一年预计收入的平均数。
- **收入变化得分**：显示客户今年在公司的花销与去年的差异。从这一项中，肯沃基可以看出逐年的增长或下降速度。
- **获利能力得分**：这项是边际收益，是在扣除用于客户的所有可变成本（如营销、销售、服务和支持成本）之后得出的客户当前的总货币价值。
- **当前的关系**：测量客户已作出的承诺在当前的等级。
- **技术锁定**：肯沃基的业务性质是计费、应收账款的管理等，因而用户公司经常需要在技术层面上与肯沃基的IT设施相结合，以便肯沃基为其提供连续不间断的服务。因此，需要在肯沃基和用户的操作软件之间写入程序设计钩点，这样就把用户锁定了，因为用户一旦想放弃肯沃基转而投向它的竞争对手，可能就会发生高额的转换成本。技术结合的程度越高，客户就越难把服务大量外包给另一家公司。技术锁定和高额转换成本在IT业的商业模式中是最强有力的组成部分。这在肯沃基想测量每个客户被锁定强度的时候是相当有意义的，因为技术锁定会因用户定约的数量、类型以及所利用服务的不同而有所不同。

■ **客户占有率**：在用户的预算中，肯沃基可以提供的联系中心支持等服务总共占多少？其中外包的比例是多少？虽然要捕捉准确的数据会很费劲，不过如果知道了一个用户只把它的全部通信支持需要的30%外包了出去，这就说明还有深化关系的空间，只要销售人员能够说服客户，把这些业务外包给肯沃基会有效地节省成本。

■ **合作关系**：这一项试图确定以下问题：客户是否只是根据价格决定是否购买，销售人员与客户组织的联系有多密切，该客户能不能成为一个好的介绍人。

读者可能注意到有关收入的两项在表中位于显著的位置。收入在确定客户价值时仍然很重要，尽管与边际贡献相比，它并不是一个准确的客户获利能力衡量标准。由于收入可以量化到每一分钱，因此在每个客户的整体LCV模块中占了很大的比重。再加上边际贡献，这三个可量化的标准在确定客户LCV时占了一半的比重。肯沃基的LCV第一次重述没有把边际收益包括进去，但之后就加了进去。更主观一些的测量标准分配的比重较少，尽管如此他们仍然都很重要，因为每个标准都向销售和营销战略传递了有关客户特征的信息。这些特征在过去是无形的因而是不可管理的，原因仅仅是公司对它们根本就不加以考虑。

在使用这个模块对所有客户打分并据此排序之后，出现了一件有意思的事。收入单项得分低的客户反而排到了收入单项得分高的客户前面。如，一家技术公司用户的收入得分排在第94位，但因为收入变化得分和合作关系的得分很高，一跃上升到了第6位。而一家收入单项排名第三的电信公司，在其他因素加入总分之后，跌至第10位。

把纯收入以下的各项主客观因素考虑进去之后，客户价值的顺序发生了变化。这使公司进一步了解到哪些客户需要倾注更多的资源以赢得更多的业务。尽管有的衡量标准属于主观标准，有待加以解释，但它们的存在意味着肯沃基在调整其销售战略战术时考虑了这些客户特征，这些内容在以前公司的集体意识中是没有的。至少客户作为一项重要的公司资产，其无形性被部分地去除了。

资源重组

这个面向市场的战略转变的实现，要求肯沃基进行重大的资源重组。首当其冲的就是销售部门。一些销售人员因为拒绝接受这个新思想，离开了公司。对那些留下的销售人员来说，在终生价值评分的体制下工作是不同寻常的。首先，通过认可将更多的时间——这可是相当宝贵的内部资源——用于培育可能带来更多业务的客户身上，而不是用于追逐关系网中的大人物，公司为一些销售人员减少了差不多一半的客户负担。销售人员还需要更深入地钻研肯沃基的全部服务业务资料。因为如果销售人员不了解现有客户的情况，就没法卖给他们更多的服务业务。销售人员以前把精力都用于向尽可能多的客户推销自己了解的几种产品或服务，现在则开始深入了解公司的全部资产，把目标转向有望达成更多交易的现有客户。这样对销售人员就有了两方面的要求：一个是产品与服务知识的广度，一个是理解客户业务的深度。

当然，这个新战略实施之时，雇员的工资情况也发生了变化。销售人员奖金的1/4与客户生命价值指数的提高挂钩，而且不只是与现有客户销售额的增加挂钩，还与客户终生价值指数中其他可测量标准的增长挂钩。

以技术锁定因素为例。如果一家PC制造商把一条生产线的技术支持外包给肯沃基，那么很有可能也会把所有的客户资料都卖给肯沃基，以便肯沃基呼叫中心的雇员能对PC用户打入的电话给以最满意的答复。如果销售人员能深化与这家制造商的关系，使它的其他信息库也与肯沃基的IT设施相结合，如把另一条生产线的技术支持连同所带的所有数据争取过来，那么技术锁定就加强了，这个客户的终生价值也就随之增加。销售人员不会把时间全花在说服客户提供更多的经营数据上，以求加深技术锁定进而增加模块中的这项得分。技术锁定不是一个孤立的目标。追求技术锁定需要有个理由，如为了赢得新生产线的业务。不过，在新的技术锁定之下，即使销售人员已经因为增加了公司的收入而得到报酬，还会因为提高了客户在技术锁定一栏中的得分而得到奖励。激励机制被重新设计，不只对赢得一笔新业务所增加的收入进行奖励，而且对模块中每一项的影响因素都会计酬。

适宜性

有没有这样的企业，由于其所属的行业及企业模式，天生更适合于实施客户获利能力评估战略？很难想像可口可乐公司能计算其客户的LCV，即使公司知道客户是谁。就算知道了客户（如饭馆）的终生价值，又能在多大程度上改变与这些客户的经营方式呢？

Geoffrey Moore及其商业伙伴Paul Wiefels认为，公司可以分为两大类，即以业务为中心的企业和以客户为中心的企业。[1]以业务为中心的企业销售的产品和服务量大、复杂度低，如Charles Schwab、麦当劳、可口可乐、埃克森、头饰店和地方干洗店；而以客户为中心的企业则销售小量、高利润的产品和服务，如嘉信理财（EDS）、IBM、波音公司、通用电气以及肯沃基。这类企业在B2B的环境中居多，以复合

[1] Geoffrey Moore and Paul Wiefels, "Keeping the Competitive Edge," *Optimize*, Issue 13 (November 2002).

产品/服务和为赢得业务提供咨询为特征。以业务为中心的企业则主要集中于设计、制造、销售和营销行业，这些行业的市场能消化大量的产品和服务。它们基本上都是些结构单一、标准化的企业，往往是以价取胜。

这么看，似乎是以客户为中心的企业更适合实施客户获利能力战略。不过有的企业却想横跨两个世界。航空公司销售的是低复合、大数量的服务，而美国和西北航空公司的忠诚计划却想提高与客户的交易量。所有类型的在线交易乍看起来好像都是以业务为导向的，经营的都是服装、书、玩具、唱片等产品，但也可能会有改善营销和销售战略的巨大机会，因为企业在客户第一次在网站里买东西的时候就能知道他们是谁，从而可以对客户的获利能力进行打分。

由获利能力指引的客户战略转变，能否持续提高公司的财务绩效呢？2001年第一季度，肯沃基的营业收入增长了16%，而上述客户战略计划正是在这个季度全面展开的，肯沃基完全相信收入增长的主要部分与新战略有直接的因果关系。但是到了2002年，收入比前一年下降了1%。收入就是收入，不论它是来自新客户还是现有客户。[1] 根据客户获利能力实施的战略并不是治疗经济衰退的灵丹妙药。

以牺牲赢得新客户为代价执行这一战略，可能还会使公司面临大量业务依赖过少客户的危险。肯沃基当时近40%的收入都是来自三家客户的外包服务：美国电话电报无线公司（AT&T Wireless）、美国电话电报公司（AT&T）以及Sprint PCS。[2] 与其他所有企业一样，肯沃基的财务绩效不可避免地与其客户的业绩相关联，只不过因为客户的集中性，这一点在肯沃基表现得更明显而已。但是实施客户获利能力战略，并不是非要在发展已有关系与赢得新客户之间作一个选择。毕竟，如果不是先有客户，也就谈不上发展客户。肯沃基并没有忽视赢得全新业务的需要。公司还是相当热心于赢得新客户的。[3] 不难想像，一个组织通过获得新客户发展起来，然后对这些新客户群采取获利能力评分战略，以便了解这些新客户将来潜在的价值。

---

[1] Convergys 2002 annual report, PDF version, p. 2. (http://www.convergys.com/2002 _annual_report.html)

[2] Convergys 2002 annual report, PDF version, p. 15. (http://www.convergys.com/2002 _annual_report.html)

[3] Convergys 2002 annual report, PDF version, p. 8. (http://www.convergys.com/2002 _annual_report.html)

客户是所有公司的活组织。没有客户，公司就无法生存。这句话只有在公司牢固掌握其客户群未来价值的时候才不适用，而这一点是大量企业做不到的。对很多公司来说，客户的无形性是无法改变的，因为他们没有也不想努力弄清楚这些价值贡献。如果说有一种要求真实性和有形性的无形资产（宽松的定义），那么它一定就是那个公司缺乏控制而有时又能控制的资产——客户。

执行中的难题

为分配内部资源而了解客户的获利能力，并不是说只有高获利能力的客户才能享受优质的客户服务，而其他所有客户都只能得到中等或更差的服务。而是说在公司的成本框架内，最佳客户享受特殊的卓越服务，但所有客户都必须享受优质的客户服务。否则，就会有丧失那些未必是最有获利能力但又对公司的财务绩效非常重要的客户的危险。那么什么是优质的服务？什么又是卓越的服务呢？可能需要利用行业标准来指导确定。

第二个难题是如何获取持续测量客户获利能力所需的信息。表 10–2 概括了这些必要信息。

表 10–2　了解客户获利能力所需的信息等级*

每个客户的销售收入	将内部资源与客户获利能力资料结合，就要了解客户的购买量、知道客户是谁
每笔交易的直接成本	为赢得这笔交易发生的直接可变成本是多少
每笔交易的间接成本	为赢得这笔交易发生的间接可变成本（如宣传册、销售资料、样品等）是多少
终生价值	计算一个客户带来的所有利润的净现值，包括该客户推荐业务的利润
客户占有率	了解客户的终生价值，以及在有战略指导情况下公司将来可能赢得的生意的潜在价值

* 摘自“Analytical CRM —— a Worthwhile Investment?” Extraprise white paper (2002). p. 6.

目前企业可利用的几乎是巨量的客户数据，再加上综合处理和分析数据的软件，使这个客户管理技巧具有了吸引力，这是不足为奇的。信息技术不是公司优化结合内部资源和客户评分战略的原因，但它确实促使公司仔细考虑了这种方法，因为丰富的数据使组织能够更深入地理解客户的购买模式，以及支持这些客户交易所需的财务资源。内部资源分配与客户获利能力的结合，需要非常细化的数据，特别是客户购买了何种产品/服务，为这笔交易支出的所有可跟踪的、有因果联系的成本是多少的数据。

虽然像Target和沃尔玛这样的大型零售商，可能永远也无法知道每个客户的姓名以及为每笔独立交易花费的成本，不过仍然有越来越多的企业拥有了把特定产品与购买这种产品的特定客户联系起来的数据，这些企业已经开始研究这些信息及其与内部资源投入的关系，从而以从未有过的方式投入内部资源以培育这些关系。不过奇怪的是，大量的企业只是追踪销售额，但并不追踪销售给了谁。[1] 而这二者之间的关系正是客户评分方法出现的坚实基础，不了解这一重要联系，就不可能实现客户管理的优化。

把忠诚作为资产管理

客户的忠诚，也就是客户购买一种产品/服务的持续度和密度，其本身就被视为一种无形资产。不止一个主管曾声称，其所在公司拥有一群忠诚的客户，引以作为公司具有生命力的原因，并想当然地认为投资者显然会在决策时考虑这个忠诚因素。然而，分析总是到此为止。

前面介绍过，为了解释忠诚客户群的强大经济影响，Bain & Company的顾问莱希赫尔德详细介绍了忠诚作为一个无形资产概念具有可以测量的经济影响。忠诚客户的服务成本不但低，购买量往往也是越来越多，价格并不是他们购物的惟一根据，而且他们还会推荐其他客户前来购买。忠诚被认为是在更大范围的客户资产之内的一种资产，和金融资产或房地产一样需要管理。自从莱希赫尔德出版了《忠诚的价值》一书之后，人们开始竞相投入精力和资源用于从这一无形现象（就是使人们保持忠诚）中萃取价值。

客户的忠诚能够带来较高的边际收益，由于较难实现，因而是种强有力的资产。在我们这个

---

[1] "The Customer Profitability Conundrum: When to Love 'Em or Leave 'Em," Booze Allen Hamilton and Knowledge@wharton white paper, *strategy + business* (2002).

充满竞争的经济社会里，从上大学到吃早餐，无处不存在选择的机会。大量的消费选择使市场变得变化无常，大家都想尝试一下不同以往的东西，追求新奇的力量把消费浪潮不断地从一种引人注目的产品／服务推向另一种产品／服务。这对消费者来说是一件美事，但对于希望赢得生意的企业来说可就糟糕透了。

可以说，上述现象在消费产品中令人担忧的表现是，对品牌忠诚的腐蚀力量。品牌正在被会员仓储零售商可兰连锁店（Kirkland line）这类私营商号活生生地吃掉，因为他们的产品质量不说更好也是一样得好，而价格显然比品牌产品低得多。忠诚是不需要在财务报表中折旧的资产，不过最好还是对忠诚折旧，因为在一些产品类别中，比如对宝洁、Unilever 还有 Kraft 的忠诚已经是大打折扣。例如，沃尔玛的 Ol′Roy 牌狗粮就超过了 Nestle 的 Purina，销售量位居第一。[1]

[1] Matthew Boyle, "Brand Killer," *Fortune* (August 11, 2003), p. 89.

忠诚的类型

在围绕获利能力建立客户战略的背景下，有必要了解忠诚的几种类型。例如，人造忠诚（synthetic loyalty），是指客户与企业之间持久稳固的关系是由于企业为客户提出了留下的激励。飞行常客里程积分卡就是一个明显的例子。在当地咖啡屋买10杯咖啡送一杯，也属于这种。如果激励不存在了，还会保住客户吗？也许吧。人造忠诚其实就是变相的打折。假设一件衣服标价20美元，某人买了10件，又送了一件，那么每件就是1.82美元（$20 ÷ 11）。以价格为基础的忠诚确实有价值，但能持久吗？

当一个客户准备投向竞争对手，于是企业提出一大堆留下的理由时，就产生了另一种人造忠诚。这属于忠诚管理的黑手党做法（Mafia approach），即向客户提出一个无法拒绝的提议。已经开发出来的预测分析软件可以帮助企业鉴别哪个客户可能会流失。通过利用高级的运算方法解析上百个客户数据点，这种软件可以预测一个客户离开的可能性，这样企业就可以采取措施防止客户流失。专业统计分析软件公司SPSS声称，它的一个保险公司就是利用这种软件预见了60%在当时流失的汽车投保人。[1]

第二种忠诚是锁定（*lock-in*）忠诚。微软就享有这种忠诚，因为在别的地方几乎找不到个人电脑操作系统和生产力软件。地方电话公司一直以来也都享受着这种垄断锁定。不过，垄断不是惟一的一种锁定忠诚。如移动电话公司的客户忠诚来自有法律约束力的服务合同。这些合同规定：如果在合同终止前抛弃我们，就要承担经济上的、可能还有法律上的不利后果。（记住，服务合同也是一种无形资产，原因就在于此。）市场竞争越激烈，运营商试图锁定客户的时间就越长。为期两年的合同现在是越来越常见了。

最有效的忠诚是自然发展而来的（organic）忠诚。客户忠诚于企业，是因为他们想与这些企业做交易——这些企业有卓越的产品/服务，有帮助的、在行的客户服务等等。拥有狂热顾客群的苹果公司（Apple）可以说就是属于这种类型，虽然转向使用Windows的锁定和相关转换成本可能也是相当高的（相当于使用苹果机的成本）。不过还有很多例子，如Amazon.com、L.L.Bean、Patagonia、Starbucks、Pepperidge Farm，等等。显然，这是最理想的一种忠诚，因为这种忠诚是真诚的，是很多其他无形资产共同作用产生的忠诚。

满意不等于忠诚

忠诚作为资产具有吸引力的另一个原因在于，忠诚是可以测量和量化的。经验证明，客户要么是忠诚的，要么就是不忠诚的。相比之下，被营销人员视为产品或服务兴旺的征兆而热衷于追求的客户满意度，不过是个脆弱的衡量标准。人们经常会把客户满意度与忠诚相混淆，但二者其实并不一样。没人能保证一个高兴的客户还会再来买公司的产品/服务。

客户满意度是通过调查了解到的，反映了客户对最近经历的看法。相反，忠诚吸引的则是人

---

[1] "Winterthur Insurance," SPSS brief, 2000, p.1.

们的行为。[1] 客户满意度是回顾过去的，而忠诚则是有关将来的。了解客户的情绪固然重要，不过在确定忠诚和个别客户获利能力的时候，满意级别并没有多少证明价值。

了解忠诚与终生价值之间的关系

既然人们日益意识到忠诚是一种经济驱动力，那么对这个问题的清醒认识是怎样改变忠诚管理的呢？其一，把对客户获利能力的认识加入到完整的客户战略之中的思想被加以重申。具有高终生价值的客户是忠诚的客户，而购买的持续度和密度又推动了 LCV 的增长。

更深入地理解忠诚及其与客户获利能力之间的关系，还会促使管理者思考其客户群属于哪种类型。是人造的，锁定的，还是自然生成的？然后管理者应该就可以更明确地回答以下问题了：阻止客户流失活动的相关成本是否值得付出？在公司最忠诚的客户群里，从最高LCV到最低LCV的分布情况是怎样的？具有最高终生价值的客户对公司有多忠诚？还有，人造的忠诚客户对公司来说是否有利可图？也就是说公司为了维系这类客户是否放弃了太多？这些都是值得一问的问题。

客户与人力资本

就我们所知道的关于客户以及如何为客户服务的所有知识，人力资本管理如何能够影响客户行为，他们之间的直接关系是什么还是个谜。公司劳动力管理的创新怎样才能直接影响客户的忠诚和购物倾向呢？答案远非是友好的、有帮助的、有洞察力的客服人员这么明显。这个问题问到了把人作为无形资产管理的本质，因为我们对下面这个问题的理解实在是太简单了，即如果以某种确定的方式管理人这种资产，会对企业的战略行为产生什么样的影响？

不久之前，还鲜有经验证据或构成原因的数据能证明，如

[1] Mark Klein and Arthur Einstein, "The Myth of Customer Satisfaction," Booz Allen Hamilton belief (no date), p 1.

果组织以某种确定的方式管理雇员，有可能会发生某种必然的重大影响。平衡记分卡（Balanced Scorecard）使人力资本管理及其重大影响之间的因果关系清晰地显现出来，不过，所显现的因果关系并不是直接的关系。很多组织仍然主要是靠直觉和臆断来管理雇员，而这些直觉和臆断经常都是错误的。

美世人力咨询公司（Mercer）[1] 已经开发出将人力资本与商业战略结合起来的框架和工具。本书在讨论人力资本的第十一章中将展开对这套方法的全面分析。不过由于这些技巧帮助说明了人力资本在优化客户管理中的利用和管理，因此值得在此介绍一下该方法的价值。

有关雇员－客户关系的荒诞说法

作为支持这套方法的理由，美世声称它的研究清除了有关雇员行为对客户满意度影响的流行误解的错误。一个看似显而易见的流行观点是，雇员满意度和客户满意度是有因果联系的，即幸福的雇员等于快乐的客户。美世认为不一定存在这种美妙的因果联系，原因有以下三个：[2]

1. 研究显示，雇员满意度对工作表现的影响很小，快乐的雇员每天的工作表现可能会不错，也可能不好。所以说，雇员的士气怎么能影响到客户的满意度呢？

2. 二者之间的因果关系可能正好是反向的，也就是说是客户的快乐影响了雇员的快乐，而不是相反。

3. 对客户的态度和行为有积极影响的优秀商业范例，对雇员可能也会产生同样的影响。

美世想强调的是，有关雇员和客户态度的原因及结果要比传统观点更微妙。这个观点可以说是个敏锐的见解。因为很多企业错误地认为只要能让雇员充满热情，销售额就有了保证，因而造成了人力资本管理的混乱。

---

[1] 全球最大的人力资源管理咨询机构之一。——译者注

[2] Haig R. Nalbantian et al., Play to Your Strengths: Managing Your Internal Labor Markets for Lasting Competitive Advantage (New York City: McGraw-Hill, 2003), p. 152. 正好这本专门研究人力无形资产管理的书最近刚刚出版。在此处以及第十一章中关于人力资本的叙述中，大量引注来自该书。

而美世的主张更为精密，其研究表明以下假设是正确的：了解公司的产品／服务和客户的雇员，拥有与客户互动的适当技巧（即解决问题的技巧和社交技巧）、在适当工作岗位上的雇员，能够积极地影响客户的行为。[1]

仔细分析会发现，这句话表面看来与最初的观点没什么区别：满意的雇员促成满意的客户，但不同之处在于它把雇员所在的管理体制也包括了进去，表现在有知识的雇员在适当的岗位上能影响客户行为的这个观点当中。满意的雇员并不足以带来同样满意的客户。关键是要把雇员置于适当的人力资本管理程序，这种管理体制要能提高他们的技能，让他们在适合自己的岗位上承担相应的责任，在雇员与客户互动的时候能为雇员提供支持，进而提高雇员的士气。

从表面看这完全就是常识，其实不然。对美世来说，集中设计一个适当的人力资本管理体制，是其方法论的基石。公司只有在恰当设计基本上能影响人力资本表现的体制框架内，才能有望从雇员这个重要的无形资产中萃取价值。

将人力资本管理置于体制框架内的必要性是指，虽然人力资本管理由来已久，但效果并不理想，为支持这个论点，美世引用了很多例子。美世的研究还强调了互补性的客观存在：虽然可以把人作为个别的孤立无形资产来管理，但只有在与其他无形资产相互作用的情况下才能实现其最大价值。此时，这些其他无形资产都是人所在的管理体制中的元素。这个人力资本管理的系统方法也将在第十一章中详细论述。

[1] Haig R. Nalbantian et al., Play to Your Strengths: Managing Your Internal Labor Markets for Lasting Competitive Advantage (New York City: McGraw-Hill, 2003), p. 155.

促成以客户为导向的战略成果

美世的方法论已经被用于很多的商业环境之中。其中一个案例清晰地显示在更大的体制内考虑人的有效人力资产管理战略是如何改善客户关系的。

田纳西第一银行（First Tennessee Bank）是美国的55大银

行之一。同很多金融机构一样，田纳西第一银行对待客户的态度是高度集中、以测量结果为动力的，结果追踪了一系列构成客户资料的因素，包括留住的客户、账户数量、银行目前的交易量在每个客户利用的所有金融服务交易中所占的比例。[1] 该银行还通过市场调研得知，客户服务质量是其竞争地位的基础。[2] 由于所有重要服务的质量都会使银行的客户与雇员之间得以互动，因此银行试图更深入地了解雇员，以保持与客户的关系。美世认为，田纳西第一银行的这个愿望表明它比其他很多公司都有远见得多，因为很多公司都不愿为了确定劳动力对客户行为的此种影响而费力进行严格的分析。

田纳西第一银行通过美世的统计建模工具了解到，拥有任职期最长的雇员的分行，在维系和发展工资账户、净收入和市场占有率等方面的业绩在组织中也是最高的。[3] 相当了解银行产品的雇员显然更有能力提高客户满意度，而这正是该银行竞争地位的基础。

在得知这些情况之后，田纳西第一银行启动了一个人力资本战略。对于那些面向客户的雇员，这项战略着重更多地留下其中不仅具有一般的商业知识，还掌握银行产品和流程等这些特殊知识的雇员，因为这些知识对有经验的雇员在与客户打交道时会有很大的帮助。银行估计，仅延长一年的服务年限就能增加4千万美元的收入，其中来自每个现有客户的收入增加4%，来自市场占有率的收入增加2%。[4] 换句话说，如果能够建立适当的人力资本管理体制，可以留住雇员并能延长服务年限，第一银行预计从中就能收到确实、重大的利润。

为了优化现有的人力资本管理体制，田纳西第一银行再一次在美世的帮助下进行了严格的分析。通过挖掘有关雇员、金融和客户的数据信息，美世发现，银行的人力资本管理体制并不是成

---

[1] Haig R. Nalbantian et al., Play to Your Strengths: Managing Your Internal Labor Markets for Lasting Competitive Advantage (New York City: McGraw-Hill, 2003), p. 64.

[2] Haig R. Nalbantian et al., Play to Your Strengths: Managing Your Internal Labor Markets for Lasting Competitive Advantage (New York City: McGraw-Hill, 2003), p. 64.

[3] Haig R. Nalbantian et al., Play to Your Strengths: Managing Your Internal Labor Markets for Lasting Competitive Advantage (New York City: McGraw-Hill, 2003), p. 65.

[4] Haig R. Nalbantian et al., Play to Your Strengths: Managing Your Internal Labor Markets for Lasting Competitive Advantage (New York City: McGraw-Hill, 2003), p. 65.

功实施这一新战略的最理想体制。首先，随着职位的增多，银行雇佣了很多新雇员，他们虽然掌握商业知识，但缺乏尽可能最好地为银行客户提供服务所需的特殊知识，而这些知识只能通过在该银行的长期工作获得。此分析正值劳动力市场紧缺之时，新雇员的综合工资达到了最高点，他们缺少与该银行有关的特殊知识，这种知识是客户在与银行职员打交道时非常重视的知识，而收入却相当于掌握这些特殊知识的人应得的报酬。[1]最后，虽然报酬不是人们选择工作的惟一考虑因素，但它却能充分说明一个组织对其劳动力的重视程度。在田纳西第一银行的案例中，管理层所了解的推动财务绩效的因素，与人力资本据以获得报酬的技能之间，基本上不是一致的。

于是，银行重新设计了它的人力资本管理制度，以优化雇员激励机制与以下三个目标之间的结合。

1. 为高业绩雇员的发展和升迁提供途径。

2. 对于面向顾客的雇员，根据业绩付酬。

3. 为雇员培训投入更多资金。[2]

位于首位的联系

对田纳西第一银行来说，要有效地管理客户这种无形资产，就要有效地管理其工作人员。这两种无形资产之间的联系是再清楚不过的了。虽然问题看起来很明显，采取的策略似乎也很实用，但条件是银行要做大量工作来确认以下几个点：客户满意度就是其市场价值优势的支柱；是面向客户雇员的经验和知识促成了客户的满意；为了从人力资本中萃取价值，需要调整银行的人力资本管理制度。

正如本书前面提到过的，虽然平衡记分卡阐明了人与战略性成果之间的因果联系，但其焦点却在于作为产生人力资本主要资源的知识，而且只是间接的关注。虽然知识和技能训练在美世的方法论中非常重要，但在影响雇员业绩的更大范围的全

[1] Haig R. Nalbantian et al., Play to Your Strengths: Managing Your Internal Labor Markets for Lasting Competitive Advantage (New York City: McGraw-Hill, 2003), p. 66.

[2] Haig R. Nalbantian et al., Play to Your Strengths: Managing Your Internal Labor Markets for Lasting Competitive Advantage (New York City: McGraw-Hill, 2003), p. 66.

面人力资本管理制度内也只是一个组成部分。美世所采用的方法在整体制度概念内的人力资本管理与战略性成果之间建立了实验性的直接联系。把人力资本与战略目标联系起来的能力，不同于其他的无形资产管理方法，这也正是下一章将其作为研究重点的原因。

结论

把客户归为一类无形资产，是否使管理者对客户管理有了更为清醒的认识？也许没有。客户在很多方面都不符合无形资产的定义，以致有些人并不把他们视为无形资产，而且理由充分。不过如今的管理者多半都会主张，客户是值得管理的资产。这里所说的资产是最广义的资产概念。因此，在客户与物质资产没有多少相似之处的意义上，客户被纳入无形资产的类别里，立刻就成了关系资产。

远比探讨客户在多大程度上符合无形资产定义重要的是，改善客户管理能带来什么样的机会？对于已经与客户建立关系的公司来说，如果更好地理解客户能为它们提供创造价值的机会，那么关于这一至关重要的资产还有什么是我们所不知道的呢？就我们现在所理解的客户，其无形性何在？看来好像有关客户的每一个维度都得到了关注和探索。近一百年来，营销和商品市场学中出现了无数的知识流派，有关于客户行为的知识，还有如何从种族、年龄、性别、宗教、姻亲关系、收入等级等一系列角度管理客户的知识。但是，就现代（自二战以来）对客户的所有了解，我们才刚刚开始理解客户忠诚管理对一项产品/服务的影响，以及反映二者之间关系的成本结构。这无疑为继续研究提供了广大的空间。

即使读者选择不把客户视为无形资产，也要谨记，客户不管怎样也是与无形资产高度相关的，原因就是：公司对信息技术、知识产权和创新、品牌、公司文化等一系列无形资产进行成功管理的结果，就是赢得了一群赢利客户，是这些客户使公司得以成功。客户可以被想成是放在一个成功实施了的无形资产管理之后的感叹号。所有这些都始于一种能赋予公司竞争优势的无形资产——人力资本，这也是下一章的主题。

本章要点

追求内部资源与客户之间优化结合的公司应当考虑以下事项：

- 公司在考虑实施这种战略之前，必须知道自己的客户是谁。尽管这么说看起来很幼稚，但还需要重申一遍，因为很多从中获益的公司确实不知道自己的客户是谁。

- 公司应当确定，哪些可变成本可以根据客户获利能力的实际情况进行更紧密的重新配置。是包括呼叫中心在内的客户服务？广告？❶ 还是销售部门？由于公司之间的成本结构差距巨大，所以难以概括出一个统一的结论。不过深入认识可变成本的结构，仍是执行这一战略不可缺少的第一步，因为其实施目的就是要减少用于带来利润较少的客户的成本。

- 在用于客户的可变成本差距不是很大的行业，未必就不能采取获利能力与资源相结合的战略。可以用技术解决这个问题。例如，超市目前正在试验一种装在购物车上的手持装置，购物者可以用这种装置扫描他们从架子上拿下来的物品，然后在收银台付款后结束购物。用这种装置扫描之前需要先刷一下忠诚卡，这样商家就能收集到有关客户购买习惯的信息，然后就可以很容易地根据客户的忠诚得分和LCV对折扣进行更新。这种技术解决了零售商在获取信息时面临的一些基本问题，即如何知道客户是谁及其购物习惯。这两种数据是任何一种客户目标战略的基础。

- 由于忠诚有很多种类型，所以公司必须知道是哪种忠诚促成了客户的行为。客户的忠诚越虚假，与获利能力相结合的战略就越难执行。最惊人的例子发生在航空业，客户的忠诚以商家赠送服务为基础，估计有10%

❶ 广告具有固定成本和可变成本的双重属性。在过去，广告活动的成本并不取决于销售额，但这种情况被互联网所改变。某些网站的商业模式依靠的是，游客为了获得报酬点击广告或促销宣传。除制作成本之外，实际的广告成本都直接与销售业绩相关联。

的收入－乘客里数[1] ——测量客运流量的标准——被用于补偿常客里程积分。这使航空业在2000年至2003年期间损失了250亿美元的收入。[2] 没有免费赠品，也就没有了客户的忠诚，这种忠诚是多么的虚假呀！

---

❶ 一名乘客所付的票价乘以其所飞行的里程数。——译者注

❷ Scott McCartney, “Why Your Free Trip to Maui Is Hobbling the Airline Industry,” Middle Seat column, *Wall Street Journal* (February 4, 2004).

第十一章

把人当作资产管理是个绝妙的主意

劳动力在一个组织的资产组合中是最重要的无形资产，这是可以加以论证的。没有了人，也就没有了其他产生于公司内部的无形资产。没有人，IP、知识创新、品牌全都将不复存在，当然也不会有客户了。由于这些无形资产都被证明是成功的动力源泉，那么根据常识，劳动力同样也是至关重要的无形资产，因为所有其他无形资产都是由劳动者直接或间接创造的。

有人认为雇员（*employees*）、劳动力（*workforce*）和员工（*personnel*）这几个词都不足以描述人在创造促成市场和财务成功的价值方面的影响。于是，一个新的词汇被引入了商业和企业词典，这个词更恰当地承认了劳动力新发现的重要性。这个新词汇就是人力资本（*human capital*）。

20世纪五六十年代，企业开始为培训和教育劳动力投入资金，劳动力经济学家因此开始关注有关劳动力的质量问题，一般认为这个词汇就是在那时进入公众意识的。[1] 公司渐渐开始期待通过培训提高劳动力的质量，生产力和收入也会随之提高。因此，培训费用被管理者视为投资。于是就出现了人力资本这个词，尽管这种资本与金融资本和物质资本之间存在着很大的差异。

而且，尽管劳动力这个概念在好几个方面都不符合无形资产的定义，但仍被视为一种无形资产，最主要的原因可能是现行财务报告根本就不把劳动者处理为资产。雇员被计作费用，

---

[1] Nalbantian et al., p. 187.

因此被处理为收入的减少，而非价值的源泉。从财务报告的角度看，劳动力的存在是个财务负数。

这是否意味着雇员成本应被转化为资产负债表中的资本？并非如此。而是指公认会计准则（GAPP）没有显示出对组织来说雇员价值的微妙之处，因而导致恰当地员工管理丧失了有利机会。由于缺乏实际的操作技术，管理者虽然凭直觉认识到雇员的价值，但却发现很难把雇员作为资产加以利用。不过一些公司的态度已经发生了转变，他们认识到把人作为重要的生产因素进行管理时需要更高级的技巧。在不远的将来，人力资本的优化管理可能就是竞争优势的最大源泉之一。

用于公司劳动力和经济类学术著作的华丽辞藻，错误地描述了组织管理劳动力这个在商业社会中一致认为的资产的能力。一直以来并不是没有对劳动者进行管理。劳动者一直都是被或好或坏地管理着的，这可以追溯到埃及人建金字塔时组织和命令奴隶搬运大块石头。但在那时，劳动力并没有被作为资产来管理。

现在再回到“为组织创造价值的实体”这个资产定义。如果把劳动者视为一种资产，那么根据逻辑显然就会引出这样一个问题：是否出现了更好的管理技巧，可以支持劳动力是价值创造源泉的这个观点？答案是肯定的。

如果从发展的角度看待时下的人力资本及其相关方法论，就可以清楚地理解从把劳动力作为纯支出来管理，到作为可以用于创造价值（即财务和其他商业战略目标）的资产来管理的这个观念上的转变。这里主要介绍三种方法：人力资本增加值与人力资本的投资回报、平衡记分卡以及美世人力咨询公司所采用的方法——这在第十章里已经简要介绍过。下面分别对每种方法举一个案例，通过这些案例，读者可以看到，价值创造作为日益生动的思想推动了人力资本战略的变迁。这样，劳动力就从劳动费用发展成为人力资本。

人力资本增加值与人力资本的投资回报

人力资本增加值（Human Capital Value Added，简称HCVA）与人力资本的投资回报（Human Capital ROI，简称HCROI）是两个被广泛使用的分析工具，可以帮助组织作出更有效的人力资本投资决策。HCVA由萨拉托加学会这个专门研究人力资源的财务标杆管理的组织发明，它估算的是如果一家公司不用向雇员支付工资和奖金，也就是说如果雇员无偿地为公司工作，每个雇员增加的利润将是多少，见下面这个简单的表达式：

$$\frac{(\text{收入}-(\text{营业费用}-(\text{正常报酬成本}+\text{福利成本 EPTNW})))}{\text{正常 FTE}}=\$XXX$$

(EPTNW=不包括为非工作时间支付的工资)

这个计算式的各项是显而易见的。正常报酬包括所有正常工资和加班工资、佣金以及签约和提名奖金。福利成本包括医疗和人寿保险金、退休储蓄计划支付款。一个正常FTE（全职人员）[1] 是指一个每年总共工作2 080个小时的正常员工。等式的分母是组织的雇员总数。这个等式通常用于是否要把一些工作人员外包给第三方的决定。

HCROI是组织为雇员的工资与福利投入的每一元钱的税前收益。HCVA是货币数字，而HCROI则是一个比率，即：

$$\frac{(\text{收入}-(\text{营业费用}-(\text{正常报酬成本}+\text{福利成本 EPTNW})))}{(\text{正常报酬成本}+\text{福利成本 EPTNW})}=X.XX$$

例如，如果HCROI的值是1.42，就是指为雇员工资和福利投入的每一元钱的税前收益为1.42美元，也可表述为42%的投资回报。下面是这两个计算公式如何支持劳动力投资和政策决定的实际例子，由永安（Ernest & Young，简称E&Y）人力资源部的高级管理人员 Jeremy Gump 提供。[2]

---

[1] 1个FTE等于1个全职员工、2个半天工作的临时员工、2个有六个月合约的员工。——译者注

[2] 引自与Ernest & Young人力资源部的高级管理人员Jeremy Gump的会谈。

案例一：社区医院

在这个案例中，一家社区医院请E&Y为它分析削减用于报酬和福利费用这部分成本的可能性。表11.1为对这家医院所作的HCVA分析。该医院招聘和维系员工的习惯是适当的，不过E&Y还是指出，在医院的报酬规则中有两处可以节省共400万美元的成本，即160万美元的报酬成本和240万美元的福利成本。可以用于降低报酬和福利的特殊手段有：自动计时，以减少支付小时工资时发生的错误；减少医院根据法律规定必须支付的加班费；修改关于班次差别工资的政策。用于降低福利成本的手段包括：增加雇员对处方药品的成本分摊；从批发商处获得更优惠的价格条件。

表11.1 人力资本增加值——社区医院

	前	后
收　入	$186 501 901	$186 501 901
营业费用	$169 207 802	$165 207 802
正常报酬成本	$58 133 484	$56 533 484
福利成本 EPTNW	$13 810 878	$11 410 878
正常 FTE	1 817	1 817
HCVA	$49 113	$49 113

如果医院不为它的1 817名雇员支付报酬和福利，HCVA就等于平均每个雇员所增加利润的货币值。从这张表中可以看出，在削减成本的计划实施之前，医院的HCVA是＄49 113。也就是说，如果医院不向雇员支付工资和福利，那么每个FTE为医院增加的收入就是＄49 113。还可以看出，在削减了400万美元的成本之后，HCVA仍保持不变。这就是说，管理政策的改变缩减了400万美元的报酬和福利费用，但并没有对医院的HCVA产生不利的影响。

医院可以减少400万美元的劳动力报酬和福利投入，但仍有同样的HCVA。这是因为削减的这部分成本不会影响医院的收入。报酬变化是收入中性的，但在后面会看到并不总是如此。如果HCVA在E&Y的报酬缩减建议实施后会减少，那么医院的成本削减决策就不是最优的。报酬变化应当始终保持HCVA中性或呈上升趋势。

E&Y还为医院计算了HCROI，见表11-2。在报酬标准改变之前，医院为劳动力的报酬和福利每投入1美元，就得到1.24美元的收入。报酬标准改变之后，每投入1美元，医院就有望收入1.31美元。

表11-2　人力资本ROI——社区医院

	前	后
收　入	$186 501 901	$186 501 901
营业费用	$169 207 802	$165 207 802
正常报酬成本	$58 133 484	$56 533 484
福利成本 EPTNW	$13 810 878	$11 410 878
HCROI	1.24	1.31

这两次计算显示了同一预算决策——缩减400万美元的报酬和福利费用——的不同积极影响。

案例二：县医院

一家县医院邀请E&Y为它分析报酬结构。这家医院的规模和劳动力情况与上一案例中的社区医院类似，但从表11-3中可以看出，县医院的收入比社区医院低很多。这家医院为大量低收入的人群提供服务，其中很多服务费从未得到偿还。同样的报酬成本结构与较低的收入业绩必然导致较低的HCVA。

表11-3　人力资本增加值——县医院

	前	后
收　入	$126 098 637	$129 298 637
营业费用	$125 956 276	$124 156 276
正常报酬成本	$54 414 344	$59 214 344
福利成本 EPTNW	$12 364 922	$13 564 922
正常 FTEs	1 652	1 652
HCVA	$40 509	$47 168

在E&Y重新设计报酬结构之前，尽管县医院的报酬与福利成本比社区医院实际少几百万美元，但HCVA却比社区医院少了大约9 000美元。县医院的收入这么低的原因在于它的服务对象，见表11-3。计算出来的HCROI也几乎是盈亏相抵。正如表11-4所示，劳动力的投资回报和投资额差不多。

表11-4　人力资本ROI——县医院

	前	后
收　入	$126 098 637	$129 298 637
营业费用	$125 956 276	$124 156 276
正常报酬成本	$54 414 344	$59 214 344
福利成本 EPTNW	$12 364 922	$13 564 922
HCROI	1.00	1.07

虽然客户的低收入可以解释县医院

相对较少的HCVA和HCROI，但E&Y通过调查发现，问题真正出在人员的更新上。县医院的人员更新长期高于平均标准，这对医院来说是一块重要的成本。为了填补一名员工离职和再招聘一名新员工之间的空缺，县医院接受了一家临时雇员中介提供的服务，这家中介的要价比一个全职员工的收入高出50%～100%。而且，由于不能留住职工，医院每8张特护病床就空了4张。理论上，医院经济学与旅馆没什么区别，即房间里都需要有人住，当然最好是活人，这样才能赚钱。在县医院的例子里，50%的病床占用率意味着每年减少了80万美元的收入。

E&Y建议，将劳动力的报酬和福利总额增加大约10%。通过这种激励机制使人们留在医院里工作，从而减少人员更换的成本，包括招聘费用、新雇员适应新雇主期间的普遍低生产力。由于人员的更替减少了，更多的职工可以照顾更多的病人，病床的占用率也就增加了。

增加对劳动力报酬和福利的投资，通过利用更多的病床及提高近20%的HCVA，确实为县医院增加了300万美元的收入。HCROI值也得到了提高，尽管提高得很少。

E&Y对县医院人员更换状况的分析是报酬战略转变的基础。这项分析显示，医院27%的总人员更换率中有70%来自在医院工作不满三年的护士。这并不奇怪，因为县医院的工资起点比其他的医院都要低。E&Y建议，不对所有劳动者平均增加报酬，而主要针对这些任期短的职工增加工资，因为这些人更有可能到其他医院工作，但只要工资更有吸引力，同样也有可能会留下来。在以服务年限为基础的工资变动范围内，更低收入（任职年限也低）的护士收入增长的比例更高。

两个案例之间的比较

劳动力是一种能够通过管理获取价值的资产，HCVA和HCROI肯定了这句话的正确性。第一个案例只关注削减用于报酬和福利的成本，但ROI这个分析概念只在用作资产投资工具的时候才是可行的，对成本不起作用；要使ROI的计算有意义，组织必须拥有某种未来价值的所有权。社区医院的HCROI显示，如果减少报酬和福利标准，医院就可以从其劳动力中萃取更多的价值。投资回报的增长，无需增加资本投入，却可以通过削减成本来实现，也就是说削减成本的策略增加了医院人力资本支出的回报。就这样，人力资本管理战略的转变创造了价值。

第二个案例更明显地显示了资本投入是如何像物质资产一样增加回报的。县医院通过增加480万美元的投资，HCROI增长了7%，HCVA增长得则更多。一提到劳动力，医院的直觉反应就是削减、削减、再削减，因为这表现在财务报表上是件好事。但上述计算却告诉县医院，削减报酬和福利开支可能会是个失败的策略。医院的特殊情况要求，为了获取更多的价值，需要增加工资及福利。这正是资产的存在意义，即创造价值。

平衡记分卡

正如管理者应当清楚劳动力是所有其他无形资产的根源，平衡记分卡提醒我们，劳动力也是一个组织财务结果的根源。虽然分离出一名雇员对净收益或收入的独特贡献几乎是不大可能的，但BSC证明了劳动力集体是连接公司战略与支持该战略的活动与手段的出发点，这也正是这一方法论的要点。BSC已经得到广泛的应用，因此很多读者对此都不会陌生。

BSC揭示的另一个重要方面涉及客户、内部流程、学习（指的是人力资本）这几个视角的相互影响及同等重要性。为每个视角建立绩效指标，应当能在管理者为最终实现公司的财务目标进行决策、计划和行动时提供指导。不过BSC的内在逻辑强调的是，人是所有核心无形资产的根源。表11—5描述了这四个视角之间的关系。

BSC并不偏爱某一组指标，所有指标都与每个特定的视角相连，共同创造公司所追求的财务结果。不过，BSC还是强调，重大成就始于人。

如果将这个通用的表格作一解析，这一点就会清晰可见了。假设一家公司是一个成熟行业中的稳定组织。那么，这家公司可能会选择资本回报作为它想得到的最终财务结果的衡量标准。（而一家发展中的公司也许会选择将收入增长作为衡量标准。）如何提高投资回报呢？可以通过提供吸

表 11–5 平衡记分卡：人——一切的根源*

财务视角	资本回报 自由现金流 收入 净收益 ↑
客户视角	忠诚 满意度 高终生价值 ↑
内部运作流程视角	生产过程质量 娴熟的营销技巧 促成创新的流程 产品开发 ↑
学习与成长视角	技能 保持力

* 摘自 "The Balanced Scored Scorecard", Robert S. Kaplan and David P. Norton.

引回头客的创新产品和服务来实现。怎样才能得到这样的创新产品和服务呢？可以通过使公司各个方面的功能和流程恰当地发挥作用，最终创造和生产出了不起的产品／服务。公司各个方面的功能和流程又如何才能恰当地发挥作用呢？通过使雇员具备建立和利用独特管理流程的必要技能，释放他们的创造力和洞察力，发明出客户想要的伟大产品／服务。

BSC 的永恒逻辑是一个从人的表现和能力开始、终于财务绩效的因果链。这是一个引人注目的因果链条，普遍适用于地球上任何一个热心赚钱的企业。

图11–1描述的是一个金融服务公司试图通过与现有客户的交叉销售和提升销售，拓宽收入结构，从而减少收入的波动。[1]这家银行认识到要实现这一目标，就必须让客户知道它是一家什么样的金融机构。银行需要告诉公众，它销售的金融产品范围很广，它不只是个储蓄所，更是一家金融顾问公司。调查显示，如果银行想从现有客户群中拓宽其产品组合的收入来源，关键就是要让公众知道这一点。

[1] Robert S. Kaplan and David P. Norton, *The Balance Scorecard: Translating Strategy into Action* (Boston: Harvard Business School Press, 1996), p. 151. Figure 11.1 is an adaptation of a figure on p. 152.

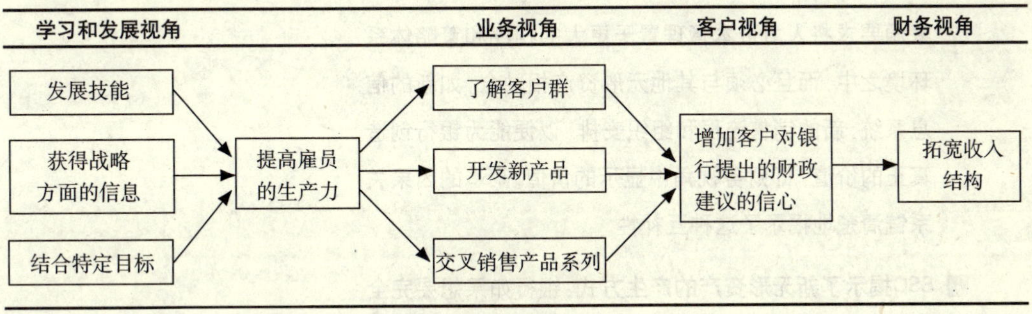

图 11–1

作为金融战略的一部分（客户的要求使银行聚焦于这一战略），银行确定了推动这个客户目标所需控制的内部流程。新流程之一就是重新调整销售方式，从被动地接受订单，改为主动建立关系——即交叉销售产品系列。衡量标准有两条：交叉销售率（即卖给一家客户的产品平均数）以及花在客户身上的时间。一个以关系为导向的销售方式要求销售人员在客户身上花费时间，以便更好地了解他们的金融需求和目标。[1]

新的销售方式显然需要配备执行它的劳动力。根据BSC的因果关系链，银行意识到要让客户充分信任它是个有资格的金融咨询公司而不仅仅是个储蓄所，就要整体改变销售人员的技能。这使得以下一系列的人力资本管理变化成为必要：

- 雇员需要深入了解银行的产品系列，以及交叉销售所需的新销售技巧；
- 雇员需要综合、详细的客户资料，以帮助销售工作的展开；
- 银行需要制定将它提出的目标与奖励制度相结合的新激励计划。这正是学习和发展视角中“结合特定目标”项下的内容。

平衡记分卡从未扮演过人力资本管理方法的角色，但在很多方面，它就是这样一种方法。原

---

[1] Robert S. Kaplan and David P. Norton, *The Balance Scorecard: Translating Strategy into Action* (Boston: Harvard Business School Press, 1996), p. 153.

因在于：

- **BSC揭示了互补性**：为实现拓宽收入结构的最终目标，银行为其劳动力所确认的上述三个步骤，不可能在封闭的环境中实现。人力资本目标的调整只是银行围绕所有视角要做的大量工作中的第一步。扩大了的收入来源要求将人力资本管理置于更大的程序和策略体系环境之中，而且必须与其他无形资产相融合，如新的信息系统、新的销售流程和组织安排，以便能为银行创造真正的价值，即财务视角中显示的价值。BSC的因果关系链清楚地揭示了这种互补性。

- **BSC揭示了新无形资产的产生方式**：银行如果想要完全了解其劳动力的技能差距，就要重新设计它的职工培训程序。[1] 例如，该银行嵌入了可以帮助回答类似下列问题的技术和能力：执行新战略需要什么样的能力？雇员已有的能力是什么？二者之间差距的大小和规模有多少？回答这些问题需要进行价值链分析，进而对创造新市场（新产品和服务的生产与销售）的关键流程的详细理解可以与执行这些程序所需的新工作技能相称。银行还需要为员工建立能力资料，详细解析执行新战略所需的知识、技能、行为特征和个性特征。BSC因果关系链向银行揭示了实现通过现有客户拓宽收入结构都需要提高哪些技能。然而，一旦明白了这一点，银行就清楚地意识到，它需要一个分析框架，来帮助作出有关劳动力培训与成长的正确决定。围绕这些活动的新流程和新程序使银行更有能力面对商业战略的改变作出有关劳动力的决策，这表明银行已经创造出了一种新型的组织无形资产。

- **BSC强调价值创造**：BSC为组织提供了指引战略目标实现之路的线路图，并把人力资本置于行程的起点，使组

[1] Robert S. Kaplan and David P. Norton, *The Balance Scorecard: Translating Strategy into Action* (Boston: Harvard Business School Press, 1996), p. 154。

织的注意力从把人作为纯开支管理，转向把他们作为价值创造的重要第一步来管理。平衡记分卡中每个视角主要的关键绩效指标（key performance indicator，简称KPI），共同构成了一组综合的管理目标，这些目标一旦实现就会带来最终的结果。对这家银行来说，客户视角的KPI包括关系的深度和满意度调查。内部流程视角的KPI包括关于每个客户的产品开发周期和时间。学习和成长视角（人力资本）的KPI包括信息的可用性、目标的调整和工作覆盖率（技能差距分析）。BSC强调，除非首先实现人力资本视角的KPI，否则客户视角和内部流程视角的KPI都不可能实现。虽然人力资本管理离实现拓宽收入结构的最终目标还有三步之遥，但它显然居于这个目标实现过程的中心地位，这也肯定了人力资本在价值创造中的作用。

美世采用的方法

美世人力资源咨询公司提出了一组它享有所有权的诊断工具，基本上反映了新的人力管理思考方式。该公司估计，它为形成这些见解和咨询方法所作的背景研究，相当于450个人一年的研究工作。[1] 虽然对该方法运作方式的解释，既超出了本书的范围，也会涉及到美世的商业秘密，不过本章剩下的篇幅还是要详细说明一下这个影响了美世人力咨询实践的充满集体智慧的新思想，同时演示支持这个新思想的工具。

适当人力资本管理的三个支柱

美世从较高的层面，主张人力资本的价值萃取活动应建立于以下三个劳动力管理原则之上。

1．**系统思维**：有关劳动力的决策多半都会影响人力资本绩效的其他因素。而管理者却不停地在孤立的环境中作出决策，无视一个针对雇员的政策可能会对另一个政策产生什么样的影响。例如，一家公司可能以为，个人成绩的奖励能培育精英文化，能激励员工，使

---

[1] Nalbantian et al., p. 236.

他们的表现达到巅峰。但是这种奖励机制刚好与公司另外一个政策相矛盾，这个政策追求员工之间紧密的配合，以服务于重要的商业目标。如果公司不把人力资本看作是一个由人、流程、组织设计共同构成的完整体系，就会错失最大化劳动力绩效的良机。人力资本管理的系统思维方式，承认很多不同但又互相关联的因素之间存在互补性，而这种互补性正是无形资产特性的根源。

2. **收集适当的情报**：大多数人力资本政策和战略决策基本上都是依靠臆断、直觉，甚至是错误的情报作出的。这正是失败的原因所在。美世恰当地指出，那些嘲笑在没有进行ROI分析的情况下就作出一百万美元投资建议的公司，同样也会在没有任何根据的情况下定期把同样数目的资金投入劳动力计划。E&Y清楚地证明了决策工具是存在的，但很多公司并没有把这些工具利用起来。美世认为，导致糟糕的人力资本战略结果的错误情报收集共有三种类型。第一类是，决策根本就不是根据情报作出的，而是根据传统的判断或是“常识”作出，如管理层认为如果工人与公司的利润率有利害关系，他们的生产力就会提高。第二类是，根据不可靠的情报作出决定，如雇员称如果公司提供利润分成，他们就更有可能留在公司里，结果管理层就信以为真。第三类是，根据不相关的情报作出决策，如管理层认为在其他行业中取得良好效果的政策和范例，照理也会在自己的公司产生同样的结果。而美世的调查显示，这些想法都未必是对的。[1]

3. **聚焦价值**：和所有资产一样，人力资本为未来的经济回报作出了贡献。严格按损益表描述的经济损耗来看待雇员，就会错失劳动力在正确管理的条件下创造价值的机会。用于雇员的成本是可变成本，在制造业更是如此，也就是说雇员可以根据生产的需要（即销售函数）增加或减少。对损益负责的管理者很难打破这种思维方式，也不可能忽视决策的制定动机，即理论上劳动力是成本，必须尽可能节俭地管

[1] Nalbantian et al., p. 34.

理。而美世认为，有一种更有启发作用的方法，可以有效地确认扣除成本之后雇员创造的经济价值。[1]

以下案例可以说明这三个原则是如何起作用的。

原则一：系统思维

为了说明未能在更大的人力资本体系背景下审视独立的劳动决策时困扰公司的人力资本问题，美世讲述了它为一家名叫Widget Express的制造商所作的咨询服务。这家公司存在以下三个问题：新产品的推出迟于日程安排；很多从生产线上下来的产品有缺陷或是有质量问题；客户满意度当然也就随之突然下降。[2] 因为负责开发雇员才能的都是些有经验的产品开发团队，他们构成了强有力的管理层，所以理论上 Widget Express 不应该遇到这些问题。

美世在一次审计中发现，问题的根源在于技术管理人员无力领导企业的关键部门。并不是管理者本身不好，而是因为 Widget Express 的快速升迁环境，使雇员每两年甚至更短时间就从一个工作岗位转到了另一个岗位。频繁的岗位变动无疑使工作人员不能充分掌握重要工作职责的详细基础知识，而确保产品开发和质量控制成功的正是这些知识。很多管理人员在项目完成之前就调换了工作岗位。这最终导致了 Widget Express 的上述经营问题。[3]

进一步的调查揭示出破坏公司经营的其他政策。Widget Express 生就偏爱雇佣内部员工。很多公司都是如此，理由是从内部提拔人员可以确保公司的高级管理者真正了解公司及其所在的行业。当然，这种政策暗含的假设其实是，从底层提拔上来、并一路掌握公司特殊知识的雇员，比外聘人员的表现好。而美世根据经验认为，外聘人员的表现同内部提拔的员工相比，即便不是一样好也是差不多的。

导致 Widget Express 经营问题的另一个原因是它的奖励和报酬结构。因职位升迁增加的工资

---

[1] Nalbantian et al., p. 57.

[2] Nalbantian et al., p. 17.

[3] Nalbantian et al., p. 18.

使横向调动的报酬相比之下显得微不足道。这就促使管理人员积极地向上爬，而不想调到同级的职位上工作，虽然在那个岗位上他们的才智也许能得到更充分的发挥，但工资涨得却太少。荒谬的是，雇员还发现，升迁之路很快就会遇到瓶颈，之后的提升似乎无望，而横向调动则很快又会带来纵向的升职。把这些情况总结起来就是：因升迁增加的工资要比横向调动多得多。但是升到某一职位之后，再往上升就相当困难了。而那些横向调动的雇员却发现自己又能很快地升职了。因此，雇员为了一级一级地往上爬，就往同级的职位上调动。于是，雇员为了谋取升迁不停地在组织内部调来调去，这虽然有助于他们掌握很多工作职位所需的专门技能，但却缺乏在任何一个职位上公司真正需要的深厚经验。❶

最后美世还发现，该公司的人力资源审查部（就是鉴别有才能的人，并帮助他们提升的部门）变成了为那些寻求帮助自己升迁的雇员疏通的媒介。

美世所触及到的要害是，所有这些管理习惯在分开考虑时都是合乎情理的，但放到一起就违背了公司的商业目标。对这家公司来说，最理想的人力资本战略就是采纳系统的思维方法，把所有孤立的政策和管理元素结合在一起，凝聚成一个整体，而不是互相对立地起作用。系统的分析方法在气候学、经济预测和社会科学等很多领域都很常见。在人力战略领域怎么就不可以呢？

原则二：收集适当的情报

正如我们在系统思维概念的例子中所看到的，管理层的决策是根据内部提拔政策是最佳的提拔政策这个错误假设作出的。这也与第二个原则有关。这第二个原则就是，恰当的人力资本管理是指，根据情报而且只是正确的情报作出决策。Widget Express未加证明就相信，提拔内部员工可以使公司具有贤才制度化的特点，可以以外聘人员无法实现的方式服务于公司的商

❶ Nalbantian et al., p. 20.

业目标。但是在有其他劳动力政策同时实施的情况下，情况并非如此。

根据美世的经验，根据情报所作的分析有以下几方面的问题。

“调查有用”的陷阱（The“say–do”trap）。很多公司都很信赖为了解雇员动力所进行的调查和离职面谈，并把这些量体温似的做法作为人力资本决策的基础。问题是，雇员是人，而人往往会说一套做一套。过于相信这种类型的“情报”收集会导致糟糕的结果。丰田汽车公司（Toyota）就曾依赖调查结果制定了一系列人力资本管理计划，但从雇员那收回的反馈中惊讶地了解到，员工对巨额的绩效工资和培训计划投资并不领情。雇员认为工资与业绩并没有紧密挂钩，培训和组织内部调动也没给他们带来任何好处。[1]

根据这次的调查结果，丰田公司考虑要修改全部计划。然而，这次的调查结果是有问题的。美世在审查HR数据时发现，业务出色的雇员的确得到了更高的工资和晋升机会。数据还显示，那些接受培训和内部调动的雇员的晋升率普遍高于其他雇员。如果丰田仅仅因为雇员不支持这个与其战略相联的专门奖励就放弃了人力资本计划，显然会犯下严重的错误。丰田公司所面对的是个理解的问题。雇员只是不知道公司对劳动力都评估些什么，晋升标准和涨工资的标准是什么，员工的哪些具体行为会获得奖励。这是个相对简单的沟通问题，可以通过员工的档案记录来矫正。[2]

调查的确具有价值，但是为引出答案而设计的提问如何措辞经常会对调查目标的回答产生非常大的影响。调查往往还会问一些与人们在生活中所做的真实交易无关的空洞的问题。例如，公司可能会请工人评价薪水在有关留下或是离开公司的决定中的重要性。美世表示，在不考虑成本对收益的影响时，人们通常都会回答“非常重要”或是“很重要”。事实上，高收入是有成本的，即失业期间的机会成本。人们每时每刻都在做着妥协和交易，并非所有的事都能“很重要”。但是调查经常会忽视这些细微之处，从而限制了人力资本战略的诊疗价值。

时间视角。在任何时间所作的雇员调查都能得到答复，但对调查的回答却会随着形势的改变

---

[1] Nalbantian et al., p. 37.

[2] Nalbantian et al., p. 39.

而变化。美世坚持认为，只有随着时间的推移，才能真正理解影响雇员行为的因素。再以报酬为例，可以在任何时间获得一个工人薪水的有关数据，然后将它与相当岗位的薪水水平相比较。而长期的薪水路径或者说支付轨迹也许是更有意义的衡量标准。事实上，美世发现，支付轨迹对很多员工来说比特定时间的薪水水平还要重要。此外，晋升率对一些雇员来说也是相当重要的。美世指出，这些因素对雇员行为的影响都是建立在时间基础之上的。

为了说明需要把基于时间的情报分析作为适当人力资本管理的基础，美世描述了它在几年前为弗利特波士顿金融公司（FleetBoston Financial）服务的情况。当时这家公司的人员更迭率高达40%，比行业平均水平高出两倍。为了确定导致员工留下或离开的因素，人力资源部展开了经实验证明是可行的调查。调查显示，问题的原因在于劳动强度过重以及工资水平太低。于是公司作了一些调整，相信能够降低人员更迭率。但尽管采取了缓解压力和调整工资的措施，人员更迭率仍旧持续攀升。

随后，弗利特采取了另一个开明的做法。它检查了一段时间的人员更迭模式，以此寻找导致高更迭率的所有因素。弗利特发现，人员更迭的真实情况与调查显示的并不一致。分析表明，工资水平对人员更迭的影响很小，因为根据美世的统计建模法，工资每上涨10%，才能降低1%的更迭率。如果弗利特想把提高工资作为降低人员更迭率的手段，就要投入巨额的资金，股东或许会同意这样做。留住员工的真正杠杆证明是晋升、工资增长率、工作任务的数量以及经历的广度。❶ 关于维系雇员，以时间序列为基础的具体研究结论有以下几个：

- 阻止雇员离开公司最有效的手段是近期升迁；
- 把按时计酬改为按月发薪会激励工作人员留下；

❶ Nalbantian et al., p. 46.

- 在同一职位工作两年以上的工作人员最有可能留开公司；
- 上司的离职使下属离开的可能性提高了一倍，但这只限于被弗利特界定为表现出色的上司。[1]

在得知这些根据实验得出的情况之后，弗利特开始着手采取以下战略阻止人员的流失：

- 向高业绩的管理人员明确承诺，提供可以增加他们留下可能性的职业规划，包括升迁和职业培训。这样既能留下优秀的管理人员，同时也会减少其他人员的流失；
- 关注那些有助于雇员发展技能和积累经验的项目，向雇员清晰地传递有关职业生涯机会的信息；
- 关注从小时工变为月薪雇员的职业道路，这是一个对公司影响重大的雇员维系战术；
- 不让有价值的雇员在一个职位上呆得太久；
- 确保新聘员工适合于新的工作岗位，对工作有准确的预期，能正确理解工作要求。"迅速跳槽的人"，即在任职后的一两年内辞职的新员工，永远都是降低雇员保持率的因素。[2]

最终，上述方法的价值得到了证实：弗利特小时工的更迭率降低了25%，月薪雇员的更迭率下降了40%，每年共计节省资金5千万美元。[3]

了解人力资本战略的巨大影响。过去，公司只要知道：如果某项人力资产政策带来了积极的影响，那么整个战略就在朝着正确的方向发展，就会满足了。美世则主张，着手一项人力资本战略时还必须考虑该战略影响的大小。假设一个管理人员由于预测结果显示出积极的现金流就建议投资几百万美元。他的上司虽然对其潜在价值表现出热心，不过可能还是想知道这些现金流的数

---

❶ Nalbantian et al., p. 46.

❷ Nalbantian et al., p. 47.

❸ Nalbantian et al., p. 48.

量。因为只有知道这一点才能作出明智的决策。这个逻辑同样适用于人力资本投资。劳动力培训证明是公司留住员工的有效手段。但是能留住多少人？能留多长的时间？只有在了解了这个政策影响的大小之后，才能确定地回答这些问题。而且也只有回答了这些问题之后，管理层才能领会这个战略价值的全部影响。

万豪国际（Marriott International）有个政策是从内部推荐适当的管理人员。优秀的管理人员一旦确定，就被接连调到更复杂、更重要的工作岗位，使他们的经验得以积累，能力得以拓展。万豪相信这种做法是激励管理人员一直在这条升迁捷径上走下去的最有效方法。惟一让万豪担心的是，把优秀的管理人员调往不同区域的人力资本战略不知道会不会影响被调人员刚离开的产业的利润率。这家连锁酒店想知道这个维系与晋升战略的负面影响是什么——即其首选人力资产发展战略的所有最终影响。最后，美世告诉万豪，管理人员在公司内部的频繁流动不会对产业利润率产生什么影响。美世的调查还肯定了万豪以前的观点，即管理人员在连锁店之间的调动有助于留住他们。但如果万豪没有劳神测量这个人力资本战略的影响，就不会知道其力量的程度。

标杆的局限。根据人力资本战略决策所依据的数据来源，美世将这个问题称为达到恰当的内外平衡。了解另一个家伙在干什么，是一个为公司导入创新程序和技术的方法。标杆管理作为公司在很多经营环境中采用最优实践和经过检验的有效方法，是有历史纪录的。但还没有适用于人力资本的范例。美世发现，在人力资本管理的领域，标杆学习的最佳实践根本就不能以它在运营呼叫中心或制造业中的方式发挥作用。一个公司的人力资本战略是由那么多互相依赖的独特因素共同形成，简单地使用在别处起作用的方法可能会导致致命的结果。

一家生产半导体消费产品和企业设备的制造商就是个生动

的例子。20世纪90年代中期，由于收入和股东回报的下降，该公司展开了一次自上而下的调查。调查显示公司设计工程师的人员更迭率增加。掌握深奥的芯片设计知识的工程师，对于保持较低的设计差错率以及推动产品迅速上市是至关重要的，而这些人正在陆续地离开公司。虽然这家芯片公司找到了影响财务绩效的直接因素——工程师的更迭——但却不知道是什么导致了人员的更迭。在美世的帮助下，公司知道了问题的根源，包括提升的障碍和不适当的激励机制。激励机制中的浮动工资和职工优先认股权补偿计划与该公司的指挥与控制文化相冲突，企业家在这种文化里并没有多少发挥的空间。

该公司在尝试了世界上已知的所有劳动力战略之后才解决了这个问题。公司先是采用了英特尔和苹果等其他一些公司的最优范例。实际上，浮动工资和职工优先认股权这两个措施，就是公司迫切寻找人员流失解决办法的直接产物。在试图效仿这些著名公司的虚夸文化时，职工优先认股权成为了一个重要的手段。但这注定是要失败的，因为公司目前的文化并不支持这种做法。随后，公司又采用了一个报酬结构，根据承担的风险和奇思妙想向员工支付工资。但作为一个半导体商的优质货源，该公司的名声在于以类似西点军校的纪律管理工艺，而不在于创新。一个指挥与控制的管理风格在芯片设计的复杂世界里没有运气可言。该公司模仿了其他公司的管理原则之后才发现，人力资本战略就像雪花一样——没有哪两片是一样的。

原则三：聚焦价值

人力资本管理的第三个广泛原则是把注意力集中于价值。最根本的就是要转变态度，不把人力资本视为劳动力，进而视为减少而非提高财务业绩的成本。这真是说起来容易做起来难，因为财务报告规则与这个原则是对立的。不过还是可以实现的。

美世曾经帮助一家被营业成本提高、保险和政府赔偿减少所困扰的保健公司看到了曙光。在它确定采用的加班机会等降低成本的所有策略中，这家公司决定更依赖兼职劳动力，这些人的成本结构远远低于全职职工。与竞争对手相比，这家公司兼职职工／全职职工的比例较低。公司于是想模仿标杆的做法，通过增加这个比例，削减成本，同时使劳动力的成本结构与其他公司趋于一致。[1]

问题出在这家公司只看到了部分事实。雇佣更多的兼职者会降低总体成本，但这样的劳动力组成结构会产生与改变之前同样的价值吗？公司很快就知道了答案：不能。太多的兼职劳动力破坏了生产力。美世指出，在兼职员工增加后的水平上实际还需要再增加15%的全职职工。美世认为，兼职人员占优势的劳动力结构杀伤生产力的原因有：随着兼职人数的增加，全职职工晋升和涨工资的机会也相应减少；兼职者不具有高效工作所需的企业特有知识；减少加班机会虽然降低了成本，但加班时间每增加1%，就会提高3%的生产率，由于公司没有意识到这一点，因此完全没有看到增加人力资本费用的价值创造潜力。[2]

这里再回忆一下第十章中田纳西第一国家银行的经历，这家银行试图寻找能增强它在客户服务方面竞争优势的最优人力资本战略。另一方面，银行的此种努力也反映出不把劳动力仅仅看作是成本来源的需要。银行发现，任职期较长的雇员掌握了企业特有知识，能够促成较高的客户满意度。恰好，根据传统，有经验的雇员比新雇员的工资高。在美世的帮助下，银行实验性地证明了雇佣更有经验的雇员带来的更高劳动力成本与随之产生的收入增长之间的关系。如果银行只关注于雇佣有经验的员工对成本的影响，就会错失这个创造价值的机会。

[1] Nalbantian et al., p. 60.
[2] Nalbantian et al., p. 62.

结论

人力资本这个词汇与人就其本身的内涵并不相同，它描述的是组织中人的技能、经验和专业知识组合。如果人力资本是资产，那么人力资本战略就是一种资产管理形态，即以某种价值创造目标为名义，管理人及其拥有的各种技能、经验和专业知识。这在理论上是有效的，但正如我们已经看到的，一旦涉及到细节，这个思想在价值背景下就不堪一击了。人力资本与人们过去通常理解的资产缺乏相似之处，因为与资本设备不同，人力资本创造价值的方式更为微妙，但却不那么直接。公司定期会为所需资本设备预测精确的ROI，以确定一项物质资产对组织是否有意义。但为一名年薪80 000美元（计算公式的分母）的新雇员像一台新机器似地计算ROI，就不灵了。不是因为把工人与机器相比有些粗鲁，而是因为包括劳动力政策组合和公司文化在内，有那么多的因素会影响这名工人的价值创造潜力，以致传统的经济价值分析工具无法将这些互补的内在因素计算在内。人力资本是资产，尽管是一种新型的资产，一种我们现在才刚刚开始理解其最优管理和测量方法的资产。它的确也是一种无形资产，因为人力资本的价值萃取最优方法不是孤立存在的，必须把影响任何一种人力资本战略所有效力的补充资产和因素都考虑进去。

在美世看来，人力资本战略大体上由以下几个元素组成，其中一些我们看到在公司试图摆脱商业危机时起了作用。这些因素在所有企业里都是普遍存在的，因而值得在这里加以总结。

- 人：把人作为一个因素似乎多余，但人及其属性确实是人力资本战略的核心，无论他们是董事会成员，还是邮递员。
- 工作流程：工作的组织和实施方式是人力资本战略的一个重要元素。工作流程的流水线法和团队法可能都需要一组有才能的人。有人甚至认为这本身就是一种无形资产。
- 管理结构：组织采用的管理方法是自上而下地层层指挥与控制？还是权力更分散一些的管理方法？我们在前面看到，一个管理结构分等级的公司是如何鲁莽地改变了企业的报酬结构，最终造成了灾难性的后果。
- 信息与知识：信息在组织中的流动方式会影响到生产力。内部流动涉及信息的向上、向下和平行流动，而外部流动则涉及信息在组织与客户、供应商、合作伙伴等之间的流动。
- 决策制定：这个元素涉及影响战略以及销售、营销、财务等业务领域的重要决策。

美世还主张，人力资本可能是企业竞争优势少有的几个来源之一。人们对这句话的直接反应是，是呀，美世当然会这么说，因为它通过帮助公司解决人力资本问题，赚取了高额的咨询费。尽管如此，这一主张背后的理由还是相当有说服力的，这就是本书前面曾指出的，物质资产已经丧失了大部分的区别性潜力。很久以前，管理层要费很大的劲才能筹集到实现财务目标所需的资金，而现在，金融资本不说非常丰富，至少也是更容易得到的。机器虽然没有赋予公司任何特殊的优势，但它不仅实用，而且对一个公司的正常运营是绝对必要的。信息技术基本上也是这样，但仍有所不同。本书前面还曾指出，规模经济也不再是区分的标志。在很多行业中，规模大了反而成了障碍，因为在有着灵活性和速度要求的市场上，更小的竞争者行动更敏捷。

而另一方面，人代表了需要优化管理的巨大未知领域，成功进行人力管理的公司可以获得竞争优势。原因有以下两个。首先，人力资本战略是稳定的，比其他资产更持久；[1] 其次是不容易被竞争对手模仿。本章证实了为改善管理模仿最佳范例的局限。如果某种复制的战术正好与一个组织人力资本的所有方面都相协调，那么很有可能也会适用于其他企业。那么也就不存在竞争优势了。

本书致力于研究有关无形资产优化管理的问题和方法，所以讨论具体无形资产及其优化管理方法的最后一章应当关注人力资本，这才是适宜的。因为对其他每种无形资产的分析都会得出这样一个必然结论：如果不能有效地管理人力资本，也就很难得到其他可成为强大价值源泉的无形资产。一切皆源自于此。

[1] Nalbantian et al., p. 16.

本章要点

寻求从人力资本这种无形资产中萃取最大价值的公司应当考虑以下事项：

- 标杆的作用是有限的，仅限于帮助管理层了解可能采用的人力资本战略，但不能用于作为有关人力资本战略决策的制定基础。
- 不管损益如何，你是否都有可能会向人力资本投入更多的资金以最大化其价值？E&Y 与美世都生动地证明，要利用人力资本的潜力就不能只关注于降低成本，因为如果公司单纯地追求降低成本，就不能实现其劳动力所固有的价值创造潜力。本章通过案例介绍了这两个咨询公司采用的各种方法，这些案例证明，一个公司要实现预期的商业目标，实际上可能还要向人力资本投入更多的资金，而不是更少。如果公司只是不留情面地关注于降低成本，就不会成功地从人力资本中汲取价值，也就不会去费心尝试。

■ 在你所在的组织中，竞争优势的驱动因素是什么？是技术规则？优质的客户服务？还是创新的能力？只有在首先对公司的实力进行评价并很好地理解之后，人力资本战略才能得以执行。然后通过制定能提高这些竞争优势的劳动力策略，并把它们变为可测量的结果，这样公司就有能力利用人力资本这种无形资产了。

■ 通过了解事实，发现产生人力资本问题的原因。E&Y 与美世能进行看似违背直觉但又确实是正确的分析，原因就在于它们的工作是建立在事实基础之上的。HR 系统之外的大量经营数据是理解影响人力资本绩效的一系列劳动力范例与政策的起点。很多组织中存在的问题是，不能正确地解释这些数据，从而无法发现问题真正出在哪里。而这正是咨询公司的生财之道。

■ 记住，美世强调，它所采用的人力资本优化管理方法与设计的细节或所部署的战术（如培训、新的报酬结构）的关系不大，而与引入这些战术的商业环境的关系更大。这一主张提醒管理人员，任何一种人力资本管理手段如果不放到更大的商业环境中加以考虑，其潜力都是有限的。这也是很多人力资本战略失败的原因所在。

第十二章

为了创造价值统筹管理

如果管理者认识到无形资产推动了企业的绩效和利润率，这些无形资产中又有很多是创造出来的而不是从别处得来的，他们的工作就会大不相同吗？Amazon.com的创始人Jeff Bezos不可能是在某一天心怀创造一个领先于世界的在线书店的愿景，然后宣布这样一个愿景要靠一种无形资产来实现。就算公司的领导人知道其商业计划需要一个国际水准的软件平台来支持，恐怕也不会通过创造某种伟大的无形资产来制定目标。

不过，明确无形资产到底是什么确实能对管理者有所帮助。其一就是可以帮助管理者评估自己所在组织的所有无形资产：组织中都有哪些无形资产？为什么说它们是价值创造的源泉（这是所有无形资产的本质）？他们实际创造了哪些价值？管理者可能会暂时停止在组织中的直接控制，转念想想，自己的职责是以何种方式推动了这些企业无形资产的创造及其有效管理的：我的职责范围内贡献出了什么无形资产？既然资产主要是用于价值创造的，那么属于我管辖范围内的无形资产是怎样创造价值的？这些无形资产是否有明确的界定？是否是孤立的？能否测量？在组织中，增加这些资产价值的补充元素是什么？如果管理者能同组织中自己很少接触的其他部门进行直接的交流联络，无形资产的管理会更好地起作用吗？

思考一下这些问题，会使管理者更明确，虽然很多无形资产（如本书中讨论的那些无形资产）都可以分开管理，但其产生及最终的价值创造是由组织中那么多的内部元素促成的，因此要利用它们实现价值的最大化，就需要有承认无形资产基本互补性的全新组织安排。使无形资产的创造以及利润的产生达到最优的新组织结构，源于无形资产创造后的成功利用，这些组织结构的落实可能最终证明是与管理方法本身同样重要。有效无形资产管理对组织的影响会是什么呢？下面我们就来探讨这个问题。

信息技术

对于更有效的信息技术管理，组织的反应还是相当成熟的，虽说可能不是完全的成熟。很多组织都引入了正式的管理程序，由高级管理人员参与IT投资决策的制定，为的就是确保任何一个项目都能更好地与公司战略相结合。也就是说要指引委员会和项目排序部门以及IT部门本身的项目负责人，像交通警察一样地管理项目从萌芽一直到完成的工作流。虽然为优化管理具有价值创造潜力的IT而建立的新型组织安排，并没有使用无形资产的措辞，但它确实是由对IT互补性的深入理解所促成的：信息技术的价值来源于与组织中其他元素的相互作用，主要来自与人、公司特有的商业流程之间的相互作用。要捕获技术的价值，就要确保资本投入针对的是公司目标，但公司在很多时候关注的都是些不相关的目标。

在创造价值或者至少是在预算的范围内创造价值方面，IT部门有着无数的记录数据，与此同时，CFO也开始与CIO更加合作，朝着为IT部门承担更大责任的方向发展。技术圈里为此激烈争论了很多年，大家都在猜测CIO何时才能在公司董事会里赢得一席之地，作为明确同意他们对指引公司的方向有所影响的信号。在一些公司里，CIO已经进入了董事会，但很多公司还没做到这一点。哈克特集团（Hackett Group）的创始人Greg Hackett曾经特别提到，仍有70%的CIO还要向CFO汇报工作。如果技术总监们掌握了足够的财务知识，能清楚地表述技术怎样才能驱动重大战略结果的产生并最终带来利润，那么这个比例会降低吗？

随着公司建立或取得的IT类型从仅仅是为生产能力和数据加工提供支持，发展到各种企业应用程序，如ERP、CRM及供应链软件，由业务部门的雇员提出IT项目建议及详细商业理由的情形变得越来越为普遍了。开始由部门承担项目的成本，并负责对结果作出解释，即IT是否创造了预测中显示的价值。此外，这些新情况并不是因为IT突然被视为无形资产才出现的（尽管财务报告对IT的处理与物质资产相同），而是由于管理者认识到，技术资产就算没有推动企业成功，也要与之相结合。要使组织更接近这一目标，就要最大程度地授予雇员权利，使他们能够对投资提出建议、主张，并对这些投资享有所有权，从而从投资中获益。

知识产权／智力资产

造访QED或登陆yet2.com网上交易所的客户公司，从刚刚开始从事知识资产管理的公司，到具有成熟的知识管理经验的公司，什么样的公司都有。因此，支持创新市场化的组织变化，会像实施OMI所要求的那样剧烈和彻底。OMI当然也就会被非常恰当地嵌入战略规划流程。

在卖方一方，公司将需要建立一个组织和管理结构，定期审查公司的知识资产组合，确定具体资产是否适于在公开市场上授权给他人。只有这样才能回答类似下列问题：如果这项具体资产适合于OMI，那么是否应当或多或少地增加研发预算，以便实现从IP/IA许可中产生更多收入的目标？公司目标的转变要求公司对其资产组合重新排序，从而使一项曾被认为是战略性的、主张在内部使用的资产，因此却可能被授予了他人，这是一个怎样的转变呢？

再来考虑一个相反的问题：如果某个管理人员发现一项专利或商业秘密有望成功地制造成产品，组织是否需要把它从公开市场上撤下来？由于这些问题的答案涉及财务、战略、研发、营销等众多领域，是跨部门的，因此组织设计中必须含有公开的交流渠道，使那些在此类有关OMI决策的制定中有发言权的管理人员可以通过这些渠道互相协作。

在公开市场上交易的买方一方，这种交易方式可能会更多地触及到组织的结构。购买他人的知识产权和智力资产，就等于承认公司今后的成功更有可能要依靠在别处产生的创意。一旦公司试图购买IP/IA而不是创造这些无形资产能力，就会有一系列的重要问题突然闯入视线之内。如，是否有必要缩小研发职能的规模和范围？缩减研发职能而节省下来的成本，其最有价值的用途是不是再投入OMI的管理活动呢？随着研发工程师的报酬更多地来自敏锐地辨别他人所有、符合本公司目标的IP/IA，来自实验研究技能的报酬则越来越少，他们的作用也必然从负责创造创意转变为识别创意。当然，这需要重新调整他们的全部收入结构。但是，应该把多少报酬从创意的创造功能转移到创意的识别和购得功能上来呢？如果具有深厚技术专业知识的工程师没有领会购买IP/IA所带来的战略性商业影响，那么让他们影响公司的OMI政策是否合适？什么样的跨工作职能及责任范围的协作安排最适合OMI的购买战略？在经认可的购买优先顺序模式的范围之内，谁有权对具体的购买活动作出决定？随着OMI的成熟、相关案例研究的出现，这些问题就会有确定的答案。

更多的公司把研发职能外包出去又会引发其他问题。现在，越来越多的公司并不是把研发工作像某种IT业务一样的以纯粹意义的外包形式移交给他人，而是把研发能力的建立放在印度、中国这样的低成本国家，在那里，有同等技能的技术专家的劳动力价格要低得多。例如，英特尔就把下一代移动电话处理器的研发转移到了以色列，而北电网络（Nortel Networks）则在印度开发互联网技术（Internet technology）。❶ 虽然已经证明互联网和协作软件完全可以帮助管理者协调来自远处的工作流，但是在与距离总部12～14个小时路程的同事合作时，还需要考虑哪些实际的日常经营事项呢？即便印度和中国科学家能讲一口流利的英语，语言上的障碍又有多大？（一家PC制造商的客户投诉说，根本就听不懂工作人员在说些什么，这家制造商因此公开承认错误，随后就不再把技术支持电话转接到印度。）

这种经营安排是否有可能是对OMI的交易双方所做的折中？上述潮流还有一个有趣之处，这就是公司根据无形资产的互补性相信人力资本具有可互换性，也就是说，一个人力资本

❶ Abe De Ramos, "The China Syndrome," *CFO Magazine* (October 2003), p. 74.

团队可以很容易地代替另一组团队，如为了降低成本，用一个印度或是中国科学家取代一个美国科学家。这个支持在国外建立研发能力的核心假设，其理论基础就是有理由相信科学与技术在全世界都是一样的（无论在印度，还是在印第安纳，物理、化学与材料科学都是同样的学科）以及科学活动是可以计量的（其产生与应用超越组织的直接控制）。

不过，这种观点看来好像与人力资本的现实情况完全不一致。人力资本的现实情况是，由于雇员对公司特有知识的积累，随着时间的推移，人力资本对于组织的价值也会随之增加。这已经得到美世公司的证实。只有时间能够证明，对那些在国外建立研发能力的公司来说，公司特有的知识在研发中的重要性是否比不上它在其他领域的重要性。时间还能帮助我们判定，研发职能与组织的远距离关系是否会破坏从OMI中获取价值的努力。

知识

知识的利用自然是跨部门的，但知识的产生却是发生在特定的领域。是否存在一种最理想的组织结构，能够使二者得到平衡？恰当的知识管理，如果从非传统体制的角度考虑可能反而会发挥最大的作用。公司可以雇佣一名知识管理主任或知识总监，负责管理一项持续实施的长期战略。如果他们的任务是为知识的分享与产生创造条件，而不是以专制的方式控制这些活动，那么他们的工作可能会更有成效。这些条件包括：

- 使组织各部门的员工普遍了解并一起讨论：什么是知识管理以及其中蕴含着什么样商业目标；
- 建立鼓励知识分享的环境，包括对贡献知识的奖励制度，以及能引起外显知识的创造与分享活动的报酬与工作职责框架；
- 通过提供便于使用的公开工具——除了微软的Word和Excel之外——和有力的搜索能力，促进知识的分享与创造。

知识的创造与分享近乎是一种有机的运动，是自下而上发生的，而非相反。如果忽视这一事实，任何意在支持知识管理的组织战略都有可能会失败。

最适合知识管理的组织结构是柔性而非刚性的。这种柔性的组织结构不会阻碍人们到有关知识管理的组织设计家族中寻找推动其事业发展的新技术。一个较为知名的技术是社交网络分析（social network analysis，简称SNA）技术。SNA根植于这样的思想，即社交网络，用无形资产的语言表述就是社会资产，对于提高雇员的效率是非常重要的，掌握员工之间社交网络的布局可以帮助组织了解，在公司中哪里的信息流量最多，哪的最少，还可以帮助组织重新设计社交网络的布局，以推动信息流向需要它的地方。其思想论调是，只要信息流得以改善，知识的分享也会随之改善。图12–1显示的是一个简单的SNA图。[1]

[1] 图12-1与图12-2都摘自Valdis E. Krebs, "Managing the Connected Organization." White paper, orgnet.com/MCO.html.

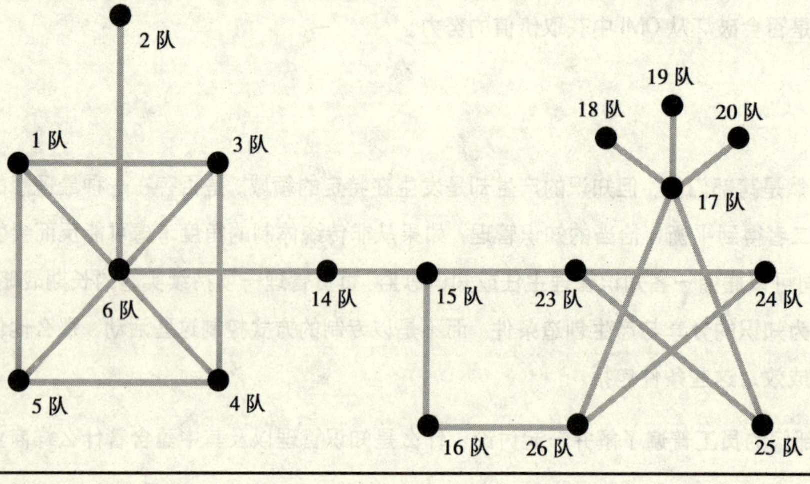

图12–1

把两个团队连接起来的线，表示在共同构成这个虚构公司的项目团队之间识别出了双向的社交信息流。这个图示代表的是人们之间有机发展的社会关系而非物质联系（以太网）。这个社交网络布局显示，17队是包括与其他团队分享知识在内的很多信息流的中心。而2队相对来说就比较孤立，只跟6队有直接联系，不过只隔一层就可以和1、3、4、5和14队这几个团队联系上。[1]

通过分析这个布局，SNA显示，要改善组织内部的信息流可能需要在17队与6队之间建立直接联系，见图12-2。

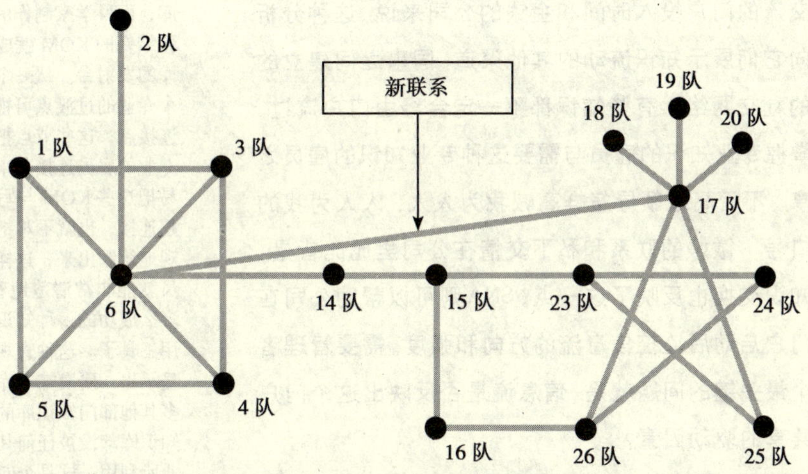

图12-2

在这个图中，加上了一个要求这两个团队之间互相交流的明确指示。这样做之后，公司就把路径长度平均减掉了一个层级，而最长的路径则从7段减为4段。[2] 或者如果公司认为，信息的彻底流动会使那些已经建立起良好联系的团队不知所措，那么也可以采取另一条改善信息流的路线，即在4队与26队之间建立直接联系。这样就通过消除14、15、23队之间的瓶颈，达到了同样的目的。

❶ Krebs宣称，据实验性研究显示，直接与间接（相隔一层）联系的组合是产生最重要的社交资产的最佳组合；过多的直接联系反而会降低工作人员的效率，因为他们要花很多时间维护与同事的关系、保持联络。相反，间接联系与直接联系一样，也是宝贵的知识来源。根据社交网络分析法的判断，图12.1中的15队拥有最理想的社交资产，原因在于虽然这个团队与其他团队之间的直接联系有限，但它与网络中很多的团队都有直接或间接的联系。

❷ Krebs.

现在有了更多可以分享信息的间接联系，这样可以减少信息在组织内部必须流入的节点，加速信息流向客户，而且信息也不会像通过更迂回的路线传递时扭曲得那么厉害。

尽管SNA的用途不限于知识管理，但SNA一直被用于这种无形资产的管理之中，因为有人坚持认为组织设计规则对从知识中萃取重要价值的工作是必要的（虽然对这该主张存在疑问）。公司也许会发现SNA是个有用的高级诊断工具，能够帮助识别组织内部信息流动的模式，确定信息在哪些地方流通不畅，在哪些地方则存在大量的信息流。[1] 对那些向支持知识交流的门户投入时间和金钱的公司来说，这种分析也许还能向它们展示知识流动的其他渠道。同事之间建立的是非官方的社交网络。有些知识都不一定会经由门户流过，但却能在掌握专业知识的雇员与需要这种专业知识的雇员之间直接分享。不管高级领导怎样高喊我为人人、人人为我的知识管理口号，微妙的联系和私下交情在公司里比比皆是，非正式的知识交换也反映了这一点。SNA则可以帮助公司在企业知识门户启动后监控信息流的方向和强度。需要管理者回答的一个最关键的问题就是：信息流是否反映出这个门户就是知识共享的驱动因素？

SNA可能还可以证明，公司能否通过SNA揭示的信息流，了解信息分享与否的原因。是不是激励知识共享的体制起了作用？被雇员利用的知识的质量与相关性如何？知识寻求者在知识门户未能提供其所需知识的时候，可以通过同事介绍组织中掌握这种知识的第三人，这种推荐机制到底有多健全？对于那些重视知识管理的组织，SNA可能会是个有用的诊疗工具，但它并不能为试图把知识管理与商业目标连接起来的战略提供指导。

[1] 知识目标理论可能有同样的信息流动地图绘制效果。回顾科学家为了分析一种新型化肥产品BestGrow，利用知识目标理论创建知识库的例子。当营销主管为把产品投向市场做准备时，她研究了由科学家制作的描述实验结果的KOM。这成为产品上市计划的基础。她评估的第一个KOM与她所需要的信息有直接的关系。我们可以把它视为营销主管专业领域的过渡点。营销主管为把BestGrow推向市场要建立知识库，而科学家制作的这个描述实验结果的KOM就成为这个知识库的发射台。从一个专业到另一个专业的过渡点可视为节点或称连接点，这些节点把组织中不同专业的雇员连接起来。由于很容易把这些KOM与写作软件建立超连接，也就不难把这些节点直观地绘制出来，这样KM管理人员就能非常清楚地看到KOT是多么成功的一种知识分享和再利用工具了。这种直观性也许可以显示出，研发知识库是组织里很多其他部门知识库的来源，但HR知识库却没被任何其他部门或行业所利用。这是个问题呢？还是反映了HR的专业知识用于组织其他领域的局限性？这要看公司的具体情况了。同样重要的是，这种直观性还可以向管理者清楚地显示知识在企业内部的传播情况。最让他们高兴而又不敢肯定的情况也许就会得到证实：KOT作为一种描述任何知识的方法，以他们想像不到的方式推动了知识在整个公司内部的再利用和共享。一张地图就能揭示这些知识利用与分享的路线。

客户

如果把为了区别服务等级而计算客户群的LCV，作为一个孤立的技巧来实施，对组织的影响就不会很大。但是，如果对客户获利能力的深入理解一定能贯彻到全部个性化的服务与支持战略之中，客户化要求一定能提高客户等级进而提高客户的终生价值，并有望提高客户的满意度，那就完全是另一码事了。

对于“一对一”（“one-to-one”）客户关系战略与战术的先驱Pepper & Rogers Group来说，实现以Convergys为范例的愿景，无疑需要改变其产品与服务在市场上的定位，围绕客户等级组织产品与服务。这个思想相当有意义。组织的目标不应当是推销产品，而是应该建立个性化的客户关系，有意识地将客户关系与客户价值挂钩，并通过这种个性化的关系销售产品与服务。在公众需要他们的意义上，组织的产品与服务就是资产。真正的资产是那些成为客户的人。围绕客户而非产品或服务组织业务，与建立生产产品、提供服务以及创新的能力并不抵触，但确实能使公司明了其所提供的是否就是市场所需的。这是一个重大的思想倾向的转变，对组织的影响相当大。

一家美国汽车制造商曾经考虑过这种以客户为导向的新方法，但显然没有坚持到底。假如这家公司坚持下去的话，这种组织再造的实现对组织会有什么样的要求？公司首先会承认，与某种品牌汽车的单位销售额相比，确保向已经拥有一辆本公司汽车的客户再卖出公司随便哪个品牌的汽车更重要。公司把这称之为“车库占有率”。品牌对于帮助影响购买决定依然很重要，但围绕客户群重新调整内部资源是指，不要围绕品牌组织资源，因为随后必然产生区域特性。传统的营销与品牌功能本身并未发生改变，但公司的战略将会由支持增加该品牌汽车市场占有率的目标转向支持客户群：该品牌以及我们的营销广告词与已确认的客户群的需求有关系吗？如何管理这个品牌，才能让客户看到从公司购买第二部汽车的价值？怎样管理品牌及营销，才能让已有客户的购买倾向从体积更大的汽车变为利润更高的汽车呢？这样的策略与在周六ABC大学生足球联赛节目中插播广告的策略大不相同——根据经验猜测，既然人们都喜欢看足球赛，那么爱看球赛的人也会喜欢我们为有半吨承载量的新车所作的广告。

正如对汽车业来说这是种极端的观念，银行业在围绕客户群组织资源及摆脱完全关注产品的思维方式方面所作的努力也很少。这里只举一个有关组织所需转变的小例子：支行员工的培训。

对于支行在销售网络中的重要性，银行的态度已经有所改变。互联网的兴起以及在线银行业务的便利，使银行认为支行是不合时代的成本发源地。但是银行很快就发现，在涉及到钱的时候，客户还是喜欢跟人打交道。于是突然间就兴起了支行热，那些拥护根据获利能力和可发展性建立客户战略的人，也开始寻找支持这个愿景的最佳方法。在过去，幸免于人员调整的银行出纳员被调入销售岗位，原因是他们是优秀的出纳，而优秀的出纳每天都能保持账目平衡，工作效率也高。[1]

这完全不能显示出他们在向支行客户销售产品和提供服务方面的能力，但却一直是银行业中职业生涯轨道上的通常程序。一些银行在对客户进行评分并深入了解他们的现有财务状况及未来价值潜力之后，开始从零售业雇佣只有初级职位的人。因为让一个普通的销售人员了解金融服务产品，比向银行职员传授销售技巧容易得多。这在管理者的组织再造议程中只是沧海一粒。

事实上，关于根据对客户获利能力的理解实施客户导向战略的组织问题是如此之多，以致为了支持该战略而对公司进行组织相比，持续不断地利用战略技巧最终可能会更容易。

例如，接受了这个理论的前世通公司（the old MCI）[2]，了解到排名前5%的客户占了它全部业务的40%。[3] 通过分析通话模式，公司确认了三种不同需求的客户群，然后为每组客户群指定一名管理人员，以便根据这些已确认的需求发展业务，并根据这些管理人员管理的客户群中增加的业务量与提高的忠诚度这两项内容来对他们进行评估。

以上措施在启动之后不久就彻底失败了。因为这样管理的客户范围太广，而且高级领导者也没有为成功实施这些策略所需的组织改变做好准备。[4]

针对这些问题，专家建议实施一种渐进行动、快速取胜的办法。例如，Peppers & Rogers Group 建议，首先辨别出具有最高价值的客户和较高未来潜在价值的客户，然后只围绕这些客

[1] 引自与金融服务调查公司TowerGroup副总裁Jim Eckenrode的会谈。(August, 2005)

[2] 美国著名的通信公司媒体控制接口公司。——译者注

[3] Don Peppers, Martha Rogers, and Bob Dorf, *The One to One Fieldbook* (New York City: Currency Doubleday, 1999), p. 207.

[4] Don Peppers, Martha Rogers, and Bob Dorf, *The One to One Fieldbook* (New York City: Currency Doubleday, 1999), p. 207.

户群实施战略。只要公司能围绕这个战略成功地实现商业目标并进而证实其价值，那么也就能够相应地增加后续客户群。

无论渐进与否，其中的一些转变还是很痛苦的。这个客户战略3M的执行要求有一个完全不同以往的营销主管。需要的不再是产品专家，而是客户专家。要从想方设法让客户购买公司提供的产品，改为想办法生产出客户明确提出想要买的产品。这个新型营销管理者的角色是充当以产品为导向的营销人员与市场之间的媒介，任务是确保客户所需与公司的生产能力协同一致。这种组织调整是适当的客户无形资产管理的核心。

人力资本

CFO对人力资本管理的兴趣日益浓厚，已经成为他们工作日程中的最突出部分，而一旦CFO对某种资产感兴趣，变化（组织变化及其他变化）就会随之发生。你可以随便问问哪个向CFO负责的CIO，看看是不是这样。

CFO的这种日益增长的兴趣可以参见由美世人力咨询公司发起、CFO杂志（*CFO Magazine*）的研究部门实施的一项调查研究。[1] 在这项调查中，有2%的人确定地知道其所在公司人力资本总费用的回报是多少，7%的人只在很小或中等的程度上知道人力资本的回报是多少，[2] 而回复者普遍宣称36%的收入被投入了人力资本。不管对人力的投资规模有多大，其投资价值仍具有不确定性，考虑到这一点，CFO们开始热衷于关注人力资本的价值问题并不足为奇。

这种情况与CFO被迫更直接地介入IT组织的资本投资没有什么不同。CFO们对人力投资的态度转变见表12-1。[3] 读者从该表中可以看到，CFO作为组织管理层最高级的代表，对人力资本问题的看法是如何影响了广泛的经营与战略活动。

---

[1] "Human Capital Management: The CFO's Perspective," CFO Research Services and Mercer Human Resource Management (2003). 该调查收到180个答复，其中有51%来自CFO或是高级财务副经理。这些主管所在的公司里有69%销售额达10亿美元甚至更多。

[2] "Human Capital Management," executive summary, p. 2.

[3] "Human Capital Management," executive summary, p. 2.

表 12–1

过去的情况	新情况
·用于雇员的费用是成本	·用于雇员的费用属于投资，是价值的源泉。
·HR 职务是个成本发源地	·HR 是战略性商业伙伴
·财务部门参与工资预算的安排	·财务部门也参与 HR 预算
·HR 负责考核标准的制定与操作	·财务有助于考核标准的设计与利用
·了解 HC 的投资回报只需少量工作	·对测量回报和价值创造的因与果怀有极大的兴趣
·HC 有时是 M&A 定价的一个因素	·HC 往往是 M&A 定价的一个因素

这种新的思维方式对HR部门的影响可能是最大的。虽然调查显示 9% 的 CFO 把 HR 看作只是个成本发源地，是个具有较低战略价值的管理职位，但仍有 28% 的人认为 HR 有些重要，有 11%的人更是认为该职位非常重要。同一调查还发现，超过60% 的 CFO 认为自己应在人力资本战略中扮演领导角色。

显然，CFO 们相信，通过人力资本管理的改善，HR 有能力创造巨大的价值，而他们希望自己能参与其中。他们的直接和稳固介入会是怎样的情况尚不清楚，因为不再把劳动力视为纯支出，而是将其与企业战略结果相关联的人力资本管理战略才刚刚显现。不过有几家公司的经历向人们展示了财务在HR决策制定中发挥更大作用的情况。

在联合利华的家居和个人护理产品线中，设计、生产、销售及营销程序结合得如此紧密，使得人力资本管理成为价值的连续创造中不可或缺的一部分。[1] 就指导 HR 发展、测量和报酬办法的利用制定更明智的人力资产决策而言，财务对HR战略的制定发挥了重要作用。理论上，财务有能力为人力资本实践注入传统的 HR 支持和管理职能所缺少的严格分析。

陶氏化学公司（Dow Chemical Company）正在通过衡量雇员对特定项目的具体贡献，为量化雇员现在及将来对公司财务目标的贡献建立模型，以便在以后的项目中帮助作出更佳的人力资本分配决策。这个方法是由HR部门中的一个特殊团队在财务与业务管理人员的介入下开发出来的。[2]

注意，在上面这两个案例中，财务在进入HR领域的切入点

❶ "Human Capital Management," p. 19.

❷ "Human Capital Management," p. 20.

是，哪里需要构建至少是尝试把作为原因的人力资本开支决策与经营结果连接起来的测量体系，财务就从哪里介入。HR与财务这两个机构在很多公司中都没有如此深度的合作。不过，财务与HR之间更亲密的工作关系很有可能会出现在高级主管把人力资本管理作为最优先考虑事项的其他组织结构中。

超越直觉，更清楚地理解公司劳动力的战略性价值影响，是改善人力资本管理的先决条件。毫不奇怪，在HR与财务之间会出现跨职能的项目，用以量化这些关联，嵌入支持未来人力资本管理决策的精确测量方法。对于HR的好消息是，如果HR提供的人力资本管理办法能够产生在财务上可以计量的结果，那么HR的可信度与可视度就有可能大为提高。到那时，劳动就会被确认为真正的资产而不是成本。

品牌

不对品牌作专章讨论是根据作者自己的判断有意作出的决定。并不是品牌不重要，而是因为缺少有意义的新方法能深化我们对品牌管理的理解。

早在很多年前，人们就认识到品牌是一种重要的公司无形资产。在开始于20世纪80年代的兼并与收购浪潮中，品牌起了显著的作用，其直接产物就是成熟的品牌评估方法。[1] 从管理的角度，品牌检验与记分卡是两大进展，在许多文献中已有大量评述。不过最近又出现了一种新的品牌管理思想，值得在此做一番评述。由于该思想要求组织作出根本性的改变，因此本章正是介绍这个思想最理想的地方。

首先，关于品牌的定义。虽然产品、服务或者公司品牌由很多元素组成，但公认的定义是：品牌就是价值的保证。这个定义可以普遍适用于市场上的任何产品或服务。

为了理解这个品牌管理新观念，先想想过去是怎样管理品牌的。以前的品牌管理是以产品为导向的。管理品牌就是管理产品以及有关这些产品的讯息。在这里讯息是关键。美国经济由过去

[1] "Brand Valuation Methodology," p. 1.

的商人与信任商人的客户之间的强大地域关系，发展为由于批量生产与销售促成的更远距离的关系。由于客户在地理与心理上都远离商人，于是大众传媒就开始尝试着为消失于工业革命之后的强大地域关系支持和培育替代物——即后来的品牌。[1]

西尔斯·罗布克公司的产品目录就是这种远距离讯息的范例。对西尔斯的零售商来说，其品牌就是证明一批可信、方便、个性化产品的信息来源。品牌代替了本地店主，不用再通过店主直接声明产品的质量，帮助客户作出购买决定：因为只要是西尔斯卖的产品就一定有用，值得买。品牌管理变成了讯息管理，而这正是现代营销的起源。

随着互联网的兴起，大陆板块自然发生了移动。产品、服务与客户之间的距离突然间又一次在空间上，当然还有信息方面，极度地缩短了。是信息让人们知道了品牌，认识了品牌。新一代店主是有关自己店里出售的具体产品的可信信息的来源，新媒介的作用和店主也没什么两样。

Google就是一个中间媒介的例子，人们通过Google可以很容易地搜索到杂志评论、博客等各种来源对有关产品、服务的独立评价。由组织直接控制的其他信息技术，如CRM，也可以作为连接产品、服务与客户的桥梁。

广告在传统品牌宣传环境中所作的工作逐渐由IT所替代，其形式是意在与客户培育直接关系的软件以及使这些直接关系成为可能的通信设施。[2]

这个转变的影响直截了当，在这个新世界取得未来成功的妙方也是鼓舞人心。出于各种目的和意图，CIO开始成为组织中新的品牌管理者——虽然根本就没有指定他们担任这个角色——应该在品牌管理活动中享有发言权。如果考虑到推动品牌价值提高的不只是客户处理技术，而是组织中的所有IT，包括但不限于控制生产效率与质量、后勤、库存、供应链和促销的软件，那么指定CIO担任新的品牌领导人——最低也是形成品牌声誉的关键参与者——就更加有意义了。

[1] 引自与Z+Partners的创始人Andrew Zolli的会谈。(November 11, 2003)

[2] 引自与Z+Partners的创始人Andrew Zolli的会谈。(2003年11月11日)

这些重要的后台应用程序对品牌的声誉作出了极大的贡献。不相信的话，可以观察一下，当产品的质量下降（并且诉讼增加），客户买到的产品不是有缺陷就是破损，或是客户经常因为没货、延期供货和拖欠订货而感到失望，一段时间后品牌会出现什么情况。所有这些商业状况都受到IT管理的影响，有时这种影响还是相当大的。如果品牌就是向客户提供的保证，那么IT就是直接或是间接地为这种保证提供了支持。图12–3可以说明这一点。[1]

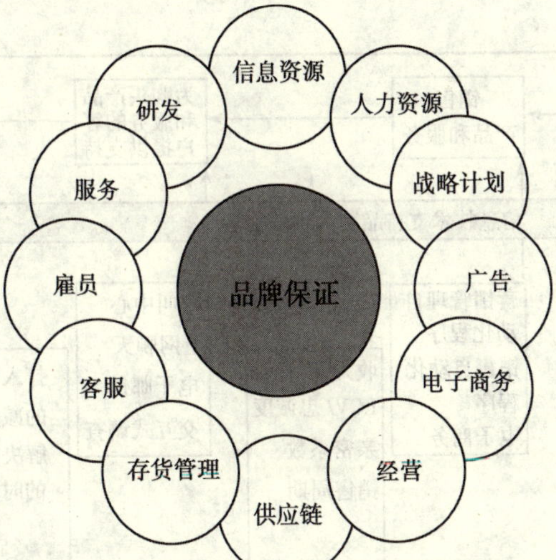

图 12–3

上图中连环圈里的每一项内容要么是一种职能、一个部门，要么就是一种资源，他们都对品牌保证作出了贡献；没有一个能脱离信息技术的影响。

---

[1] 引自“Brand and Deliver: IT's Role in Creating Killer Brands,”slide show presented at Computerworld's Premier 100 IT Leaders Conference, Scottsdale, Arizona (February 23 ~ 25, 2003).

这意味着什么呢？这意味着，品牌管理的功能必须从产品导向变为以整个系统为导向，这是最重要的。品牌管理者不能只注重决定要做多少广告、选择哪种媒体做广告、广告采用什么样的风格这些传统职能。如果品牌管理者只是限于行使这些职能，就忽视了技术对品牌声誉的重要贡献。这种观点强调，要想从这种宝贵的无形资产中萃取价值，就需要品牌管理者与CIO相互协作，共同为公司的产品和服务制定战略和战术，并一起执行这些战略和战术。

这种安排应该是什么样的呢？协作管理工作的核心可能是，品牌主管、CIO与项目和业务经理一道设计一个衡量体系，用来追踪价值链中特定点上可能影响品牌的关键绩效指标（KPI）。见图 12-4。

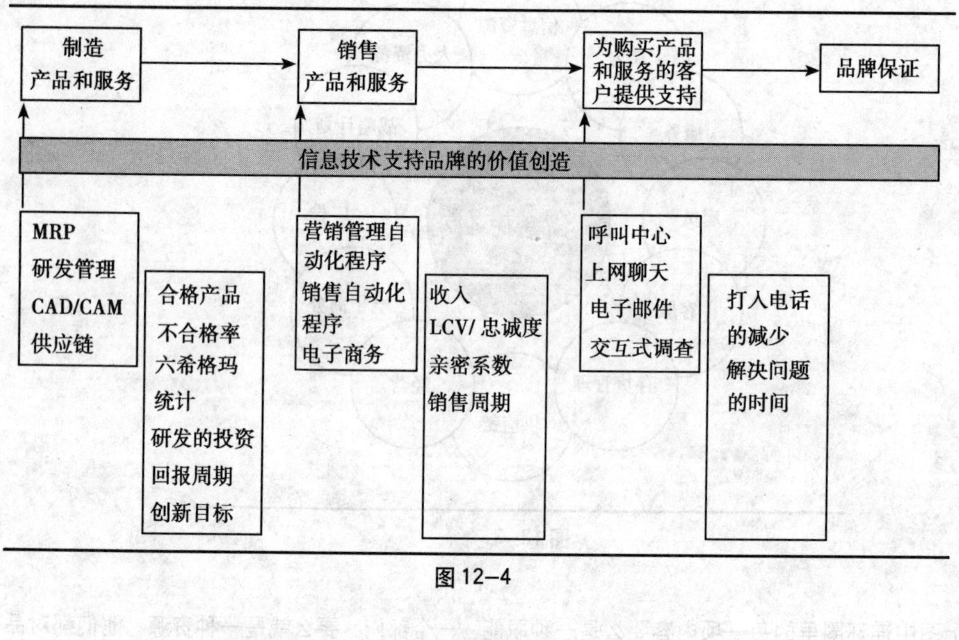

图 12-4

为了简化说明，此处的价值链由三种概括性的高级活动组成。诚然，这种分类是随意了一点，但还是能说明IT在品牌价值的创造中所发挥的作用。图中位于价值链上的每一类活动都与技术有关。每类技术右下方的方框里就是相关的KPI，反映了项目和业务管理者设立的可能实现的目标。在这里只列举了几个指标。位于价值链末端的就是公司通过所售产品和服务的质量、品质和特征为自己建立的品牌无形资产，这些产品和服务都是以技术为动力的。

考虑到CIO已经肩负的重任，不大可能再让他们来担任公司里正式的新型品牌管理者。不过，他们肯定有能力成为类似品牌管理者的翻译者和灵感源泉，告诉人们技术是如何影响在这三类领域中辛勤工作的管理者所努力追求的目标的。为了将IT投资与公司战略更好地结合，授权CIO们积累商业知识，他们因此愈加能够胜任这一角色了。

另一方面，品牌管理者也需要这么一个翻译，因为至少有这么一种感觉，即营销人员不愿从技术角度深入理解客户处理技术必须提供的所有能力。他们要么是被技术的复杂性吓坏了，要么就是错误地认为，为了有效利用的目的而让他们理解这些能力并不重要。

随着越来越多影响品牌的技术的出现，品牌管理者如果缺乏技术知识、不知道IT是怎样直接影响品牌价值的，就会脱离社会的发展进程。而CIO天生就是提供这些知识的领域专家。他们精于IT，能够轻松地掌握有关品牌管理方面的知识，完全可以担当IT与品牌这两个领域之间的有效中介。

不过，接受了更广泛的无形资产管理授权的品牌管理者，应当同项目或业务管理者一样关注于图中所描述的那些目标，因为这些KPI传递的是对特定产品和服务的品牌保证。虽然不会把生产、研发或是客服立刻列入品牌管理者的责任范围之内，但一旦他们的任务从管理讯息的职能，发展为帮助把品牌作为受信息技术影响和推动的无形资产来加以管理和监督，其责任就一定会增加。

例如，品牌管理者对客户未满足的需要的了解，会是非常有用的产品开发信息，通过KPI也许会发现改善产品开发的空间。再如，根据品牌管理者的研究，低于预期的收入在一段既定时间或销售周期里没有增加，这里暴露出来的问题是客户不清楚新产品与竞争对手产品之间的不同之处。所有这些都需要对销售人员另外培训，或是优化营销传递的信息。品牌管理者扩大后的任务是找出问题之所在，并帮助补救。

如果重新安排品牌管理者任务的想法看起来比较古怪，那么看看福特汽车公司的经历，会不会就不那么奇怪了？福特于2000年宣布向股东返还100亿美元的投资回报，因为公司不再需要这些资产了。[1] 公司有意识地决定脱离保守的物质资产，如零件生产，转而投资于无形资产，如收购沃尔沃（Volvo）、捷豹（Jaguar）、陆虎（Land Rover）等汽车品牌。在它收购的资产中，没有多少是属于生产设备这样的物质资产的。

福特收购了几个相当引人注目的豪华汽车的品牌资产。基于的思想是，因为公司拥有的资本少了，而能创造价值的资产即品牌增加了，所以公司能赚取巨额的回报。先不管福特究竟能否实现这一商业模式的转变——这需要时间来证明——我们现在来看看这种转变会对品牌管理产生什么影响。

促使福特采取这个战略的原因之一是互联网。网络使公司有能力外包生产过程，用供应链技术取代生产技术，从而逐步摆脱物质资产。网络还使公司能够以提升这些品牌价值的全新方式与消费者进行交流。[2]

突出强调通过品牌而非物质资产创造价值，是个重大的商业目标转变。一旦品牌成为战略转变的基础，所有的人就会立刻认识到理解贡献于品牌价值的所有补充元素的重要性——这些元素在其他情况下可能永远也得不到重视，此时品牌管理者职责范围的扩大也就不足为奇了；为了最大化这些新无形资产的价值创造潜力，需要构建新的组织结构，也不会有什么奇怪的了。

所有这些是否都是品牌管理观念上的重大突破？只有当组织接受这个观念的时候，才能知道答案。在缺乏经验数据的情况下，无法确定地回答这个问题。然而这个观念的理论基础却是非常有说服力的。还会持续不断地出现新技术，通过更直接的双向交流方式对公司品牌产生递增或是根本的影

[1] Lev, p. 10.

[2] Lev, p. 10.

响。目前最新的技术可能是在零售业能取代条形码技术的RFID标签。RFID标签被定位为会增加供应链和库存透明度的IT。有人推测，这种技术的使用将会迅速地促进与客户的互动：客户站在百货商场的货架旁，把一个智能卡或者是某种电子装置在产品的RFID标签前一扫，就能得到为自己量身定制的报价或是动态价格，因为RFID标签与客户拿的装置是同步的。这一天离我们也许不会太遥远了。

这样又产生了第二个更急需回答的问题：如果公司将来还用过去的方法管理品牌，需要承担什么样的风险呢？答案是，这种风险与其说是对品牌的损害，不如说是对经过实践证明的东西保持忠诚的机会成本。也就是说，品牌是众多互补且相互依赖的元素的集合，这些元素共同向用户持续不断地提供独特的保证，同时对新的组织安排及品牌管理者的新能力有所要求，如果组织未能这样认识品牌，还能考虑怎么创造价值呢？这是一个值得思考的问题。

组织安排自身就是资产

无形资产的最优管理所需的新型组织安排自身就可以成为无形资产，即组织资产。组织资产是指赋予一个公司特殊竞争能力的独特企业安排和管理结构。到处都是的网络连接既便宜又可靠（与EDI[1]相比），为这些结构提供了支持。沃尔玛的供应链、思科（Cisco）[2]以网络为基础的维护与支持环境、戴尔（Dell）的在线接单后生产，都是组织资产的例子。

组织资产可能是所有无形资产中最无形的了。人们看不到它，也不存在交易组织资产的市场，因为无法把它从组织中分离出来或是作为独立的实体销售，而且它对财务绩效的贡献在财务报表中也没有明显地反映出来。然而，组织资产确实为组织创造了巨大的价值。下面就是一个例子。

一直以来，玩具公司都是集中在每年的1月和2月即上一个休假旺季刚刚结束之后，向制造商下出所有订单。到了圣诞节，玩具公司里不是积压了大批失败的玩具，就是成功玩具断了

---

[1] Electronic Data Interchange，电子数据交换。——译者注

[2] 企业网络产品的全球领先供应商。——译者注

货。[1] 由于供应链上各个点之间的信息流既不多，传播的速度又很慢，或者根本就不存在，因此供给与需求完全不能实现同步。

玩具设计商跳蛙公司（LeapFrog Enterprises）生产的跳蛙e书包（LittleTouch LeapPad）玩具，是个一两岁小孩玩的小玩意儿，一碰书上的插图就能发出声来。公司为了改善有关这种玩具生产的决策，把专门化的建模软件和与零售商之间建立的新供应链关系紧密地结合起来。按月收集销售信息在过去是很难实现的——更别提及时收集了——因为零售商根本就不愿意提供销售统计数据。例如，跳蛙公司的一位主管曾经工作过的美泰（Mattel），会派雇员到零售商那里，一个个地数仓库货架上的产品数量，即便他们根本就没法知道从仓库中搬走的产品到底有多少。[2] 以前的供应链管理的技术水平就是这样的。

互联网的出现促使零售商公开了其数据库，现在跳蛙公司可以获得实时的销售数据了。沃尔玛每卖出一个跳蛙e书包，第二天就能在跳蛙公司的数据库里显示出来。[3] 跳蛙公司还购买了分析销售数据的专门软件，这种软件可以帮助公司更好地理解由折扣、广告和促销或商店配货等原因导致的异常销售峰值。理解了这些销售异常现象，公司就能知道市场对跳蛙e书包的真正需求了。

不出所料，公司通过这种软件得知这种玩具产品是成功的。强大的IT加上新的供应链关系，不仅让公司认识到应该把玩具的产量比计划的提高一倍，而且还使公司可以在8月份安排订单，比通常的经营程序晚了6个月。与跳蛙公司签约生产跳蛙e书包的制造商（位于中国的中山市）将对这个要求作出反应，在4个月内生产出相当于自第一次订货时起12个月的产量。[4] 制造方的设计和供应链效率使得大量生产成为可能。

整个供应链条上的优化组织安排使所有的参与者都增加了收入。每个人都急于知道这些安排的货币价值。这些组织安排人们既看不见，也不能作为孤立的资产出售，但却为把这些形成组织结构的成分聚集在一起的公司带来了巨大的价值。这就是如今组织资本比大部分物质资产都有价值的原因。

[1] Geoffrey A. Fowler and Joseph Pereira, "Behind Hit Toys: A Race to Tap Seasonal Surge," *Wall Street Journal* (December 18, 2003)

[2] Geoffrey A. Fowler and Joseph Pereira, "Behind Hit Toys: A Race to Tap Seasonal Surge," *Wall Street Journal* (December 18, 2003)

[3] Geoffrey A. Fowler and Joseph Pereira, "Behind Hit Toys: A Race to Tap Seasonal Surge," *Wall Street Journal* (December 18, 2003)

[4] Geoffrey A. Fowler and Joseph Pereira, "Behind Hit Toys: A Race to Tap Seasonal Surge," *Wall Street Journal* (December 18, 2003)

结论

最伟大的创新可能就是现代的美国公司了。不是具有Dilbert名声的现代美国公司，而是证明有能力设计、生产、配售、销售人们需要的产品和服务，同时轮流向股东交付价值的公司。我们不得不钦佩那些制造半导体收音机、飞机、赛车或发电轮机等超级复杂的产品并且做得很好的公司，因为太多的公司只生产简单的产品，做得却没那么好。能够在这方面获得成功，说明公司也有能力有效地分配财务资源并利用上千名员工的技能和才智抓住有时是飞逝而过的市场机会。他们正在成功地管理着自己的组织资产。

结 语

评论家弗赖伊 (Northrop Frye) 曾经说过，修辞上的变化会是个根本性的改变。公司拥有的不再是雇员，而是人力资本；公司拥有的不再是客户，而是关系资本。组织掌握的不再是大量的信息，而是知识资本。资本，资本，还是资本。有很长一段时间，我们完全不能理解这些词语的含义。正如本书所证明了的，事实已经不再是这样，尽管很难对无形资产作出简洁的定义和分类。

管理者现在拥有的帮助他们更有效地管理自己管辖范围内所有无形资产的工具，总有一天会丧失在技术上的领先地位。随着创新的程序不断地完善我们对影响无形资产价值创造潜力的力量的理解，就必将出现新的工具和技术。这些需要在21世纪还会一直存在，因为无形资产对经济价值的贡献在范围和重要性上只会增加。希望本书阐述的技巧和方法能够有助于对这个问题的理解。

随着对关于无形资产管理的所有问题的理解日益增强，看看下一个问题是什么会很有意思。企业中将会出现什么样的需要，只需一种无形资产就能满足，并且通过这种资产的产生成为极度竞争优势的源泉？竞争优势应该是无形资产战略欲实现的更高目标之一，因为物质资产已经证明自己如今无力提供竞争优势。这个问题的答案实际上渐显轮廓，但还需要耐心的观察。

《创新的两难》(*The Innovation's Dilemma*，1997) 一书的作者、哈佛大学的教授克里斯汀生 (Clayton Christensen) 曾举例说明，创新密集型行业中的领先公司往往是注定要失败的，因为成功使他们对新崛起的竞争对手推出的创新视而不见，这些创新看起来虽然不会影响公司确定的客户，但最终却推动了行业发展的下一个浪潮。这种反常现象是相当可怕的：公司失败不是因为糟糕的管理，而是因为管理得太好了。[1] 克里斯汀生强调说："公司一旦做那些保持利润坚挺和股票价格正常必须要做的事，就是为自己的毁灭铺平了道路。"[2] 他当真是说"毁灭"吗？

克里斯汀生一方面描绘了一幅可怕的景像，一方面又把注意力从创新的困境转向解决办法。无形资产管理就此登场。

因为优秀的管理为失败播下了种子，所以优秀的管理自己不大可能成为解决办法，虽然使命很清楚，即企业应当建立存在、再毁灭、毁灭、再存在的能力。这种一阴一阳的商业模式从未被尝试过，但克里斯汀生却相信这种说法，因为它最终可能会拯救很多被毁灭性创新击败的、管理完善的公司。很多公司就曾经成功地毁灭过一次甚至几次，如IBM、英特尔以及直觉公司（Intuit）。

关键的问题是，毁灭能否作为一个标准操作程序嵌入组织内部。公司能否定期用虽具破坏性但代表了下一个机会和利润率的创新来毁掉自己？公司能不能发明出一个毁灭发动机（disruption engine）？换种方式说，就是公司能否发明出一种无形资产，可以把必要的组织元素和人力资本战略等元素结合起来，共同使公司能够为了自救而成功地、有意地毁灭自己。克里斯汀生没有把这个问题明确地说成是无形资产管理的需要，但实际上确实如此。

为了销售一种新的发展战略方法，克里斯汀生创建了一个咨询公司。要说这种方法从长远看是可持续发展的，还为时过早，不过考虑到他的成绩记录，可能会是这样。在求发展的管理与故意毁灭之间建立平衡的商业模式战略，要求回答以下问题：

- 这种高度特殊的组织能力资产应该是什么样的？
- 其互补性的特性是什么？
- 用于实施它的手段是什么？

[1] Polly LaBarre, "The Industrialized Revolution," *Fast Company*, Issue 76 (November 2003), p. 114.

[2] Polly LaBarre, "The Industrialized Revolution," *Fast Company*, Issue 76 (November 2003), p. 114.

- 需要做什么样的组织安排来适应它？
- 这种资产的效力是以接近零的边际成本、网络效应和正反馈为基础的吗？这种战略要承担什么样的特殊风险？

由于我们对无形资产本质的理解已经加深，因此对这些问题不应感到陌生。希望本书能为回答这些问题提供基础。

汉译创新管理图书

《创新的种子：解读创新魔方》 作者：[美]伊莱恩·丹敦

《创新的源泉：追循创新公司的足迹》 作者：[美]冯·希普尔

《创新高速公路：构筑知识创新与知识共享的平台》 作者：[美]戴布拉·艾米顿

《研发组织管理：用好天才团队》 作者：[美]杰恩 川迪斯

《破译创新的前端：构建创新的解释性维度》

作者：[美]理查德·莱斯特 迈克尔·派尔

《企业战略与技术创新决策：创造商业价值的战略和能力》

作者：欧洲技术与创新管理研究院

《文化 VS 技术创新：德美日三国创新经济的文化比较》

作者：[德]柏林科学技术研究院

《赢在创新：日本计算机与通信业成长之路》 作者：[英]马丁·弗朗斯曼

《创新之道：日本制造业的创新文化》 作者：[日]常盘文克

《创新的愿景》 作者：[英]马丁·弗朗斯曼

《突破性创新》 作者：[美]马克·斯特菲克 巴巴拉·斯特菲克

《创新民主化》 作者：[美]冯·希普尔

《产品创新》 作者：[美]戴维德·雷尼

《管理技术的流动》 作者：[美]托马斯·艾伦

《创新的十个面孔》 作者：[美]汤姆·凯勒

《变化中的北欧国家创新体系》 作者：[瑞典]霍刚·吉吉斯

《牛津创新手册》 作者：[美]纳尔逊

《创新的扩散》（第五版） 作者：[美]埃弗雷特·M.罗杰斯

汉译知识管理丛书

《创造知识的企业：日美企业持续创新的动力》

作者：[日]野中郁次郎 竹内弘高

《知识创造的螺旋：知识管理理论与案例研究》

作者：[日]竹内弘高 野中郁次郎

《创新的本质：日本名企最新知识管理案例》 作者：[日]野中郁次郎 胜见明

汉译企业知识产权战略丛书

《智力资本管理：企业价值萃取的核心能力》 作者：[美]帕特里克·沙利文

《技术许可战略：企业经营战略的利剑》

作者：[美]罗塞尔·帕拉 帕特里克·沙利文

《技术性知识产权评估与定价：破解技术价值之迷的六把金钥匙》

作者：[美]R·拉兹盖提斯

《无形资产的有形战略：管理公司六大无形资产的制胜法宝》

作者：[美]J·贝利

汉译创新管理丛书

创新的种子——解读创新魔方

[美] 伊莱恩·丹敦 著

陈劲 姚威 等译

这是一本既适合企业、组织专业人员，也适合普通读者阅读的创新管理著作。作者为创新团体咨询公司的创立者和首席战略专家，本书第一次提出创新思维不单包含创造性思维，而是创造性思维、战略性思维和变革性思维三者的结合。书中还提出了创新九步走、十种创新组合工具、统揽全局六大准则等简单而又行之有效的方法，以此提高个人、团队和组织的创新能力。

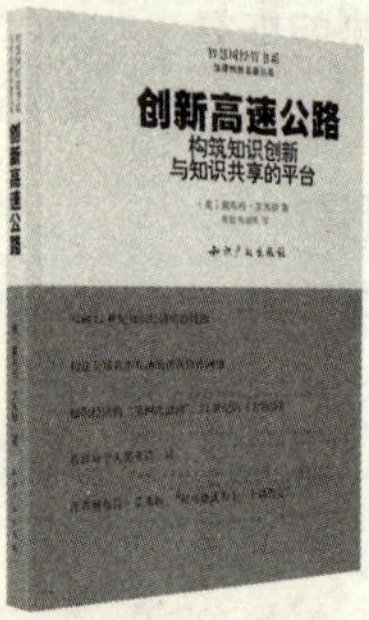

创新高速公路——构筑知识创新与知识共享的平台

[美] 戴布拉·艾米顿 著

陈劲 朱朝晖 译

本书把驱动21世纪经济的两个主要因素——创新和知识管理进行了综合，首创"创新高速公路"这一新构架，目的在于消除交流创新知识和能力的地理界限，为技术、管理、等方面创新提供知识平台和政策指南。本书勾画了21世纪知识经济的路线图，堪称知识经济的"第四次浪潮"、21世纪的《大趋势》，有人预言，作者戴布拉·艾米顿"很可能成为下一个德鲁克"。

创新的源泉——追循创新公司的足迹

[美] 埃里克·冯·希普尔 著

柳卸林 陈道斌 等译

这是一部管理学名著。传统认为，技术创新主要由制造商完成，本书对这一传统观念发起了挑战，认为技术创新在不同的产业有着不同的主体，在许多产业，用户和供应商才是创新者。这是管理界的一次思想革命！在国外，包括美国3M在内的一些大公司都将此书理论视为创新指针。

研发组织管理——用好天才团队

[美] 杰恩 川迪斯 著

柳卸林 杨艳芳 等译

作者探讨了改善研发组织生产力和促进业绩的各种途径，对如何制定研发组织战略、如何建立高效的研究开发机构、如何进行针对科学家的职业设计、如何领导研发组织、如何对待组织中的冲突、如何实现技术转移等问题作了分析。科研院所、大学科研机构、企业及其研发机构管理者将从本书中获益匪浅。

汉译创新管理丛书

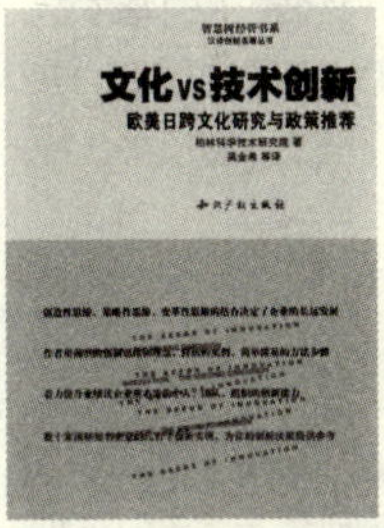

文化VS技术创新——德美日三国创新经济的文化比较

[德] 柏林科学技术研究院 著

吴金希 等译

这是一本关于"文化因素在技术创新中的作用"的经典著作，作者通过比较德美日三国文化的异同，探讨了文化因素对个人、团队、企业乃至创新济成败的影响。

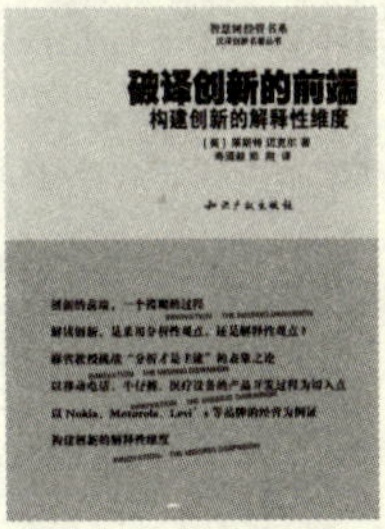

破译创新的前端——构建创新的解释性维度

[美] 理查德·莱斯特 迈克尔·派尔 著

寿涌毅 郑刚 译

这是一本关于产品研发前期管理的著作，就产品研发以及科研创新的方向、步骤、原则等问题，作者对两种传统方法进行了细致的对照和剖析，并以手机、牛仔裤、医疗器械等产业为例，解译了创新管理中常被人们忽视的一面：创新前期的模糊、混沌。

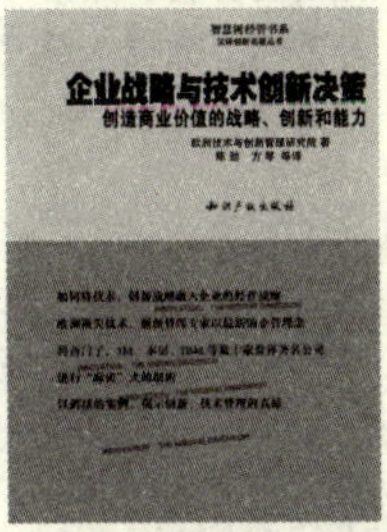

企业战略与技术创新决策——创造商业价值的战略和能力

欧洲技术与创新管理研究院 著

陈劲 方琴 译

这是一本如何将创新管理带入企业经营管理决策的著作。本书的特色在于，它将最新的实践、研究结果和思想融合起来，针对企业高层管理者的需要，提供了将创新决策有机融入到企业战略和经营管理之中的切实可行的良方。

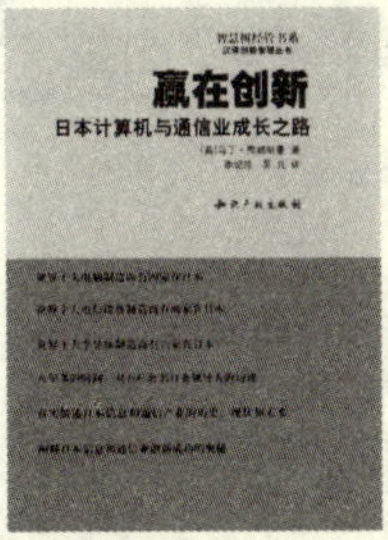

赢在创新——日本计算机与通信业成长之路

[英]马丁·弗朗斯曼 著

李纪珍 吴凡 译

本书分析了日本计算机和通信产业的崛起过程、全球地位以及这些产业巨人的优势和不足。作者用了8年多的时间，对600余名日本企业领导人进行访谈，通过富士通、NEC、日立、东芝等众多成功企业的案例，真实描述了日本计算机和通信产业的历史、现状和未来。

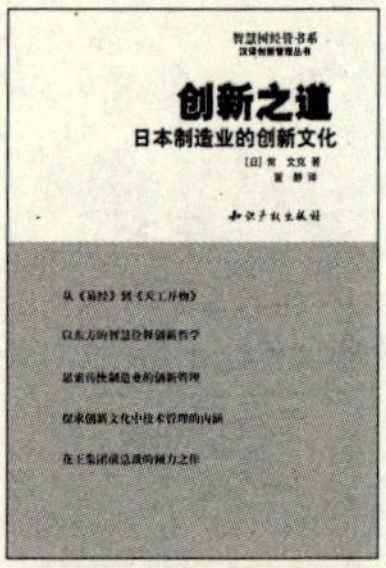

创新之道——日本制造业的创新文化

[日] 常盘文克 著

董旻静 译

本书作者提出制造企业应该将追求"独创的品质"作为经营中的基本战略，并充分贯彻。本书整理日本的文化传统，反思东方博大精深的智慧，在思想层面上重新审视制造业的生态环境。

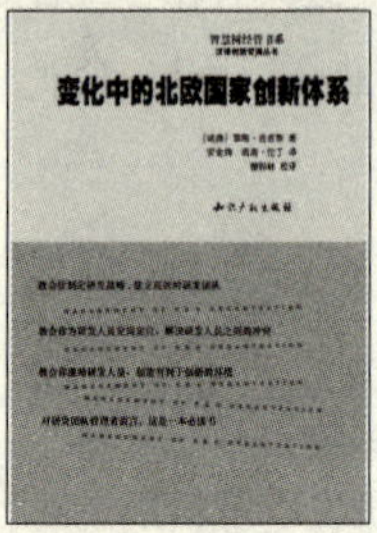

变化中的北欧国家创新体系

[瑞典]霍刚 · 吉吉斯 著

安金辉 南南 · 伦丁 译

本书对北欧国家的创新体系与创新政策进行了全面的描述与分析，对创新最重要的参与者及其活动、研发投入，以及各国政府的战略与规划进行了详细的描述，同时也对北欧五国的创新体系进行了评论与比较。

汉译知识管理丛书

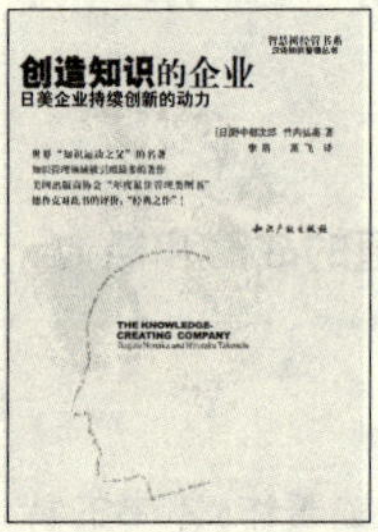

创造知识的企业——日美企业持续创新的动力

[日]野中郁次郎 竹内弘高 著

李萌 高飞 译

这是世界"知识运动之父"的理论名著，曾获美国出版社协会"年度最佳管理类图书"大奖，全球知识管理领域被引用最多的著作。彼得 · 德鲁克曾评价此书："这确实是一部经典！"

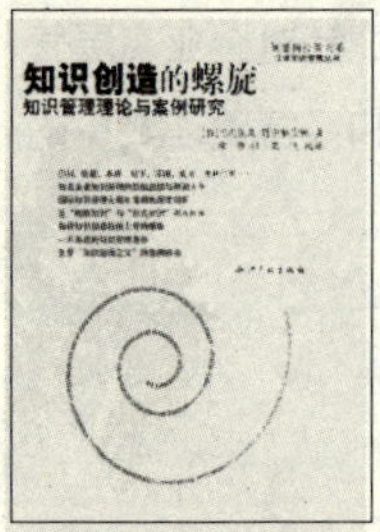

知识创造的螺旋——知识管理理论与案例研究

[日]竹内弘高 野中郁次郎 著

李萌 译

这是汇集知识管理众多案例的著作，从知识的视角对管理学进行反思，以IBM、佳能、索尼、本田等十几个世界知名企业的实例，讲述知识在创造中的螺旋上升过程。

创新的本质——日本名企最新知识管理案例

[日]野中郁次郎 胜见明 著

林忠鹏 谢群 译 李萌 校译

本书选取了13个企业，详述了13种产品的研发过程，并通过"故事篇"与"解说篇"就每一个创新过程的本质进行了深度解析。两位作者一位是著名知识管理学者，一位是资深记者，不同领域的两个顶尖人物通力合作，用最直观的方式阐释创新的本质所在。

汉译企业知识产权战略丛书

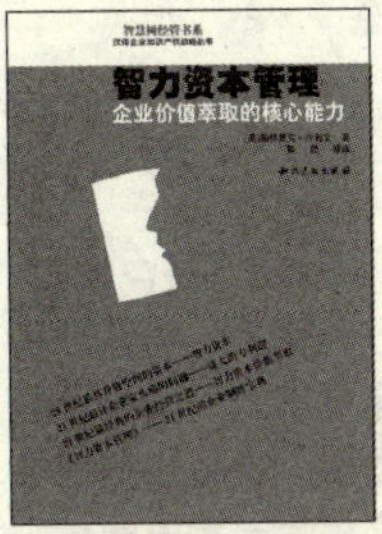

智力资本管理——企业价值萃取的核心能力

[美]帕特里克·沙利文 著

陈 劲 等译

本书核心价值在于，它阐释了21世纪知识经济的经营之道，从智力资本中萃取价值。就企业如何才能从无形财产中获得经济收益以及从其智力资本中获取更多的价值，分别通过施乐、惠普等十几家企业在实践中行之有效的案例进行了细致的阐释。

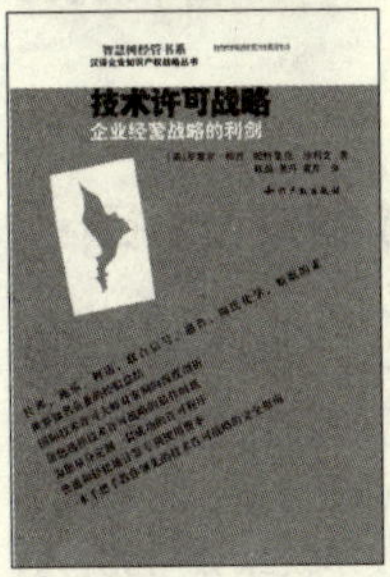

技术许可战略——企业经营战略的利剑

[美]罗塞尔·帕拉 帕特里克·沙利文 著

陈 劲 贺丹 黄芹 译

技术许可战略是实现公司价值最大化的最佳战略之一。本书从这一角度出发，对世界十几家知名企业的技术许可案例进行总结，介绍了各种行之有效的许可方法、专利组合以及专利使用费率，为企业开发出了成功的技术许可程序。对技术型企业来讲，这是一本技术许可战略的完全指南。

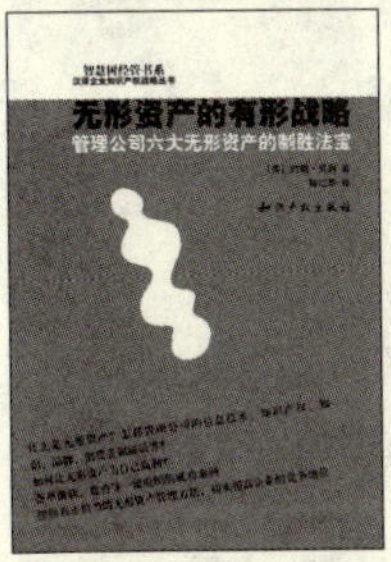

无形资产的有形战略——管理公司六大无形资产的制胜法宝

[美] J·贝利 著 陈江华 译

本书介绍了微软、惠普等一流企业如何创造并精确衡量和管理无形资产的体制和方法，是迄今为止对无形资产的最合理、最具操作性的研究。

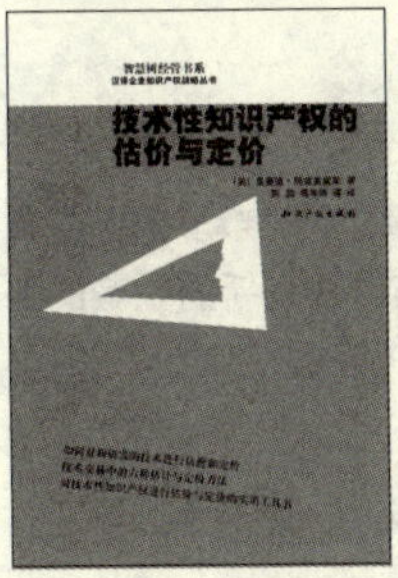

技术性知识产权的估价与定价——破解技术价值之谜的六把金钥匙

[美] R·拉兹盖提斯 著 金珺 傅年峰 陈劲 译

如何对交易的技术进行估价与定价是困扰许多技术型企业的棘手问题。本书从专业的角度对技术的估价与定价问题进行了深入的研究，具有很强的可操作性的，便于企业进行实际应用。

创新研究文丛

地缘科技学

作者：赵刚

本书第一次提出"地缘科技学"的概念，并厘定了其内涵及研究框架，"地缘科技学"以民族国家为基本单元和基本战略主体，研究国际体系结构中科技与国际政治和世界经济的关系。它集中关注的是科技与一国综合国力的关系、科技对国际政治经济格局的影响、科技在国家大战略中的地位和作用、国际科技竞争的基本格局以及科技安全在国家综合安全中的核心功能。

模块化创新——定制化时代复杂产品系统创新机理与路径

作者：陈劲　桂彬旺

本书将模块化方法应用于复杂产品系统创新管理中，通过模块化方法改善CoPS创新流程与组织管理，以解决复杂产品系统创新投入大、绩效低、过程管理困难等问题，结合复杂产品系统创新实践调研提出了包含系统功能分析、架构设计与模块分解、模块外包与模块开发、系统集成与完善等六个阶段的复杂产品系统模块化创新模式。

企业创新网络——进化与治理

作者：王大洲

本书通过案例研究和理论分析，阐明了企业创新网络进化的趋向、过程、陷阱和动力机制；归纳并分析比较了政府主导型、政府引导型、联邦型、旗舰型、企业家主导型与自组织型共六类典型的企业创新网络治理模式；探讨了基于创新网络的企业技术学习机制。

创新的忧思——透视中国3G技术发展

作者：李进良

本书作者李进良是著名的电信专家，多年来一直致力于推动中国3G技术的发展和应用。本书汇集了作者近七年来为中国通信自主创新而呐喊的各种文章40篇，涵盖当今最热门的3G、WAPI和SCDMA等话题。

自主创新读本

激扬创新精神——中宣部科技部自主创新报告团演讲录

作者：张景安　胡钰

本书系中宣部、科技部联合组织的自主创新报告团的巡回演讲集，收录了深圳常务副市长刘应力、北京大学教授路风、吉利集团董事长李书福、海信集团董事长周厚健等十人的精彩演讲，既包括学者对自主创新理论的深入阐释，也有各行业自主创新的业绩和感人故事，同时也介绍了国家自主创新的重大部署和宏观政策。

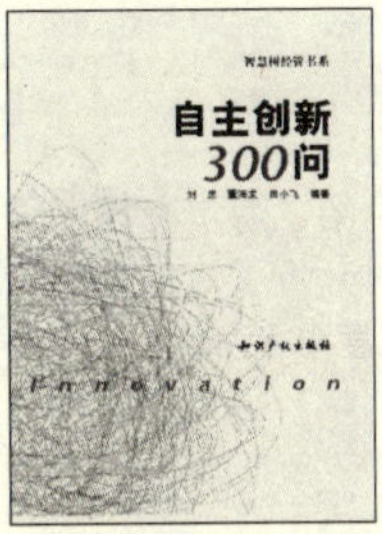

自主创新 300 问

作者：刘忠　董海龙　田小飞

本书系自主创新的普及读本，以问答形式汇集了与自主创新相关的近300个知识点，如什么是创新、创新与发明有何区别、自主创新是否有负面效应等等，集阅读、引用、学习于一体，可以让读者用最短时间全方位了解自主创新。

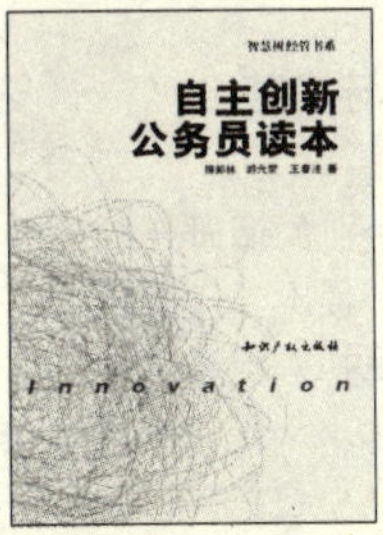

自主创新公务员读本

作者：柳卸林　游光荣　王春法

这是一本系统阐述自主创新政策和理论的读本，侧重于对国家宏观创新政策的解读。全书从自主创新、创新型国家、国家创新体系的内涵阐释入手，分别介绍了企业、科研、教育等机构在自主创新建设中的重要地位，并对技术创新体系、知识创新体系、国防科技创新体系、区域创新体系以及科技中介服务体系进行了深入浅出的解读。

中国区域创新能力报告

作者：中国科技发展战略研究小组

本书按年度对中国各省、自治区、直辖市的创新能力作客观、动态和全面的评价。通过大量的数字和科学的分析框架，对中国区域创新能力作了全面的分析，是一本研究中国技术创新国情，了解中国区域创新能力的多样性，进行区域创新能力比较的重要著作，是政府和企业进行技术创新决策的重要参考读物。作者均为我国创新研究领域的著名中青年专家。

中国科技发展研究报告

作者：中国科技发展战略研究小组

本书对中国科技工作进行及时、客观和全面的总结与评估，关注科技发展的重大事件，探讨热点问题，展望未来动向。本书分为中国科技发展评述与展望、军民融合与国家创新体系建设两部分，对我国高技术产业情况、生物产业创新系统的构建，以及军民融合创新体系建设等进行了分析和阐述。作者均为我国创新研究领域的著名中青年专家。

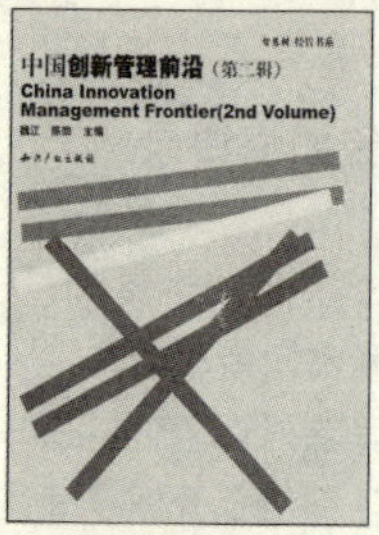

中国创新管理前沿（第二辑）

作者：魏江　陈劲

本书系第二届中国青年创新论坛成果集，内容围绕技术创新中的能力和创新系统等主题展开，代表了企业技术能力、创新系统、服务业创新、技术创新经济学等领域最前沿的研究进展。本书可以为理论界提供参考，也可以为国家、产业和企业制定相应的技术创新战略提供指导。

自主创新：海尔之魂

作者：刘进先

本书是"自主创新企业案例丛书"的第一本。系统介绍了海尔在技术研发、市场营销、队伍建设等方面所走过的创新之路，同时分析了海尔创新的特点、存在的问题，并针对我国企业技术创新进行了深度思考和分析。

用知识赢得优势——中国企业知识管理模式与战略

作者：吴金希

这是一本知识管理著作，作者通过对12个高科技企业的调研分析，提出了适用于中国企业的知识管理模型——知识链模型，并提出了知识撬动战略和知识成长战略的概念，为高科技企业提供了一个制定和实施知识管理战略的新视角和思维框架。

集知创新——企业复杂产品系统创新之路

作者：陈劲　童亮

复杂产品是指研究开发投入大、技术含量高、订制量小的大型产品，本书分析并总结了以往复杂产品创新领域里的研究成果，从企业和项目两个层面，提出了符合复杂产品特征的过程模式以及评价体系，为我国的复杂产品创新提供了系统的理论支持。

驭险创新——企业复杂产品系统创新项目风险管理

作者：陈劲　景劲松

本书提出了复杂产品系统创新的风险管理分析框架，从关键风险因素识别、风险产生机理、风险评价，以及风险动态模拟四个方面，分析和刻画了复杂产品系统创新项目风险的特征，揭示了项目风险的横向传递规律和动态变化规律，进而提出了有针对性的风险调控措施。